BIBLIOTHEK DEUTSCHER KLASSIKER

HOFFMANN

BIBLIOTHEK DEUTSCHER KLASSIKER

BDK

HERAUSGEGEBEN VON DEN
NATIONALEN FORSCHUNGS- UND GEDENKSTÄTTEN
DER KLASSISCHEN DEUTSCHEN LITERATUR
IN WEIMAR

HOFFMANNS WERKE

IN DREI BÄNDEN

ERSTER BAND

Erzählungen · Märchen

Aufbau-Verlag Berlin und Weimar

1990

Ausgewählt und eingeleitet von Gerhard Schneider

E. T. A. Hoffmann, Werke 1–3
ISBN 3-351-00139-8
Bd. 1
ISBN 3-351-00140-1

9. Auflage 1990

Einbandgestaltung Horst Erich Wolter
Lichtsatz Interdruck GmbH Leipzig
Druck Leipziger Druck u. Buchbinderei GmbH

EINLEITUNG

„Ausgezeichnet im Amte, als Dichter, als Tonkünstler, als Maler“ – diese Worte ließen Freunde in den Stein meißeln, der an Hoffmanns Grab auf dem Jerusalemer Kirchhof in Berlin aufgestellt wurde. Die Inschrift weist auf eine vielseitige deutsche Künstlerpersönlichkeit. Doch Hoffmann ist zugleich eine der umstrittensten. Hegel lehnte ihn ab. In seiner um 1820 ausgearbeiteten „Ästhetik“ ordnete er Hoffmann zu jenen Schriftstellern der neuesten Zeit, die „der Krankheit des Geistes das Wort geredet und die Poesie in das Nebulose, Eitle und Leere hinübergespielt“ hätten. Das Urteil Goethes fiel nicht glimpflicher aus. Im Gespräch mit Eckermann nannte er ihn mit den fadesten Unterhaltungsschriftstellern in einem Atem, und vorbehaltlos schloß er sich 1827 einer Kritik an, die der schottische Romanschriftsteller Walter Scott über Hoffmanns Werk veröffentlicht hatte: „Seine Werke ... dürften nicht als Muster der Nachahmung aufzustellen sein, vielmehr als Warnungstafeln, die uns anschaulich machen, wie die fruchtbarste Einbildungskraft erschöpft werden kann durch einen leichtsinnigen Verschwendungstrieb des Besitzers.“ Die Dringlichkeit von Goethes Mahnung gründet sich auf die Beobachtung, „daß die krankhaften Werke jenes leidenden Mannes lange Jahre in Deutschland wirksam gewesen“ seien und jeder „für Nationalbildung besorgte Teilnehmer“ nur „mit Trauer“ diese Einflußnahme vermerkt habe.

Hoffmanns Erzählungen hatten in der Tat außerordentlichen Erfolg. Gegen Ende seines Lebens rissen sich um ihn die Verleger, jeder Almanach- und Taschenbuchproduzent schätzte sich glücklich, wenn er Hoffmann zu seinen Autoren zählen durfte, die Honorare, die man bewilligte, waren beachtlich – und dieser Erfolg war auch zur Zeit von Goethes kritischen Erklärungen noch nicht abgeflaut: in dritter Auflage erschienen 1825, drei Jahre nach Hoffmanns Tod, die „Fantasiestücke in Callots Manier“, in zweiter Auflage 1824 der „Klein Zaches“, 1827 „Die Elixiere des Teufels“, 1828 der Roman „Kater Murr“ – Belege genug, daß die Vergangenheitsform von Goethes Einspruch unangemessen war.

Über den Rang von Hoffmanns Dichtung gibt diese Erfolgsstatistik freilich keine verbindliche Auskunft. Wirkung und Wert waren durchaus nicht mehr deckungsgleich, divergierten sogar erheblich. Hineingesogen in den allgemeinen Kommerzialisierungsprozeß, war die Literatur auseinandergebrochen; die Funktion der Kunst, zu unterhalten, hatte sich verselbständigt, und es war eine Literatur entstanden, die lediglich danach strebte, den Bedürfnissen des Publikums, unempfindlich gegenüber deren Wert oder Unwert, entgegenzukommen; ihre Autoren brachten stets, was man erwartete, und bewiesen gerade durch diese Willfährigkeit, daß sie das Publikum gründlich mißachteten. Diese Literatur beherrschte den Markt. Nicht der „Wilhelm Meister", sondern die Romane von Spieß und Cramer, Lafontaine und Clauren erzielten auf den Messen den höchsten Umsatz; nicht der „Carlos" oder „Wallenstein", sondern die Schauspiele Kotzebues und Ifflands bestimmten die Spielpläne der Theater.

Elemente dieser Unterhaltungsliteratur sind in Hoffmanns Werk nachweisbar, aber sie begründen die Resonanz, die es fand, nicht ausschließlich. Daß ein beträchtliches Darüberhinaus existiert, wird durch die Reichweite und Tiefenwirkung seines Werks bezeugt. Neben Goethe, Schiller und Heine war es im vorigen Jahrhundert lediglich noch ihm beschieden, weltliterarische Wirkung auszuüben. Er wurde übersetzt in sämtliche moderne Sprachen. Baudelaire in Frankreich, Edgar A. Poe in den Vereinigten Staaten, der junge Herzen und der junge Dostojewski in Rußland gehörten zu seinen Verehrern. Seine Erzählungen wurden sowohl von der Literatur wie von der Musik der Folgezeit aufgegriffen, verarbeitet und weiterentwickelt: „Das Fräulein von Scuderi" bildet die Grundlage für Otto Ludwigs gleichnamiges Schauspiel des Jahres 1847 und für Paul Hindemiths Oper „Cardillac" von 1926; Hugo von Hofmannsthals kleines Versdrama „Das Bergwerk zu Falun" (1899) geht zurück auf eine Erzählung E. T. A. Hoffmanns; der Kapellmeister Johannes Kreisler, Zentralfigur der „Fantasiestücke in Callots Manier" und des Romans „Kater Murr", ist Thema eines Klavierkonzerts Robert Schumanns; das Nachtstück „Der Sandmann", die Erzählung „Rat Krespel" und die „Geschichte vom verlorenen Spiegelbilde" gaben den Stoff für Jacques Offenbachs großartige Oper „Hoffmanns Erzählungen", die 1881 in Prag uraufgeführt wurde und seitdem unablöslicher Bestandteil des Opernrepertoires ist. Richard Wagners „Meistersinger" erhielten von Hoffmanns „Meister Martin“ maßgebliche Impulse; Motive Hoffmannscher Dichtung finden sich bei Dostojewski, bei Andersen, sogar bei Dickens; Poes romantische Erzählungen, die den Zusammenhängen zwischen der materiellen und der geistigen Welt nachspüren, atmen Hoffmanns Wesensart. Für den Ruhm seines Namens zeugt schließlich auch die Tatsache, daß sich 1919 zehn junge, von Gorki betreute Schriftsteller der Sowjetunion – unter ihnen Konstantin Fedin und Michail Soschtschenko – zu einem Bund zusammenschlossen, der sich wie der Berliner Kreis um Hoffmann „Serapionsbrüder“ nannte. Hoffmanns ästhetische Prinzipien waren für diese Schriftsteller, deren gemeinsames Ziel „die Erschaffung einer neuen Literatur der Kriegs- und Revolutionsepoche“ (Fedin) war, keineswegs verpflichtend; nur einer von ihnen, Kawerin, hatte ein positives Verhältnis zu dem Werk des Deutschen. Als Begriff war Hoffmann jedoch durchaus gegenwärtig.

Befremdend wirkt an dieser Registratur von Hoffmanns Nachleben die Verschiedenartigkeit seiner Anhänger. Zwischen dem Romantiker Schumann und Hindemith, dem Antirevolutionär Ludwig und dem russischen Serapionen Kawerin gibt es keine Übereinkunft – außer der einen, daß sie einander in Hoffmann begegnen. Die jeweilige Optik – durch Klassenzugehörigkeit und künstlerisches Temperament geformt – erzeugte natürlich voneinander abweichende, der Wahrheit mehr oder minder entsprechende Bilder des historischen Gegenstands. Aber selbst wenn die Interessenbedingtheit jeder Rezeption eingerechnet wird, bleibt im Falle Hoffmanns ein gehöriger Rest: sein Werk ist offenbar so vielschichtig, daß es diametrale Deutungen nicht bloß erlaubt, sondern geradezu provoziert.

In den zwanziger Jahren dieses Jahrhunderts begann im Zusammenhang mit einer allgemeinen Aufwertung der Romantik eine Hoffmann-Renaissance auch in der Wissenschaft. Bezeichnenderweise gehörten Schriftsteller, Künstler – welchen Rangs auch immer – von Anfang an zu denen, die sich die Würdigung und Verbreitung von Hoffmanns Werk angelegen sein ließen. Die bereits von Herzen gerühmte Fähigkeit Hoffmanns, das innere Leben des Künstlers auszudeuten, bildete einen unmittelbaren Antrieb zu erklärter wahlverwandtschaftlicher Neigung. Wesentlicher aber für die Rehabilitierung des bisher in die niederen Zonen der Literatur Verwiesenen war die Beobachtung, daß Hoffmann immer wieder das Verhältnis von Kunst und Leben erörtert hatte. Akute Fragen der imperialistischen Ära schienen von Hoffmann im voraus gestellt und im übrigen auch hinlänglich beantwortet worden zu sein. Denn seine modernen Verehrer betrachteten den Berliner Kammergerichtsrat als strikten Vertreter des L'art pour l'art oder hielten ihm wenigstens zugute, daß er die Spannung zwischen Kunst und gesellschaftlichem Leben als unaufhebbar, ja sogar als unerläßliche Vorbedingung einer jeden schöpferischen Leistung dargelegt habe.

Vergessen war, daß Jean Paul den von ihm auf dem Buchmarkt eingeführten Autor einst gewarnt hatte, ein Künstler könne sehr leicht aus Kunstliebe in Menschenhaß geraten. Vergessen war, daß Tschernyschewski bestimmte Züge in Hoffmanns Werk nur noch zu achten vermochte als Empfindungen eines Mannes, „der sich das übergesehen hatte, was man in Deutschland als Kleinstädterei bezeichnet, der sich das Leben von Menschen übergesehen hatte, die an den Belangen der Gesellschaft keinen Anteil nehmen, die beschränkt sind auf den eng bemessenen Kreis ihrer privaten Interessen, die jeden Gedanken an etwas Höheres als ihr Préférancespiel um Kopeken ... verloren haben". Was den Demokraten des 19. Jahrhunderts als latente Gefahr von Hoffmanns Kunstübung gegolten hatte, schmückten seine modernen Verehrer mit einem Purpursaum. In dieser Situation ist es geboten, sich der scherzhaften Mahnung zu erinnern, die Immermann an den Literaturgeschichtsschreiber richtete: „Laß Dein Lächeln, laß Dein Flennen, sag uns ohne Hinterlist, / Wann Hans Sachs das Licht erblickte, Weckherlin gestorben ist!" Hoffmanns Lebensgeschichte, die Geschichte seines Werks, beide gesehen in ihrer Verflochtenheit mit der Geschichte der Gesellschaft, müssen die Bausteine für ein neues Hoffmann-Verständnis bilden.

Das Königsberger Haus, in dem der am 24. Januar 1776 geborene Ernst Theodor Wilhelm Hoffmann aufwuchs, war ein Raritätenkabinett eigener Art. Den ersten Stock bewohnte die geistesgestörte Mutter des nachmaligen Dramatikers Zacharias Werner, die sich als die Heilige Jungfrau und ihren Sohn als den Heiland der Menschheit ausgab. Die untere Etage gehörte der Familie Doerffer, die sich zusammensetzte aus Hoffmanns Mutter, einer still dahindämmernden, durch eine mißratene Ehe seelisch zerrütteten Frau; aus seiner Großmutter, die ihrer leidenden Tochter assistierte; aus einem Onkel Otto Wilhelm Doerffer, der vorzeitig den Justizdienst verlassen hatte und sein ärmliches Leben mit der Präzision und der Seelenlosigkeit eines Uhrwerks abschnurren ließ – ihm war die Erziehung des jungen Hoffmann übertragen –; und schließlich aus einer unverheirateten Tante mit Namen Johanna Sophie Doerffer, deren praktischer Sinn das Funktionieren des Haushalts gewährleistete – von ihr dürfte Hoffmann noch die günstigste Beeinflussung erfahren haben.

Die Ehe der Luise Albertine Doerffer mit ihrem zwölf Jahre älteren Cousin, dem Advokaten Christoph Ludwig Hoffmann, 1767 geschlossen und 1778 geschieden, ist durch den Altersunterschied kaum beeinträchtigt worden. Nach allem, was überliefert ist, war es der Unterschied der Temperamente, der unausgleichbar war. Hoffmanns Vater war zwar Jurist wie die Männer der Familie Doerffer auch, er amtierte am Hofgericht Königsberg und wurde kurz nach der Scheidung als Justizkommissar und Kriminalrat an das Hofgericht Insterburg versetzt – aber sein Wesen ging in seinem Beruf nicht auf. In ihm war etwas Genialisches, das sich nicht in den Takt des bürgerlichen Lebens fügte – und das mag entscheidend dafür sein, daß Ernst Hoffmann in seinem Werk mehrmals den Vater erwähnte, obwohl er ihn kaum gekannt hat. Er hat unter der Abwesenheit des Vaters offenbar sehr gelitten. Stellvertretend für ihn selbst erklärt der Kapellmeister Kreisler in dem Roman „Kater Murr“: „Der schlechte Vater ist noch immer viel besser als jeder gute Erzieher ..., mir schauert die Haut, wenn Eltern in lieblosem Unverstande ihre Kinder von sich lassen und verweisen in diese, jene Erziehungsanstalt, wo die Armen ohne Rücksicht auf ihre Individualität, die ja niemanden anders als eben den Eltern recht klar aufgehen kann, nach bestimmter Norm zugeschnitten und appretiert werden.“

Obwohl Hoffmann im Hause der Großmutter und von Verwandten umgeben aufwuchs, scheint er sich bisweilen als Zögling einer solchen Erziehungsanstalt gefühlt zu haben. Das Phlegma, die Akkuratesse und die penible Ordentlichkeit des Onkels Otto Wilhelm, in dessen Zimmer der Junge untergebracht war, standen in so grellem Gegensatz zu dem Wesen des Kindes, daß alle erziehliche Fürsorge nur zu leicht als Maßregelung der Individualität empfunden werden konnte. Und die späterhin an Hoffmann beobachtbare Neigung, seine Umgebung zu mystifizieren – sei's aus Furcht vor der Preisgabe innerer Spannungen oder aus purer Freude an der Absonderlichkeit –, hat sich offenbar im Umgang mit dem Onkel Erziehungsberechtigten ausgebildet: als „O-Weh-Onkel“, als „dicken Sir“ verspotten ihn frühe Briefe, und nichts scheint mehr Vergnügen bereitet zu haben, als den phantasielosen Pedanten an der Nase herumzuführen.

Der Platz der Mutter blieb im schriftstellerischen Werk Hoffmanns unbesetzt. Als sie in ihr Elternhaus zurückgekehrt war, zerquält durch ein Jahrzehnt unglücklichen Ehelebens und in ihrem bürgerlichen Standesgefühl durch die Ehescheidung verletzt, war sie ausgebrannt und keiner echten Liebesbezeugung mehr fähig. Hoffmann hat sie oft tagelang überhaupt nicht zu Gesicht bekommen, und als sie 1796 starb, war es weniger der Verlust der Mutter, der den zwanzigjährigen jungen Mann bewegte, als die von der Person weitgehend abgelöste Begegnung mit dem Tode, dessen „despotische Majestät" ihn „mit Schaudern" erfüllt und schreckt.

Ein Frauenbild strahlt gleichwohl aus Hoffmanns Kindheit in seine Mannesjahre hinüber, um so intensiver in seiner Leuchtkraft, als die Erinnerung an das Urbild nur vage sein konnte. Bezeichnenderweise handelt es sich um einen Menschen, der eben erst die Grenze vom Mädchen zur Frau überschritten hatte – mit Ausnahme des Fräuleins von Scuderi und der Fee Rosabelverde in dem Märchen „Klein Zaches" sind es stets Geschöpfe im rosenfarbenen Alter, deren Liebreiz, häufig bis zur Blässe ästhetisiert, seine Dichtung als musterhafte Ausformung weiblichen Wesens beschwört; und wenn auch das relativ früh vorhandene Bewußtsein eigener Unschönheit, wenn vor allem spätere Begegnungen an der Ausbildung dieses Idols den maßgeblichen Anteil haben, so legt doch das Kindheitserlebnis den Grund: Charlotte Wilhelmine Doerffer, eine jüngere, unverheiratete Schwester seiner Mutter, 1779 im Alter von dreiundzwanzig Jahren gestorben, grub sich unauslöschlich in seine Seele. „Manchmal geschah es", berichtet er in der Erzählung „Der Musikfeind", „daß die Schwester meiner Mutter eine Arie sang. Ach, wie freute ich mich immer darauf! Ich liebte sie sehr; sie gab sich viel mit mir ab und sang mir oft mit ihrer schönen Stimme, die so recht in mein Innerstes drang, eine Menge herrlicher Lieder vor, die ich so in Sinn und Gedanken trage, daß ich sie noch leise für mich zu singen vermag ... Schon wenn sie die Einleitung spielten und meine Tante noch nicht angefangen hatte zu singen, klopfte mir das Herz, und ein ganz wunderbares Gefühl von Lust und Wehmut durchdrang mich, so daß ich mich kaum zu fassen wußte." Das Lautenspiel und der Gesang von Tante „Füßchen" öffneten ihm nach seinem Geständnis die ersten Blicke in das Wunderreich der Töne, in eine andere Welt.

Im übrigen taucht jedoch das Wort Musik allenthalben auf, wenn sich Hoffmann seiner Kindheit und Jugend erinnert. In seiner Familie gehörten musikalische Abendunterhaltungen zu festen Bräuchen; und wenn er sich später auch darüber belustigte, wie auf den vom „dicken Sir" einberufenen Soireen biedere Musikanten Emanuel Bach oder Benda exekutierten, so dürfen diese Mokerien nicht über die gesellschaftliche Bedeutung dieser Übungen hinwegtäuschen. Sie bezeugen, daß die vordem dem Hof, der Kirche oder allenfalls dem Magistrat vorbehaltene Musikpflege vom Bürgertum übernommen worden war.

Im Hoffmanns literarischem Werk sollten bereits die negativen Erfahrungen reflektiert werden, die sich aus dem Umgang mit dem Bürgertum als Kunstkonsumenten ergaben; Thema seines Werkes werden immer wieder die Kollisionen zwischen einem von hochgetriebenem Berufsethos erfüllten Künstlertum und dem für Kunst als Lebensornament bezahlenden bürgerlichen Publikum sein. Vorerst brachte ihm jedoch die Verlagerung der Musikpflege ins Bürgerhaus nur Gewinn; er wurde vom Onkel im Klavierspiel unterwiesen, und wenn der höchste Stolz dieses Lehrers nur darin bestand, die Finger des Schülers gelenkig zu machen, so erhielt Hoffmann durch den späteren Unterricht bei dem Kantor Podbielski (als Abraham Liscov porträtiert im „Kater Murr") Einblick in das Wesen der Musik und versuchte sich bald mit eigenen kleinen Kompositionen. Auch im Zeichnen und Malen wurde Hoffmann durch einen eigens bestallten Lehrer unterwiesen, und selbständig fand er den Weg zur Schriftstellerei: Mit neunzehn Jahren hatte er einen dreibändigen Roman „Cornaro, Memoiren des Grafen Julius von S." abgeschlossen, ein weiterer Roman, „Der Geheimnisvolle", war geplant, überliefert ist jedoch keiner, und ein Verlust für die Literatur dürfte dadurch kaum entstanden sein. Shakespeare, Rousseau und Schiller vermochten ihn zu jener Zeit genauso zu beeindrucken wie Kotzebue und der Kolportageroman eines Karl Grosse, und diese Unsicherheit des literarischen Geschmacks im Verein mit subjektbefangenen Urteilen lassen von seinen eigenen Versuchen wenig mehr als altersgemäße Leistungen erwarten.

In der Familie wurden Hoffmanns künstlerische Neigungen mit Wohlwollen wahrgenommen („Der kleine Neveu ist närrisch genug", pflegte sein Onkel „mit schlauer Miene" zu sagen), aber nicht im mindesten wurde gefolgert, daß Hoffmann dazu berufen sein könnte, die Kunst zum „Hauptgeschäft" seines Lebens zu erheben. Diese Möglichkeit zog nicht einmal er selbst in Betracht. „Daß die Kunst, welche mein Innerstes erfüllt, mein eigentliches Streben, die wahre, einzige Tendenz meines Lebens sein dürfte, fiel mir um so weniger ein, als ich gewohnt war, von Musik, Malerei, Poesie nicht anders reden zu hören als von ganz angenehmen Dingen, die zur Erheiterung und Belustigung dienen könnten." Funktion der Kunst, das Leben ein bißchen aufzumuntern – diese von

Hause mitgegebene und zunächst als durchaus selbstverständlich empfundene Ansicht sollte später, nachdem Hoffmann die Kunst als seine „einzige Tendenz“ begriffen hatte, eine entschiedene Revision erfahren und in seinem Werk einer der gewichtigsten Streitpunkte werden.

Zunächst aber vollzog sich seine Entwicklung ganz nach dem Familienritual. Nach dem Besuch der reformierten Burgschule bezog Hoffmann 1792 die Universität Königsberg als Student der Jurisprudenz und folgte damit auch dem besten Freunde, den er gewonnen hatte: Theodor Hippel, dem Sohn eines armen Dorfpfarrers aus Arnau bei Königsberg. Mit dem um ein Jahr älteren Schulkameraden und Kommilitonen verband Hoffmann eine überströmende Freundschaft, die auch bestehenblieb, nachdem Hippel 1790 auf Betreiben seines Onkels, des Königsberger Stadtprädidenten und Schriftstellers Theodor Gottlieb von Hippel, mit seiner Familie in den Adelsstand erhoben worden war und 1796 das reiche Erbe dieses Onkels angetreten hatte. Sie war in der späteren Zeit Temperaturschwankungen unterworfen, hielt aber bis zum Ende von Hoffmanns Leben.

In den Briefen, die Hoffmann dem im Jahre 1794 zu seinem Vater zurückgekehrten Freunde schrieb, werden Geständnisse vorgetragen, die einem zukünftigen Staatsbeamten recht merkwürdig zu Gesicht stehen und den bereits angedeuteten Konflikt in Hoffmanns Leben und Werk eröffnen. „Ich muß mich zwingen, ein Jurist zu werden“, heißt es am 1. Mai 1795; „Wenn ich von mir selbst abhinge, würd' ich Komponist und hätte die Hoffnung, in meinem Fache groß zu werden, da ich in dem jetzt gewählten ewig ein Stümper bleiben werde“ – am 25. November 1795; „eine einzige so komponierte Oper“ (an Salieri wird gedacht) „könnte das Glück meines Lebens machen“ – im selben Briefe. Tritt noch hinzu, daß der Jurastudent nur die unabdinglichsten Fächer belegte und nicht einmal die Vorlesungen Kants besuchte; daß er in Jahren weltgeschichtlicher Entscheidungen keinen Funken politischen Interesses bezeugte und sogar das Zeitunglesen – jetzt wie später – verschmähte; daß er alle freie Zeit für seine künstlerischen Übungen nutzte und (ab 1794) aus eigenem Entschluß Musikstunden erteilte – so wird eine geistige Physiognomie sichtbar, die im Positiven wie im Negativen unverwechselbar ist.

Keiner der etwa gleichaltrigen romantischen Schriftsteller hat, um ein Goethewort zu brauchen, solche Fortifikationslinien um sein Dasein errichtet wie Hoffmann. Selbst der sensible, verinnerlichte Wackenroder, der auf Geheiß seines Vaters Jura studieren muß und unter der seinem Wesen fremden Wissenschaft leidet, der die Kunst vergöttert („Sie allein erhebt uns über die Erde und macht uns unsres Himmels würdig"), selbst er nimmt die Französische Revolution wenigstens wahr und betrachtet sie gelegentlich sogar in abstraktem Freiheitspathos als Verheißung einer lichteren Zukunft. Nichts davon bei Hoffmann. Er teilte seine Zeit streng zwischen Brotstudium und Amtsgeschäften und den künstlerischen Übungen, schloß sich in die Spannungen ein, die sich daraus ergaben und die strukturbildend für viele seiner späteren Werke sein werden, und wenn er auch häufig genug sein „Clausnerleben" beklagte, so traf er doch keinerlei Anstalten, es zu sprengen. Allem Gefühl des Eingesperrtseins zuwider, wird sogar eine menschliche Harmonie auf engstem Raum für möglich gehalten: „Aus Überzeugung der Notwendigkeit studiere ich mein jus, und aus Hang (leidenschaftlich) füllt Musik die Stunden der Erholung" (2. Februar 1796). Noch wird, aller Reibungen unerachtet, an der Möglichkeit festgehalten, die Kunst zur Erhöhung des Lebens einsetzen zu können und ein zwangloses Nebeneinander von Pflicht und Neigung zu erreichen. Gegen Ende seines Lebens aber scheint zumindest der Musiker Hoffmann den Versuch, Beamter und Künstler in einem zu sein, als tragischen Irrtum empfunden zu haben. Die Biographie des Kapellmeisters Johannes Kreisler berichtet jedenfalls von jugendlichen Fehlentscheidungen, die sich verheerend ausgewirkt hätten: „Die Schnelle, mit der ich ... in der Laufbahn, die ich gewissermaßen selbst gewählt, vorwärts schritt, ließ mir keinen Moment übrig, mich umzuschauen und die schiefe Richtung des Weges, den ich genommen, wahrzunehmen. Das Ziel war erreicht, umzukehren nicht mehr möglich, als in einem nicht geahnten Moment die Kunst sich rächte, der ich abtrünnig worden, als der Gedanke eines ganzen verlornen Lebens mich mit trostlosem Weh erfaßte ..." Der Kapellmeister Kreisler kann im Mannesalter die Fesseln eines leidigen Amtes abstreifen; auch das besitzt eine Entsprechung in Hoffmanns Leben. Kreisler betrachtet die Befreiung als verspätet: „Mir geht es wie jenem Gefangenen, der, als er endlich befreit wurde, dem Getümmel der Welt, ja dem Licht des Tages so entwöhnt war, daß er nicht vermögend, der goldnen Freiheit zu genießen, und sich wieder zurücksehnte in den Kerker." Hoffmann scheint über seine künstlerische Selbstverwirklichung als Musiker ähnlich gedacht zu haben.

Was im „Kater Murr" über den Werdegang des Juristen mitgeteilt wird, ist korrekt; Hoffmann bewies sich in seinem Fach durchaus nicht als Stümper, wie der Brief an Hippel meinte, sondern wurde später von seinen Vorgesetzten stets als ein Beamter geschätzt, der über gediegenes Können und eine rasche Auffassungsgabe gebot. Im Sommer 1795 bestand er sein erstes juristisches Examen, das ihn zum Auskultator (Beisitzer ohne Stimmrecht) qualifizierte, im Sommer 1798 sein Referendarexamen und zwei Jahre später sein Assessorexamen mit dem Prädikat „Vorzüglich". Seine Heimatstadt Königsberg hatte Hoffmann mittlerweile verlassen, um sie nur noch zu kurzen Besuchen wiederzusehen. Die Familie hatte es für ratsam gehalten, daß die weitere Ausbildung des jungen Auskultators unter der Obhut des Onkels Johann Ludwig Doerffer erfolgte, der bei der „Regierung" (dem Oberlandesgericht) von Glogau als Rat amtierte. Für diese Entscheidung hatte ein privates Motiv den Ausschlag gegeben: Hoffmanns erste große Liebe, seine Musikschülerin Dora Hatt, war eine verheiratete Frau, und trotz vorsichtiger, unter Qualen geübter Zurückhaltung scheint von ihrem Einverständnis doch soviel durchgedrungen zu sein, daß die Familie, um einem Skandal vorzubeugen, die Entfernung des jungen Mannes beschloß.

Nach Glogau reiste Hoffmann trotz des Schmerzes, den die Trennung von der geliebten Frau verursachte, trotz der Entfernung, die sich zwischen ihm und dem Freund lagerte, mit einiger Erwartung. Allein daß er einen Ort verlassen konnte, wo man, wie er an Hippel schrieb, „mich gewaltsam eingesperrt und mit einer heiligen Dummheit meinen Geist in eine von Vorurteilen erschaffene Dogmatik einzwängt", erregte seinen Lebensnerv. Wesentlicher noch für seine Bereitschaft war die Hoffnung, in dem katholischen Schlesien seine Kunst vervollkommnen zu können. „In ein musikalisches Land geht meine Wanderschaft", berichtete er am 22. Februar 1796 dem Freunde; „Kirchenmusiken werd ich erst kennen lernen, und meine Kompositionen werden sich unter der Bildung echter Musiker besser erheben als hier in dem musikalischen Schlaraffenleben, wo ein jeder geigt und pfeift wie's ihm dünkt ..." Bereits im Dezember, nach halbjährigem Aufenthalt, wurde er jedoch zu dem Geständnis genötigt: „Ich ging nach Süden, um wärmer zu sein, und bin an eine Eisklippe geraten, die mir Verderben droht." Keine Komposition, keine Dichtung wurde in den zwei Glogauer Jahren geschaffen. Die kleine niederschlesische Stadt, ohne Theater, ohne Universität, die liebendbesorgte Familie des Onkels, die beruflichen Pflichten – alles wirkte zusammen, um Hoffmann zu ermüden, wie stark er sich auch sträuben mochte. Zwar schloß er innige Freundschaft mit einem Manne, der ein vortrefflicher Pianist und gleich ihm in einem bürgerlichen Beruf eingepfercht war. Johann Samuel Hampe, Registrator bei der Zolldirektion, bedeutete ihm zeitweise sogar mehr als der ihm sozial und geistig entrückte Standesherr Hippel. Hoffmann erwarb sich auch Kenntnisse in der Technik der Architekturmalerei, indem er als angehender preußischer Beamter die Extravaganz nicht scheute, dem Maler Aloys Molinary bei der Renovierung der Glogauer Jesuitenkirche zu helfen. Aber diese Lebensereignisse wirkten doch nicht kursbestimmend. Hoffmann war in diesen und den folgenden Jahren der Verwirklichung seiner Künstlerträume ferner denn je und fand sich schließlich auch innerlich bereit, sich einzubürgern: 1798 verlobte er sich mit Minna Doerffer, der einen seiner beiden Cousinen, die er kurz nach seiner Ankunft in Glogau noch sehr herablassend beurteilt hatte: „Meine Cousinen sind sehr gebildete Mädchen ... das Gesicht von beiden ist ohne hübsch noch häßlich zu sein ein Gemisch von interessanten und Wechselbalgs-Zügen, doch aber im ganzen gar nicht uneben ..." Jetzt wählte er sich das ältere der Mädchen zu seiner zukünftigen Frau.

Auch in dieser unproduktiven, kunstfernen Periode von Hoffmanns Leben bilden sich freilich Eigentümlichkeiten heraus, die für den späteren Schriftsteller wichtig sein werden. Dem Bräutigam und Referendar wurde im Sommer 1798 eine kurze Reise ins Riesengebirge und nach Dresden gestattet – die erste Vergnügungsreise, die er unternahm. Die italienischen Renaissancemaler in der Dresdner Galerie beeindruckten ihn so, daß er an seiner eigenen Malkunst zweifelte und wie ein Anfänger Studien zu zeichnen sich vornahm. Aufschlußreicher für seine Wesensart muß jedoch erscheinen, daß er mit innerlicher Befriedigung meldet, auf dieser Reise auch viel gelernt zu haben: „... die Art des Glasschleifens, die Art – Vitriol zu bereiten, Papier zu machen – kurz über so manches habe ich mich belehren lassen", berichtete er an Hippel. Hoffmanns Kunst ist stets von gründlicher Sachkenntnis getragen, ob er nun Künstlerschicksale beschreibt oder aber in Bereiche des bürgerlich-tätigen Lebens eindringt wie in der Novelle „Meister Martin der Küfner und seine Gesellen" (1819). Die gründliche Kenntnis des Gegenstands und der aus ihr entspringende Realismus des Details verbinden Hoffmann mit den Schriftstellern des 18. Jahrhunderts und mit den bürgerlichen Realisten der Folgezeit, gewährleisten ihm eine eigenständige Position innerhalb der Romantik, mit der er geistig korrespondiert.

Der Dresdner Sommer 1798, für die Hoffmann-Biographie nur eine Episode, ist für die Geschichte der Romantik ein entscheidendes Datum. Denn noch vor Hoffmanns flüchtigem Besuch hatten sich einige ihrer führenden Vertreter für mehrere Wochen in der sächsischen Residenz zusammengefunden: der Shakespeare-Übersetzer August Wilhelm Schlegel, seine Frau Caroline, sein Bruder Friedrich und der Freiberger Student der Bergwissenschaften Friedrich von Hardenberg, der unter dem Namen Novalis in die Literatur eintrat. – Rückblickend auf seine geistige Entwicklung bezeichnete der Kunsttheoretiker und Kritiker Friedrich Schlegel den Aufenthalt in Dresden als den Abschluß seiner klassischen Periode, und als Wirkfaktor für die Ausbildung einer neuen, der romantischen Kunst- und Weltanschauung notierte er neben der mittelalterlichen Dichtung die in der Dresdner Galerie aufbewahrten Gemälde der alten Meister. Ihnen widmeten sein Bruder August Wilhelm und dessen Frau Caroline ein Kunstgespräch, „Die Gemälde", das 1799 in der von den Brüdern seit Ostern 1798 herausgegebenen Zeitschrift „Athenäum" erschien und das wahrhaftig die Romantik als künstlerische und philosophische Gegenbewegung gegen Aufklärung und Klassik – wenn nicht begründet, so doch – in Aktion zeigt. Denn hatten sich die Brüder Schlegel noch zu dem Zeitpunkt, als sie sich ein eigenes Publikationsorgan schufen, in der Nachfolge Winckelmanns und Lessings und in der geistigen Nachbarschaft Goethes geglaubt und wie diese die Kunst der griechischen Polisdemokratie als Leitbild der gegenwärtigen Kunstübung anerkannt – ein Tatbestand, der durch den Namen der Zeitschrift bestätigt wird –, so wurden in dem Kunstgespräch über die Dresdner Gemälde Gesinnungen vorgetragen, bei denen man auf Goethes Zustimmung nicht rechnen durfte. Daß man den Malern der italienischen Renaissance und des französischen Barocks, Raffael vor allem, mit Kennerschaft und Ehrfurcht huldigte, ist dabei nicht das Wesentliche. Die betont malerische Kunst der Renaissance und des Barocks anerkannt zu haben, ist ein Verdienst, wenn man bedenkt, daß der von Goethe propagierte lineare Klassizismus nur zu epigonalen Leistungen fähig war. Divergenzen mußten sich ergeben, indem die Schlegels Bilder mit christlicher Thematik lediglich als christliche identifizierten und ihren menschlich-sozialen Gehalt übersahen; indem sie den Mangel einer Mythologie – eines verbindlichen Weltbildes also – beklagten und die katholische Religion als Bett und Gefäß für die gegenwärtige Kunstübung empfahlen. Den früheren, scheinbar ganz dem klassischen Geist verhafteten Arbeiten der Schlegels ist bereits zu entnehmen, daß sie den historisch-konkreten Inhalt des Kampfes, den die bürgerliche Klassik gegen den Feudalabsolutismus und dessen ideologische Stützen – also auch gegen das offizielle Christentum – führte, verflüchtigten. Die Empfehlung in dem Kunstgespräch verrät eindeutig, daß die Schlegels zum Bürgertum und seiner gesellschaftlichen Mission in einem losen, kündbaren Verhältnis standen, freischwebende Intelligenzen waren, die sich an beliebigen Punkten festzusetzen vermochten. – Das Lob des Katholizismus als Fundament künstlerischer Tätigkeit vereinte die Schlegels, deren Kreis man nach seinem Wirkungszentrum Jenaer Romantik genannt hat, mit Wackenroder und Tieck, die bereits 1796 in ihren „Herzensergießungen eines kunstliebenden Klosterbruders" die Kunst in unlösbarer Verbindung zur Religion gezeigt hatten. Dem frühverstorbenen Wackenroder ist zwar zuzugestehen, daß seine Kunstfrömmigkeit konfessionellen Ansprüchen unzugänglich blieb, und der Hauptverfasser der „Gemälde", A. W. Schlegel, hat niemals mehr als ein ästhetisches Vergnügen an Gott und der Religion empfunden; mit derselben Geschicklichkeit, mit der er im Anschluß an das Kunstgespräch Themen der christlichen Heilsgeschichte in Sonettform behandelte, brachte er schon im nächsten Heft des „Athenäum" ein an Goethe gerichtetes Gedicht über die griechische Götterwelt. Gleichwohl sind die in den „Herzensergießungen" und dem Gemälde-Gespräch formulierten Gesinnungen für die Entwicklung der Romantik verbindlich geworden. Herausgeschleudert aus dem lebendigen Geschichtsprozeß, ohne soziale Kontakte, schlossen sich viele romantische Schriftsteller innerhalb der nächsten zwei Jahrzehnte den historischen Mächten an: geistig, indem sie dem Katholizismus zufielen; sozial, indem sie eine Erneuerung Deutschlands unter Bewahrung feudalistischer Institutionen förderten; politisch, indem sie reaktionären, volksfeindlichen Regierungen zu Diensten standen.

Der zweiundzwanzigjährige Hoffmann hatte von diesen geistigen Auseinandersetzungen und den zugrunde liegenden gesellschaftlichen keine Ahnung. Die Romantik als künstlerisch-philosophische Bewegung kannte er nicht, und auch als er Ende August 1798 mit der Familie seines zum Obertribunalrat beförderten Onkels nach Berlin umzog und anderthalb Jahre in der preußischen Residenz zubrachte, wurde er der ideologischen Parteiungen seiner Zeit nicht inne, geschweige denn, daß er politisch-gesellschaftliche Vorgänge in seinen Bewußtseinshorizont einbezogen hätte. Er besuchte Opernhaus, Theater, Kunstausstellungen und zeigte sich angetan von dem „guten gebildeten Geschmack ... in den öffentlichen Vergnügungen" Berlins, er komponierte sogar einige Lieder und schrieb Musik und Text eines Singspiels – aber das alles verwies doch mehr auf einen vielversprechenden jungen Mann als auf einen außergewöhnlichen Künstler. Berufsgeschäfte und geselliger Verkehr beherrschten sein Leben, und daran änderte sich zunächst gar nichts, als er im Frühjahr 1800 an das Oberlandesgericht von Posen versetzt wurde. In dieser Stadt, die 1793, bei der zweiten, durch Rußland und Preußen erzwungenen Teilung Polens, von Preußen annektiert worden war, bildeten die Deutschen eine dünne, abgesondert lebende Oberschicht, und der zum ersten Mal der Familienaufsicht entbundene Assessor Hoffmann wurde fleißiger Gast in der „Ressource", wie sich die gesellige Vereinigung der Deutschen bezeichnete, ja er wurde das, „was Schul-Rektoren, Prediger, Onkels und Tanten liederlich nennen" (so er selbst in einem rückblickenden Briefe). Die Kunst hatte er zwar nicht an den Nagel gehängt, aber sie rückte hintan, wurde Konversationsthema und füllte müßige Stunden. Er bearbeitete und komponierte Goethes Singspiel „Scherz, List und Rache" und durfte erleben, daß sein Werk von der Schauspieltruppe Carl Döbbelins mit Erfolg aufgeführt wurde – doch damit ist der künstlerische Ertrag der zweijährigen Posener Assessorenzeit schon annähernd erschöpft. Immerhin scheint es so, als habe Hoffmann auch zu dieser Zeit empfunden, daß er für eine unkomplizierte, bürgerlich-solide Beamtenexistenz nicht gemacht war: denn abrupt für seine Familie löste er die Verlobung mit Minna Doerffer und heiratete, durchaus nicht unter dem Zwang eines elementaren Gefühls, im Juli 1802 ein polnisches Mädchen, das an sozialem Rang und an Bildung mit seiner Cousine keineswegs konkurrieren konnte. Michelina Trzinska (verdeutscht: Rohrer), Tochter eines kleinen Stadtschreibers, war, wie er seinem Freund Hippel schrieb, „mittlerer Statur, wohlgewachsen, dunkelbraunes Haar, dunkelblaue Augen" – eine angenehme Erscheinung demnach, aber keine Partnerin seines Geistes. Was sie ihm hier versagte und versagen mußte, scheint Hoffmann jedoch für entbehrlich gehalten zu haben; er wählte eine Frau, die für ihn da war – und das konnte Mischa unbedingter als die aus respektabler Bürgerfamilie stammende, zu Ansprüchen erzogene Minna Doerffer. Sie teilte sein häusliches Leben, ob es in Abgeschiedenheit und Dürftigkeit führte oder in Sicherheit und matten Glanz; und gleich zu Anfang der Ehe wurde Bedürfnislosigkeit von ihr gefordert.

Zum Regierungsrat ernannt, war Hoffmann im Jahre 1802 nach Płock, in die Hauptstadt der 1795 annektierten sogenannten neuostpreußischen Provinz, versetzt worden – und die Versetzung in diese historisch nicht unbedeutende, im Lauf der Jahrhunderte jedoch heruntergekommene, 2500 Einwohner zählende Weichselstadt kam einer Verbannung gleich. Konflikte zwischen den preußischen Zivilbehörden und der in Posen stationierten preußischen Garnison waren vorausgegangen. Ein angesehener Anwalt war nach einem Streit mit einem Offizier wegen angeblicher Beleidigung der Offiziersehre von einem Militärgericht zu drei Monaten Festungshaft verurteilt worden und hatte sich das Leben genommen. An der Beerdigung beteiligten sich sämtliche Beamte und bürgerliche Honoratioren der Stadt. Trotz dieser Demonstration vertiefte der neuernannte Garnisonskommandant, ein General, die Kluft zwischen dem Militär und der Zivilverwaltung, indem er zu den Repräsentationsveranstaltungen nur noch Angehörige des Adels und Beamte einlud, die im Rang von Räten standen. Die brüskierten Assessoren und Anwälte beschlossen, sich zu revanchieren: Hoffmann zeichnete boshafte Karikaturen aller mißliebigen Personen, die Zeichnungen wurden vervielfältigt und von zwei Freunden Hoffmanns, die sich als Bilderhändler verkleidet hatten, auf einem Faschingsball unter der Gesellschaft verteilt. Der Skandal übertraf die Erwartungen: Der General (den Hoffmann auf einer Teemaschine „zum Tee! zum Tee!" trommelnd gezeigt hatte) beschwerte sich in Berlin, es wurde eine Untersuchung angeordnet, und obwohl sie ergebnislos verlief, wurde der mutmaßliche Hauptschuldige zweihundert Kilometer in den Osten abgeschoben. – Diese Affäre, Hoffmanns erster Zusammenstoß mit den reaktionären Gewalten in Preußen, darf nicht überbewertet, etwa als „später und milder Aufguß der französischen Revolution" verstanden werden, wie ein Hoffmann-Biograph meinte. Sie ist zunächst einmal charakteristischer für die preußischen Zustände als für den jungen Juristen, veranschaulicht die Vorherrschaft des Militärs in diesem Staate und den arroganten Standesdünkel des adligen Offizierskorps. In Hoffmanns Leben ist sie das erste Zeugnis eines über den privaten Bereich hinausgreifenden und sogleich bürgerlich orientierten sozialen Interesses. Dem Freunde Hippel berichtete er zwar in einem bereits aus dem „Exil" geschriebenen Briefe, es habe sich um „Geniestreiche" gehandelt; doch ohne die Lust am Spaß in Abrede zu stellen, dürfte diese Lesart dem Adressaten angemessen worden sein: wie Hoffmann übertrieb, indem er dem adligen Großgrundbesitzer Hippel, der in eine vornehme Familie geheiratet hatte, seine Frau Mischa als Tochter des ehemaligen Posener Stadt*präsidenten* vorstellte, so hat er wohl bewußt bagatellisiert, als er ihm die Posener Affäre als bloße Laune einer „überaus lustigen Verbrüderung" beschrieb. Die Karikaturen sind ein frühes Vorspiel seiner Satire auf die feudalistischen Fossilien in Deutschland, und die Verbannung, die sie ihm eintrugen, lehrte ihn die Machtverhältnisse in Preußen begreifen – freilich nur mit dem Resultat, daß er sich zukünftig in sich selbst zurückzog oder sich wenigstens in acht nahm.

In Plock arbeitete Hoffmann angestrengt, um sich die Zufriedenheit seiner Vorgesetzten zu erwerben und damit die Voraussetzungen für eine Versetzung zu schaffen. Wie sehr er an der Ödnis des weltabgeschiedenen Orts und dem stumpfen Einerlei seiner Beschäftigung litt, wie sehr er sich vereinsamt fühlte, ergibt sich aus dem zu dieser Zeit gefaßten Entschluß, ein Tagebuch zu führen. Immer in kritischen Phasen seines Lebens hat Hoffmann diese Zwiesprache mit sich selber wieder aufgenommen. Seine Tagebuchaufzeichnungen besitzen hohen dokumentarischen Wert: sie unterrichten über seine Tätigkeiten und Pläne, vor allem aber über seine Stimmung, sein überaus reizbares, bewegliches Lebensgefühl. Klagen beherrschen die Eintragungen aus Płock, Klagen über „dies tristes et miserabiles“ (triste und elende Tage). Vereinzelt finden sich auch Stichworte, die in späteren Zeiten regelmäßig wiederkehren: „gepunscht“ heißt es oder „gebischofft“ – der Genuß gewürzten Weins diente in Płock offenbar noch der Betäubung; späterhin wurde Wein ein unentbehrliches Stimulans seines Geistes. Hoffmann entwickelte eine derartige Kennerschaft, daß er die Wirkung verschiedener Weine auf seine Schöpferkraft geradezu systematisierte (Kreislers „Höchst zerstreute Gedanken“, 1813).

Zwei Jahre dauerte der Plocker Aufenthalt – im Frühjahr 1804 wurde Hoffmann nach Warschau versetzt, das ebenfalls 1795, bei der dritten Teilung Polens, von Preußen einverleibt worden war. Auf künstlerische Erfolge konnte er, achtundzwanzig Jahre alt, noch immer nicht hinweisen, aber er hatte die Zeit des Exils genutzt. Er hatte sich wieder im Komponieren versucht, hatte auch wieder geschrieben, hatte vor allem den „lyrischen Traum des wirksamen freien Künstler-Lebens“ wieder zu träumen begonnen. Und dieser Traum war es auch, der ihn in Warschau unverzüglich für die Romantik gewann. Den Zugang zu ihr hatte ihm Julius Eduard Itzig (später: Hitzig) geöffnet, ein literarisch interessierter Assessor am preußischen Obergericht, der sich wenige Jahre später als Buchhändler und Verleger in Berlin etablierte und der Hoffmanns erster Biograph werden sollte. In Zacharias Werner, seinem einstigen Nachbarn, traf Hoffmann zudem einen namhaften Dramatiker der Romantik. Unmittelbares Zeugnis der Wirkung, die von ihr ausging, ist eine Reihe in Warschau geschaffener Kompositionen: Hoffmann komponierte Clemens Brentanos Singspiel „Die lustigen Musikanten“ (1804), schrieb die Bühnenmusik zu Werners Trauerspiel

„Das Kreuz an der Ostsee" und begann 1807 die Komposition einer Oper nach Calderons Schauspiel „Die Schärpe und die Blume", das A. W. Schlegel aus dem Spanischen übersetzt hatte. In der Korrespondenz, die die Entdeckung des literarischen Neulands berichtet, macht sich jedoch Hoffmanns gereiftes Kunstverständnis auch in der Beurteilung bestimmter Eigentümlichkeiten der romantischen Schule geltend; wird beispielsweise vermerkt, „daß Werners Kreuz einen wirklich mit allen nur möglichen Formen der neuen Schule kreuzigt" – und diese Kritik berührt einen Nerv der romantischen Dichtungspraxis.

Die Ablehnung der zeitgenössischen gesellschaftlichen Wirklichkeit, der Mangel einer gesellschaftlichen Perspektive prägte sich in der Ästhetik vieler romantischer Schriftsteller, auch in der Ästhetik Hoffmanns, darin aus, daß die Musik höchste Wertschätzung genoß: „weil sie eine Sprache redet, die wir im ordentlichen Leben nicht kennen" (Wackenroder), weil sie „dem Menschen ein unbekanntes Reich" aufschließt, „eine Welt, die nichts gemein hat mit der äußeren Sinnenwelt, die ihn umgibt" (Hoffmann). Als eine Kunst, deren Material nicht unmittelbar in der Realität vorgebildet ist und deren Inhalt nicht in unmittelbarem Zusammenhang mit den konkreten Gegenständlichkeiten des Lebens steht, wurde die Musik in der Romantik auch Leitbild der Dichtung. In Tönen zu denken und in Worten zu musizieren, war für viele Romantiker Literaturprogramm. Die Assonanzen und Alliterationen, die Terzinen und Sonette, in denen sie sich gefielen und die von Hoffmann als „Formen der neuen Schule" gekennzeichnet werden, kamen wegen der ihnen innewohnenden musikalischen Magie zu allgemeiner Geltung. Ungetrübten Gewinn hat die Literatur von dieser Entwicklung nicht erfahren. Die Überanstrengung der klanglichen und rhythmischen Möglichkeiten der Sprache führte häufig zu einem unausgleichbaren Bedeutungsschwund, ließ Dichtungen entstehen, die in emotionaler und rationaler Hinsicht träge oder tot sind. Es dürfte gerade Hoffmanns Musikverständnis gewesen sein, das ihn von der Unvollziehbarkeit der Bemühung, Dichtung in Musik aufzulösen, überzeugte.

Obenan stand in den Warschauer Jahren und in den Jahren danach die Musik – Künstlerschaft schien für Hoffmann gleichbedeutend mit Kompositionstätigkeit und Musikausübung zu werden. Sogar im Privatleben tritt die Vorrangstellung dieser Kunst zutage: eine 1805 geborene Tochter erhielt den Namen Cäcilia – den Namen der katholischen Schutzheiligen der Musik; und Hoffmann selber hatte zuvor seinen dritten Vornamen Wilhelm in Amadeus geändert – nach Wolfgang

Amadeus Mozart, dem Meister der klassischen Wiener Musikkultur, der für Hoffmann neben dem älteren Haydn und dem jüngeren Beethoven als Repräsentant der Romantik in der Musik galt. Als in Warschau, nicht zuletzt auf Hoffmanns Betreiben, eine Musikalische Gesellschaft gegründet wurde, ergab sich für ihn schöne Gelegenheit, sein Können zu erproben. Man erwarb einen Palast, der nach Hoffmanns Plänen und unter seiner Mitwirkung ausgestaltet wurde, und im August 1806 trat die Gesellschaft als Musikalische Akademie an die Öffentlichkeit. Auf dem Festkonzert dirigierte Hoffmann seine Sinfonie in Es-Dur, die umfänglichste mehrerer in Warschau geschaffener Instrumentalkompositionen. Die einstmals gehegte Erwartung, sein Leben zwanglos zweiteilen zu können, hatte jetzt eine beachtliche Bewährungsmöglichkeit erhalten – aber Hoffmann empfand keine Befriedigung. „Mein Geschäftsleben ist die ekelhafte Puppe, welche die schönen Fittiche des Kunstgenius einzuschließen strebt, bis sie gewaltsam durchbrechen", lautet eins der klagevollen Geständnisse an seinen Freund Hippel. Die Bürde des Amtes abzustreifen, zeigte sich Hoffmann jedoch nicht imstande. Er teilte das Schicksal zweier anderer Romantiker, das Schicksal des Offizierssohnes Kleist und des Kaufmannssohnes Brentano, die dem Familienherkommen gemäß auf Bahnen angesetzt wurden, die ihrer Veranlagung und lebhaft gefühlten Bestimmung zuwiderliefen, besaß jedoch weder des einen Entschiedenheit noch des anderen Unbekümmertheit, um ein Verhältnis aufzulösen, das als unerträglich und untragbar empfunden wurde, und seine Mittellosigkeit tat den Rest. Was er aber aus eigener Initiative nicht zu leisten vermochte, das bewirkten Ereignisse, die von außen in sein Leben hineintraten.

Napoleon, Vollstrecker der Französischen Revolution in großbürgerlichem Sinne, seit 1804 Kaiser von Frankreich, hatte 1805 bei Austerlitz die österreichisch-russische Koalitionsfront gegen das bürgerliche Frankreich zerschlagen und drang im Oktober 1806 in Thüringen ein, zertrümmerte die dort aufmarschierten preußischen Armeen, und Ende November 1806 zogen die siegreichen französischen Truppen in Warschau ein. Das Heilige Römische Reich Deutscher Nation hatte aufgehört zu existieren, der preußische Staat wurde auf die Hälfte seines Gebiets und seiner Bevölkerungszahl reduziert und damit zur Bedeutungslosigkeit verurteilt. Beileidsbezeigungen konnte keines dieser Feudalgebilde erwarten. Bemerkenswert ist jedoch, daß das bürgerliche Nationalbewußtsein, das sich in vielen Deutschen vor und nach der napoleonischen Invasion entwickelte und dem insbesondere der Klassiker Schiller Stimme verliehen hatte, in Hoffmann keinerlei Resonanz fand, daß auch das romantische Nationalgefühl, zwielichtig wegen seiner Affinität zu den historischen Mächten, in ihm nicht zündete. Hoffmann blieb, soweit Briefe und Tagebuchnotizen beweiskräftig sind, politisch desinteressiert auch in Jahren politischen Tumults und politischer Hochspannung. Eine einzige Briefstelle gibt es aus dem Jahre 1806, die offenkundig auf die für die Geschichte Deutschlands und Europas bedeutsamen Ereignisse Bezug nimmt: er lebe des festen Glaubens, „daß die höhere Macht, deren Einwirken in unserer Zeit selbst blöden Gesichtern blendend erscheint", auch ihn von dem „Übel" erlösen werde, das ihn „mit eisernen schmerzhaften Banden" umstricke. Bezugsort seines Denkens ist sein persönliches Schicksal; gesellschaftliche Vorgänge werden an eine höhere Instanz verwiesen, erscheinen als Verfügungen eines außermenschlichen Prinzips, von dem dann auch das Leben des Individuums abhängig gedacht wird. Dieser schicksalsgläubige Idealismus ist kein Produkt philosophischer Reflexion, sondern spontaner geistiger Ausdruck der Ohnmacht und der Lethargie, in denen weite Kreise des deutschen Bürgertums und mit ihnen Hoffmann vegetierten; Verkümmerungserscheinung, haftend an der Entfremdung des bürgerlichen Menschen von seinem gesellschaftlichen Wesen. Noch während der Befreiungskriege, als Hoffmann, unberührt von der allgemeinen Aufbruchsstimmung, mit Karikaturen Napoleons, einer „Schlachtsymphonie" zu Ehren der Völkerschlacht von Leipzig, vor allem aber mit zwei Prosadichtungen („Die Vision auf dem Schlachtfelde bei Dresden", 1813; „Der Dei von Elba in Paris", 1815) unmittelbar operative Arbeit leistete, war ihm Napoleon nur als „Dämon" vorstellbar, übersetzte sich ihm der Kampf der Völker in ein „Spiel dunkler Mächte um Leben und Freiheit". Es ist zwar zu beobachten, daß bürgerlich fundierte Gesellschaftskritik in zunehmendem Maße mit seiner Schicksalsgläubigkeit in Konkurrenz tritt; doch die satirischen Bilder der sozialen und politischen Zustände in Deutschland, die Hoffmann entwarf, fügen sich nicht zu einer Geschichtskonzeption zusammen, die auf höhere Prinzipe als Wirkursachen gesellschaftlicher Vorgänge verzichtet. Allenfalls in den späten Arbeiten („Kater Murr", 1819/21; „Meister Floh", 1822), in denen nicht allein das Ethos des Künstlers, sondern auch das Ethos des Moralisten die Satire diktiert, verfließen die fatalistischen Züge von Hoffmanns Weltanschauung, bestimmen sie nicht so sehr die Werkstruktur als die Werkatmosphäre.

Im Gefolge der Niederlage von 1806 wurden die ausgangs des

18. Jahrhunderts von Preußen okkupierten polnischen Landesteile zum Großherzogtum Warschau erklärt und dem mit Napoleon verbündeten König von Sachsen unterstellt. Hoffmann weigerte sich wie die meisten der in Warschau tätigen preußischen Beamten, der neuen Regierung einen Huldigungseid zu leisten, und wurde aus seinem Amt entlassen. Jetzt blieb nichts übrig, als alle Hoffnungen auf die Kunst zu verlagern. Er hatte komponiert, hatte schwache Vorstöße in die Literatur unternommen, hatte gemalt und schließlich auch mit Erfolg einem Liebhaberorchester vorgestanden. Es erschien ihm zunächst wirklich als ein Glücksumstand, daß er durch die Entwicklung der öffentlichen Dinge dazu genötigt wurde, sich in seinem „Eden" fest anzusiedeln.

Dazu bedurfte es jedoch eines Eintrittsgeldes, das er nicht besaß. Er ging im Sommer 1807 ohne seine Familie nach Berlin und verbrachte hier entsetzliche Monate, hungernd, frierend und dazu noch belastet von der Nachricht, daß seine Tochter gestorben, seine Frau schwer erkrankt war. „Du weißt, schrieb er an Hippel, „daß ich kein Vermögen, sondern nur Talente habe, die mich erhalten können, diese Talente aber hier in dem menschenleeren, geldarmen Berlin wuchern zu lassen, ist kaum möglich." Er lieh sich Geld von dem Freund, der selber kaum über Bargeld verfügte, verrichtete künstlerische Gelegenheitsarbeiten, bot sich schließlich im „Reichsanzeiger" aus als einer, „der in dem theoretischen und praktischen Teil der Musik völlig erfahren ist, selbst bedeutende Compositionen ... geliefert und bis jetzt einer wichtigen Musikalischen Anstalt als Direktor vorgestanden hat" und der, „da er seinen Posten durch den Krieg verlor, bei irgend einem Theater oder einer Privat-Capelle als Direktor angestellt zu werden" wünscht. Aus Bamberg erhielt er ein entsprechendes Angebot, und nach einem Besuch bei Hampe in Glogau, wo er einen Zyklus von sechs A-cappella-Hymnen „La santa virgine" abschloß, die zu seinen bedeutendsten Vokalkompositionen zählen, traf Hoffmann am 1. September 1808 mit seiner Frau in der bis zum Reichsdeputationshauptschluß von 1803 reichsunmittelbaren, jetzt zum Königreich Bayern gehörigen oberfränkischen Bischofsstadt ein.

„Nun fühle ich ... erst ..., wie durchaus nicht für mich die frühere Carriere war, und wie wohl mir das Künstlerleben tut", heißt es in der an Hippel gerichteten Bilanz eines reichlichen Vierteljahres. Diese frohe Botschaft war eine aus Selbstachtung geborene Lüge – denn in Wahrheit ging es Hoffmann miserabel. Das Theater, bei dem er als Musikdirektor angestellt wurde, war abgewirtschaftet; als Dirigent fiel er durch: gewohnt, vom Flügel aus das Orchester zu führen, kollidierte Hoffmann mit der in Bamberg üblichen Praxis, daß der Konzertmeister das Amt des Dirigenten versah. Binnen kurzem war er nur noch als Komponist dem Theater verpflichtet – und der Freund Hampe erfuhr, daß er in dieser Eigenschaft „nicht komponieren, sondern Musik schmieren" müsse. Die Einkünfte, die Hoffmann für Bühnenmusiken bezog, deckten bei weitem nicht seinen Lebensunterhalt. Er mußte sich nach weiteren Erwerbsquellen umtun – und so begann er, Gesangunterricht in den „besseren Häusern" Bambergs zu erteilen; übernahm er als Kommissionär des Leipziger Musikverlags Breitkopf und Härtel den Vertrieb von Musikalien; eröffnete er schließlich auch seine schriftstellerische Laufbahn: als Musikkritiker, der als einer der wenigen unter seinen Zeitgenossen die volle Größe Ludwig van Beethovens ermaß; und auch als Dichter. Mit der Erzählung „Ritter Gluck", die im Februar 1809 in der Leipziger „Allgemeinen Musikalischen Zeitung" veröffentlicht wurde, trat Hoffmann in die Literatur ein.

Vorübergehend gestaltete sich seine Lage günstiger, als der Bühnenschriftsteller Franz Holbein, den er während seines ersten Berliner Aufenthaltes als Gitarristen kennengelernt hatte, im Herbst 1810 die Leitung des Theaters übernahm. Mit ihm verwandelte er, als Direktionsgehilfe engagiert und als Dramaturg, Bühnenmaler, Bühnenarchitekt, Komponist und Maschinenmeister tätig, das Bamberger Theater zu einer der besten Bühnen in Deutschland, auf der Dramen von Shakespeare, Lessing, Schiller und Goethe gespielt wurden, aber auch Stücke des von Hoffmann hoch geschätzten Calderon und Kleists „Käthchen von Heilbronn". Bereits nach zwei Spielzeiten war jedoch diese produktive Zusammenarbeit zu Ende; Holbein ging an das Theater von Würzburg, und Hoffmanns Leben fiel in die alte Schwere zurück.

Rückblickend erschienen ihm die viereinhalb Bamberger Jahre als die „böseste Zeit aller bösen Zeiten", als eine „Unglückszeit acherontischer Finsternis". Die materiellen Sorgen, die ihn seinerzeit bedrückten, motivieren nur unzulänglich dieses strenge Urteil. Gewiß lebte Hoffmann in Bamberg stets von der Hand in den Mund, und gelegentlich funktionierte nicht einmal dieser Rhythmus. „In der höchsten Not den alten Rock verkauft, um nur fressen zu können!!" lautet eine Tagebuchaufzeichnung von Ende 1812. Verfehlt wäre es freilich zu denken, daß er ein eingezogenes, kümmerliches Dasein gefristet hätte. Selbst wenn ihm das Wasser bis zum Halse stand, verzichtete er nicht auf den Wein. In seinen Bamberger Tagebüchern ist der Hinweis auf Besuche im Kaffeehaus „Zur Rose“ obligat. Er fehlt auch nicht an einem Tage, an dem „der alte Rock“ zum Trödler wanderte. Ein mit wenigen Strichen gezeichnetes Trinkglas ersetzt zumeist alle weitläufige Erklärung, und nur das Stadium der Trunkenheit wird ausdrücklich vermerkt. Haushälterisch zu leben, war Hoffmann einfach nicht begabt. Seine Untüchtigkeit reichte so weit, daß er es späterhin rundweg vergaß, seine Frau in die Pensionskasse einzukaufen, und, ein gut besoldeter Beamter und hoch honorierter Schriftsteller, ein Erbe hinterließ, das seine Frau nicht anzutreten vorzog, da es nur aus Schulden bestand. Nicht auszumachen ist jedoch, was vorrangig war: seine Unfähigkeit, bürgerliche Tugenden zu entwickeln, oder seine Verachtung dieser Tugenden. Die „acherontische Finsternis“ nämlich, die sich nach seinem späteren Urteil in Bamberg auf ihn herabsenkte, war die Notwendigkeit, sich als Künstler in das Erwerbsleben eingliedern zu müssen, und die peinigende Erfahrung, daß in den „ersten Häusern“ der Stadt, in denen er anfangs „so viel Empfänglichkeit für das wahre Schöne zu finden“ gemeint hatte, die Beschäftigung mit Kunst als eine bloße Repräsentationspflicht betrachtet wurde, wenn nicht gar die im bürgerlichen Erwerb herrschenden Nützlichkeitskriterien auf die Kunst übertragen wurden und ein feindliches Verhältnis zu ihr erzeugten.

Die „Lehr- und Marterjahre“ in Bamberg lösten Hoffmanns Dichtung aus: im Medium des Kapellmeisters Johannes Kreisler, seiner unvergänglichsten dichterischen Gestalt, offenbarte Hoffmann seine „musikalischen Leiden“; und diese „Lehr- und Marterjahre“ inspirierten eine Liebe, die den Herzschlag seines Lebens und bestimmter noch seines Werkes steuerte: die Liebe zu seiner Gesangsschülerin Julia Mark. Wenig ist über sie bekannt. Tochter der verwitweten Konsulin Mark, war sie vierzehn Jahre alt, als Hoffmann ihr zum ersten Mal begegnete, und sechzehnjährig, als sie Bamberg verließ, verheiratet an einen Hamburger Kaufmann, der, ungebildet, moralisch verkommen und körperlich zerrüttet, eine Eigenschaft hatte, die ihn der in mißliche Verhältnisse geratenen Konsulin als Schwiegersohn empfahl: er besaß Geld. Julia Mark folgte ohne Widerstreben dem mütterlichen Gebot. In dem jungen jüdischen Mädchen verlor Hoffmann eine Schülerin, die hohe musikalische Begabung mit schönem Liebreiz der Erscheinung vereinte. Wesentlicher als das, was Julia war, ist jedoch, was sie Hoffmann bedeutete. In seinen Tagebüchern erscheint sie als „Käthchen von Heilbronn“ – ein Deckname sollte Hoffmanns Liebe vor seiner Frau Mischa verbergen; daß er diesen Decknamen wählte, gibt Geheimnisse seiner Liebe preis. In Käthchen, der Tochter des Waffenschmieds von Heilbronn, hatte Kleist sein Ideal der Schönheit und Grazie dichterisch verwirklicht; mit diesem fünfzehnjährigen Mädchen, das hingebungsvoll und unempfindlich gegenüber Beleidigung und Kränkung dem Geliebten folgt, hatte er seine Überzeugung demonstiert, daß nur völlige Naivität, Bewußtlosigkeit in jeder Bewegung und Handlung, das Höchste an Harmonie hervorzubringen vermag. Julia Mark erfüllte das von Kleist vorgezeichnete Bild. Ihr zu begegnen, mit ihr zu musizieren, hob Hoffmann in die Himmel des Entzückens; sie von sich getrennt zu wissen, durch Lebensalter, Konventionen, sozialen Rang, sie buchstäblich verkauft zu sehen, stürzte ihn in Qualen, in denen er sich vom Wahnsinn bedroht fühlte, in denen er den Selbstmord erwog. Es ist freilich unwahrscheinlich, daß Hoffmann dem um zwanzig Jahre jüngeren Mädchen je seine Liebe gestand; ja es ist sogar unwahrscheinlich, daß er jemals ernsthaft an eine Verbindung mit ihr gedacht hat. Denn noch während seines Umgangs mit ihr begann er, das erotische Begehren zu verdrängen, begann er, Julia zu einem ästhetischen Idol zu verflüchtigen, demgegenüber lediglich eine geistige, in der Kunst manifest werdende Liebe angemessen sei, wohingegen körperlicher Besitz seinen Bildzauber zerstören würde. Die „Liebe des Künstlers", zu der sich Hoffmann durchrang, vergleicht sich mit der höfischen Minne und dem Marienkult. Sie vermag auf die Gegenwart der Geliebten zu verzichten, weil sie die Geliebte nur als inneren Besitz erstrebt. Sie ist keiner Enttäuschung, keiner profanierenden Erfahrung zugänglich, weil sie sich ihr nicht aussetzt. – Die Bewährungsskrupel, die sich in diesem Sublimierungsprozeß verraten, sind durchaus nicht bloß erotischer Natur. Sie kennzeichnen Hoffmanns Verhältnis zur gesellschaftlichen Wirklichkeit überhaupt. Daß sich in dem Verzicht auf die Geliebte und in der Idealisierung dieses Verzichts Hoffmanns Einstellung zur Welt auswirkt, wird durch die Funktion bestätigt, die er der Künstlerliebe im Leben zuwies.

Ungeschichtlich lebend in einer Zeit, in der Weltgeschichte gemacht wurde, war Hoffmann zur Entwicklung politisch-sozialer Leitbilder nicht befähigt. Weder klassische noch romantische Gesellschaftsideale bestimmen sein Werk. Der Banalität und Brutalität deutscher Zustände vermochte er nur den Traum eines höheren Harmoniebereichs entgegenzusetzen, einer aus Farben, Düften, Tönen gewobenen Welt, die religiöse Züge nur insoweit besitzt, wie sich Glaubensvorstellungen als ästhetisch ergiebig erwiesen, die sozialer Züge entbehrt. Geneigt, die eigene Erfahrungswelt als absolut zu fassen, vermochte er als Gegenbild nur ein

Absolutes aufzurichten, das sich einer Realisierung seinem Wesen gemäß entzog, das lediglich in der inneren Erfahrung in Erscheinung treten konnte. In der Kunst, besonders aber in der Musik, schien sich ihm dieser Harmoniebereich zu erschließen. Der Musik gehörte seine Liebe, weil sie „ein neues verklärtes Leben" eröffnete, ein Leben, das „schon hienieden dem Drange, der niederdrückenden Qual des Irdischen entreißt". Das Julia-Erlebnis wurde in diese ins Ästhetische gewandte Erlösungsreligion integriert. Im Zeichen der Musik hatte sich seine Begegnung mit Julia vollzogen. In der Musik finden sich die Liebenden seiner Dichtung, gehen sie ineinander über. „Ich habe dich gesungen, wie deine Melodien ich sind", erklärt die Sängerin dem „reisenden Enthusiasten" in Hoffmanns „Don Juan" von 1812, der ersten Dichtung, in der das Motiv der Künstlerliebe erscheint. Musik und Liebe galten Hoffmann als poetische Inseln inmitten einer poesiefeindlichen Wirklichkeit, und sie galten ihm als Verheißungen eines Himmelreichs der Poesie, in dem sich alle Dissonanzen des Irdischen zu reiner Harmonie klären würden.

In verschiedener Richtung entfaltet, um viele Züge bereichert, geht das Motiv der Künstlerliebe durch Hoffmanns Werk. Erstes Beispiel seiner Ergiebigkeit ist die im „Don Juan" vorgetragene, höchst eigenwillige Deutung von Mozarts Oper „Don Giovanni". Sie ist für Hoffmann kein Drama der „bestraften Wollust", wie es Da Pontes Libretto im Anschluß an italienische und spanische Tradition vorsah. Von der Musik her urteilend, erkannte Hoffmann im „Don Giovanni" die Tragödie eines Menschen, der, von Sehnsucht nach dem Göttlichen erfüllt, bereits hienieden, in der Umarmung des Weibes, den höchsten Augenblick zu genießen sucht und in tiefer Verzweiflung über die Unzulänglichkeit des Sinnenglücks aus einem Frauenverehrer ein Frauenverderber wird: „Jeder Genuß des Weibes war nun nicht mehr Befriedigung der Sinnlichkeit, sondern frevelnder Hohn gegen die Natur und den Schöpfer." In der Begegnung mit Donna Anna gipfelt sein Schicksal: Wüstling aus Enttäuschung, kann er sich ihr, die bestimmt war, ihn zu erlösen, nicht mehr in reiner Liebe nähern. Er schändet sie und verfällt dem Gericht des Himmels. In dieser Deutung von Mozarts Oper ist ein dem Motiv der Künstlerliebe entgegengesetzter, ebenfalls im Bamberger Erleben wurzelnder Motivkreis erkennbar: die Gestalt des Wüstlings, der weibliche Unschuld umwirbt, um sie zu verderben, und die Gestalt des reinen Weibes, das sich der Verführungskraft teuflischer Wollust nicht zu entziehen vermag. – In ähnlicher Verschränkung erscheinen diese

Motive in dem Roman „Die Elixiere des Teufels“ von 1816. Wenn Don Giovanni in Hoffmanns Sicht die Gestalt des Lebens verfehlt, indem er die in ihm brennende Himmelssehnsucht im Sinnengenuß befriedigen zu können vermeint, so verfehlt Medardus, der Held der „Elixiere“, die Idee der Liebe, indem er nach dem Besitz der Geliebten strebt, und wird wie jener ein Werkzeug des Teufels. Das Verhältnis des Medardus zu Aurelie durchläuft alle Bahnen des Verbrechens, ehe es sich zu reiner, entsagender Liebe klärt. – In unverbildeter Form bestimmt das Motiv der Künstlerliebe das Verhältnis zwischen Kreisler und Julia im „Kater Murr“; in unverbildeter Form ist aber auch das Motiv des Wüstlings in diesem Roman gegenwärtig: Der um Julia werbende Prinz Hektor ist die strahlendste Verkörperung des Diabolischen, die Hoffmann geschaffen hat. – Zentrale Bedeutung besitzt das Motiv der Künstlerliebe schließlich in Hoffmanns Märchen. Auch in ihnen werden Liebesgeschichten erzählt; es sind Geschichten einer Liebe, die sich in höheren Regionen, mögen sie Atlantis heißen oder Dschinnistan, erfüllt.

Ein Gedanke eint alle Motiv-Varianten: daß im realen Leben eine Verwirklichung der Liebe unmöglich ist. Wo das versucht wird, wo die Liebe in Erfahrung fällt, endet sie in der Verzweiflung über zerstörtes Traumglück oder entartet sie in Wollust und Verbrechen. Von hier aus wird begreiflich, daß das Motiv der Künstlerliebe zu einer höchsten Steigerung fähig war, die zugleich eine äußerste Bestätigung der weltverurteilenden und weltflüchtigen Haltung Hoffmanns ist: einzelne seiner Liebenden, so George Pepusch und Dörtje Elverdink im Märchen vom „Meister Floh“ erleben die Erfüllung ihrer Liebe im Tod. Das widrige Geschick, das sie auseinanderwirft, vermag nichts gegen die Liebe. Aber die Liebe kann ihre Macht nur bewähren, indem sie das Leben negiert.

Die Realität ist den Liebenden abhold, und sie ist auch dem Künstler abhold; der Kapellmeister Johannes Kreisler wird nicht bloß von einer verständnislosen Umwelt für etwas wahnsinnig gehalten, sondern ist nach Hoffmanns Willen wirklich vom Wahnsinn bedroht – das ist die bittere Bilanz seiner Bamberger Gesellschaftserfahrungen. Nicht, daß sie mit Zwangsläufigkeit so ausfallen mußte. Hoffmanns Geschichtsfremdheit ist in sie eingegangen, sein Temperament hat sie geformt. Von Kreisler wird gesagt, „die Natur habe bei seiner Organisation ein neues Rezept versucht, und der Versuch sei mißlungen, indem seinem überreizbaren Gemüte, seiner bis zur zerstörenden Flamme aufglühenden Phantasie zu wenig Phlegma beigemischt und so das Gleichgewicht zerstört worden, das dem Künstler durchaus nötig sei, um mit der Welt zu leben und ihre Werke zu dichten, wie sie dieselben, selbst im höhern Sinne, eigentlich brauche". Diese Charakteristik trifft in weitem Maße auch den Bamberger Hoffmann. Seine Gesellschaftserfahrungen vertiefen sich in späteren Jahren, sein Bild der Gesellschaft wurde differenzierter. Die hektische Feindschaft gegen ein kunstfremdes und kunstfeindliches Publikum verwandelte sich in gezielte Sozialkritik. Auch bleibt es durchaus offen, ob Johannes Kreisler im Roman von 1819/21 noch immer dem Wahnsinn überantwortet werden sollte wie in den an Bamberg geknüpften „Kreisleriana". Die fragmentarische Gestalt des Romans verbietet eine verbindliche Auskunft. Wesentliche Elemente des Frühwerks gehen jedoch durch Hoffmanns Gesamtwerk hindurch, und die dichterische Struktur seiner stärksten Arbeiten ist in den frühen vorgebildet. Im vierten Lebensjahrzehnt begann Hoffmann zu schreiben, und er trat sogleich als reifer Schriftsteller hervor.

Noch in Bamberg fand er seinen ersten Verleger: Carl Friedrich Kunz, der Weinhändler und Zechkumpan, schloß mit ihm im Frühjahr 1813 einen Vertrag über die in der „Allgemeinen Musikalischen Zeitung" veröffentlichten Dichtungen – neben dem „Ritter Gluck" waren das die ersten Stücke der „Kreisleriana": die „Musikalischen Leiden" und die „Gedanken über den hohen Wert der Musik", dazu der „Don Juan" –; sie sollten mit verwandten Arbeiten unter dem Titel „Fantasiestücke in Callots Manier" vereinigt werden. Auch für die drei folgenden Werke sicherte sich Kunz das Verlagsrecht. Der weitgespannte Vertrag veranlaßte Hoffmann, intensiv „in litteris" zu arbeiten, und das Pensum, das er in den folgenden Jahren bewältigte, ist erstaunlich: bereits 1815 hatte er seine Verpflichtungen gegenüber Kunz erfüllt; vier Bände „Fantasiestücke" waren in Bamberg erschienen. Gleichwohl war er anfangs noch immer geneigt, die schriftstellerische Tätigkeit als zweitrangig zu betrachten. „Ich hab mein Sach aufs Componieren gestellt", hatte es 1812 im Tagebuch geheißen. Wenn aufgerechnet wird, was er in der Bamberger Zeit geschaffen hat, dann nimmt sich die literarische Produktion bescheiden aus. Einer geringen Zahl von Erzählungen und einigen Rezensionen stehen gegenüber das Melodrama „Dirna", die Oper „Aurora", ein Miserere für vier Stimmen und Orchester, ein Klaviertrio, verschiedene Gesänge – von den vielen Kompositionen für die Bamberger Bühne ganz zu schweigen. Die Dichtung selber ist aus dem Geist der Musik geboren: Gluck, Mozarts „Don Giovanni" und die Schicksale des Kapellmeisters Kreisler sind ihre Themen. In einer Musikzeitschrift wurde sie zuerst vorgestellt. Hoffmann war entschlossen, als Musiker seinen Weg zu machen, und der Autorenvertrag konnte ihn in seinen Entschlüssen nicht stören. Er verweigerte seinem Verleger, ihn als Verfasser der „Fantasiestücke“ zu nennen, da sein Name „nicht anders als durch eine gelungene Composition der Welt bekannt werden“ sollte. Und als er Bamberg verließ, war das wichtigste Projekt, das ihn beschäftigte, nicht das vertraglich fixierte literarische Werk, sondern die Oper „Undine“. Fouqués gleichnamige Novelle hatte die Idee eingegeben, und Fouqué hatte auch auf Hoffmanns Bitten das Libretto geschrieben. 1814 war die Komposition abgeschlossen, 1816/17 wurde die Oper im Berliner Schauspielhaus mit Erfolg gegeben. Der „Undine“ gehört ein Ehrenplatz in der Musikgeschichte; sie ist Hoffmanns schönste Komposition. Doch nicht sie war es, die seinen Ruhm begründete. Der Ruhm des Schriftstellers kam ihr zugute. Die bahnbrechende romantische Oper wurde nicht Hoffmanns „Undine“, sondern Carl Maria von Webers „Freischütz“ (1821). Wenn die Künstler und die Künstlernaturen in Hoffmanns Dichtung unerlöst bleiben, wenn ihr Leben nicht anders als in Traumlandschaften Erfüllung finden kann, so darf das auch auf die tragische Erfahrung seines eigenen Lebens zurückgeführt werden, daß er in derjenigen Kunst, zu der er sich berufen glaubte, nicht das Höchste zu leisten imstande war. Er hat nach der „Undine“, bis auf einzelne Gelegenheitsarbeiten, keine Musik mehr geschrieben.

Ein Engagement als Kapellmeister bei der Truppe von Joseph Seconda führte Hoffmann im April 1813 nach Dresden. Zu dieser Zeit hatte Napoleon die Winterschlacht in Rußland verloren; der preußische König hatte unter dem Druck patriotischer Kräfte den Aufruf zur Bildung freiwilliger Jägerkorps erlassen und den von Hoffmanns Freund Hippel entworfenen Aufruf „An mein Volk!“ unterzeichnet. Der Befreiungskrieg gegen den korsischen Eroberer hatte begonnen. Auf seiner Reise in die sächsische Residenz begegnete Hoffmann preußischen und russischen Soldaten, in Dresden wurde er Zeuge eines Gefechts, das sich russische und französische Truppen um den Besitz der Stadt lieferten, auf der Elbbrücke sah er Napoleon, „wie er Cavallerie und Artillerie vorbeidefilieren ließ“, die unter der Bevölkerung wütende Ruhr warf auch ihn aufs Krankenbett – doch ängstliche Neugier und Lust am Spektakel waren die höchsten Formen der Anteilnahme, die Hoffmann dem öffentlichen Geschehen entgegenbrachte. Er lebte in der Kunst; und war es bisher immer nur die Musik gewesen, in deren blaue Himmel er sich träumte, so öffnete sich ihm jetzt als Zaubergarten auch die Dichtung: „In keiner, als in dieser düstern, verhängnisvollen Zeit, wo man seine Existenz von Tag zu Tag fristet und ihrer froh wird, hat mich das Schreiben so angesprochen, – es ist, als schlösse ich mir ein wunderbares Reich auf, das, aus meinem Innern hervorgehend und sich gestaltend, mich dem Drange des Äußern entrückte" – so schrieb er, aus seiner Arbeit am Märchen „Der goldne Topf", an seinen Verleger nach Bamberg. Erst die Ende August 1813 bei Dresden ausgetragene Schlacht zwischen den vereinigten Österreichern und Russen und den unter Napoleons Führung operierenden Franzosen traf ihn tiefer. Er besuchte das „Schlachtgefilde", sah „Leichen mit zerschmetterten Köpfen und Leibern", „verstümmelte, zerrissene Menschen", und dieser Anblick führte ihn dazu, Partei zu nehmen: Er erklärte sich gegen Napoleon – nicht aus politischen Bedenken und auch nicht in nationalem Eifer, sondern weil er den Kaiser der Franzosen als Urheber unsäglichen menschlichen Elends betrachtete. In der als Flugschrift verbreiteten „Vision auf dem Schlachtfelde bei Dresden" verfällt Napoleon, von den Opfern seiner Kriege angeklagt, dem Gericht der göttlichen Gewalten, denen er sich vermessenen Geistes ebenbürtig gedünkt hatte; Kaiser Alexander von Rußland und König Friedrich Wilhelm von Preußen hingegen erscheinen als „Söhne der Götter", denen sich die Erde friedesehnend öffnet. Daß sich in diesem mythischen Bilde Hoffmanns Lebensgefühl und Weltanschauung ausdrücken, verraten die seinerzeitigen Briefe: wieder, wie im Jahre 1806, scheint ihm „Vertrauen auf jene Hand" geboten, „die sich über das All erstreckt und wie der geschickte Maschinist des Marionetten-Theaters jeden Faden zur rechten Zeit zu bewegen weiß". Wieder erlebte er die gesellschaftlichen Vollzüge als verfügt von metaphysischen Mächten. –

In seinem neuen Wirkungskreis fühlte sich Hoffmann in seinem Wert zunächst voll bestätigt. Zwar hatte er Secondas Truppe nicht mehr in Dresden angetroffen und hatte ihr nach Leipzig folgen müssen, doch stolz schrieb er dann nach Bamberg, man möge nur herkommen, „um sich zu überzeugen, ob es möglich ist, am Flügel zu dirigieren, und ob ich das Dirigieren verstehe oder nicht". Glucks „Iphigenie auf Tauris", Mozarts „Entführung aus dem Serail" und „Don Giovanni", Webers „Silvana", Opern von Cherubini und anderen wurden unter seiner Leitung in den folgenden Monaten aufgeführt. Für den Unternehmer Seconda waren die Künstler jedoch nur so lange von Interesse, wie sie zugleich produktive Arbeiter waren: als das Theater durch die Kriegsläufte gefährdet wurde, löste er die Truppe kurzerhand auf und übernahm sie erst wieder, als er die Erlaubnis erhalten hatte, im Hoftheater von Dresden zu spielen. Er betrieb das Theater als ein Geschäft – und diese Einstellung machte Zerwürfnisse mit dem Kapellmeister unvermeidlich. Reichlich vier Monate gastierte die Truppe in Dresden, im Dezember 1813 kehrte sie nach Leipzig zurück, Ende Februar 1814 wurde Hoffmann gekündigt. Obwohl er nun abermals ohne feste Einkünfte war, schätzte er sich glücklich, dem „infamen Verhältnis" enthoben zu sein. Eine kleine Erbschaft aus Königsberg gab ihm für die nächste Zeit zu leben, doch machte sich Hoffmann über die Unsicherheit und Hoffnungslosigkeit seiner Situation keine Illusionen. Vom Ertrag der schriftstellerischen Arbeit zu existieren war unmöglich. Die Theaterlaufbahn war an der Unverträglichkeit von künstlerischen und geschäftlichen Interessen gescheitert. Der einst genährte „Traum des wirksamen freien Künstler-Lebens" hatte sich wund gescheuert an der Realität. „Es ist ein eignes Ding mit der Kunst und Künstlerfreiheit", schrieb Hoffmann 1817 in dem Dialog „Die Kunstverwandten"; „Wahr ist es, daß die Geisterwelt der Kunst eigentlich über jedem irdischen Verhältnis schweben sollte und daß die Produktion des Genies nicht eine Ware ist, die man nach Geld schätzen kann; indessen ist es nun einmal die schlimme Folge des Sündenfalls, daß wir Hosen anziehen und Brot kaufen müssen und daß die Künstler, ebenso des aus dem Paradies vertriebenen Adams unglückliche Sprößlinge wie alle anderen, in diesem irdischen Verhältnis befangen sind. *Erwerb* ist die Angel, in der sich der große bedürftige Haufen dreht, und das böse Schicksal scheint die Künstler gerade absichtlich in diesen Haufen zu stoßen, da es sie selten mit zeitlichen Gütern segnet." Den Helden seiner Märchen – dem Anselmus im „Goldnen Topf" und dem Balthasar im „Klein Zaches" – konnte Hoffmann ein wolkenloses Dichterleben bescheren: Anselmus erhält von seinem Gönner, dem mächtigen Feuersalamander Lindhorst, als Lohn für seine Treue zur Poesie eine Einweisung in das Wunderland Atlantis; und der Student Balthasar bekommt vom Geisterfürsten Prosper Alpanus ein Landhaus nebst Waldung, Äckern und Wiesen, der köstlichen Gerätschaften und der Gold- und Silberbarren gar nicht zu gedenken. Im Märchen geht es so zu, „wie es unserem Empfinden nach in der Welt zugehen müßte" (Jolles). Hoffmann hatte nur einen Freund, der ihm den Weg zurück zur Staatskrippe ebnen konnte.

Im Juli 1814 besuchte ihn Theodor von Hippel, der Staatsrat in der preußischen Zentralverwaltung gewesen und nach siegreichem Krieg im Gefolge des Staatskanzlers Hardenberg in Paris eingezogen war; jetzt befand er sich, auf eigenen Wunsch mit dem bescheideneren Amt eines

Regierungspräsidenten von Marienwerder betraut, auf der Reise in die Provinz Westpreußen. Er sorgte dafür, daß Hoffmann in den Staatsdienst aufgenommen wurde. Hoffmann erstrebte nur einen subalternen Posten, der ihn finanziell sicherstellen würde und ihm die zur Kunst nötige Muße und Unabhängigkeit beließe. Die Hoffnung auf eine Expedientenstelle in einem Ministerium schlug jedoch fehl – nicht zuletzt, weil man Hoffmanns Fähigkeiten schätzte. Er mußte sich wieder „in der juristischen Walkmühle trillen lassen": am 1. Oktober 1814 begann er seine Amtstätigkeit als unbesoldeter Mitarbeiter im Kammergericht Berlin, am 1. Mai 1816 wurde er mit dem Titel eines Kammergerichtsrats Mitglied des Kriminalsenats, und am 1. Oktober 1821, wenige Monate vor seinem Tode, rückte er in den Oberappellationssenat des Kammergerichts ein.

Die ersten beiden Bände der „Fantasiestücke" waren, als Hoffmann nach Berlin kam, erschienen. In der von Jean Paul geschriebenen Vorrede war der Musikdirektor Hoffmann als Verfasser genannt worden. Die Zeit der Anonymität war vorbei. Bereits einen Tag nach seiner Ankunft wurde Hoffmann von namhaften Vertretern des Berliner geistigen Lebens auf einem Tee begrüßt. Organisator des Empfangs war sein Warschauer Freund Hitzig, der sich inzwischen aus einem Verleger in einen Juristen zurückverwandelt hatte; als Gäste waren geladen die Schriftsteller Fouqué, Chamisso, Ludwig Tieck, der Maler Veit und andere. Keine Begrüßung konnte Hoffmann willkommener sein als diese, denn Geselligkeit war für ihn ein Lebenselixier. Im Kreise gleichgesinnter Freunde sprühte sein Geist, geriet seine unerschöpfliche Ideenmasse in Bewegung – wüßte man es nicht von seinen Biographen, so verrieten es seine Erzählungen, in denen bewußt Erzählsituationen geschaffen werden: Freunde sitzen beieinander und tragen Neuigkeiten, „Novellen" vor; im Dialog bewegen sich seine Geschichten vorwärts. – Der zu Hoffmanns Ehren ausgerichtete Abend gab den Auftakt zu geselligen Zusammenkünften von Künstlern und Kunstfreunden im Café Manderlee Unter den Linden oder in Hoffmanns Wohnung in der Taubenstraße 31. Den Stamm bildeten Hoffmann, Hitzig, der romantische Schriftsteller Contessa und der Mediziner Koreff, die sich nach dem Kalenderheiligen des 14. November „Serapionsbrüder" nannten. Es ist nicht genau bekannt, seit wann dieser Name gebräuchlich war. Wahrscheinlich war der Ausdruck „Seraphinenbrüder" ursprünglich sogar geläufiger. Im August 1816 ist jedenfalls zum erstenmal von einer „außerordentlichen Serapionsversammlung" die Rede, und als Hoffmann 1818 das Angebot erhielt, seine in Almanachen und Taschenbüchern verstreuten Erzählungen zu vereinigen, beschloß er, sie in Gespräche der Serapionsbrüder einzulagern. Hitzig tritt in diesen Rahmenunterhaltungen als Ottmar auf, Contessa als Sylvester, Koreff als Vinzenz – Hoffmann selber erscheint als Musiker Theodor, als Cyprian und Lothar.

Daß er seine Person auffächerte und in drei Gestalten verkörperte, läßt bereits auf einen unbefriedigenden Rest in der serapiontischen Gemeinsamkeit schließen. Auf ihren Abenden sei eine solche „Masse von Witz und Geist konsumiert" worden, „daß ein gewöhnlicher Tee durch die ganze Lebenszeit des Teegebers davon hätte bestehen und noch auf seine Erben ein gutes Teil hätte übergehen können", teilt Hitzig mit. Die von Hoffmann aufgezeichneten Gespräche bestätigen diesen Bericht. Im Grunde hatte er jedoch mit Hitzigs bürgerlicher Solidität und Wohlanständigkeit, auch mit Contessas liebenswürdiger Bedeutungslosigkeit innerlich wenig zu schaffen. Am nächsten stand ihm der geistreiche und temperamentvolle Weltmann Koreff – ebenbürtig war ihm jedoch auch der nicht. Hoffmann war die Seele des Serapionsbundes und der Außenseiter zugleich. Andere Menschen berührten ihn stärker. Ende 1815 lernte er Clemens Brentano kennen, einen der genialsten Dichter der deutschen Romantik. Brentano erfaßte, wie ein nicht abgesandter Brief bezeugt, mit bestürzender Sicherheit Hoffmanns Wesen und Werk: die subjektive Grundhaltung von dessen bedeutendsten Dichtungen, die rigorose Verzweiflung auf dem Grunde des Hoffmannschen Humors. Doch diese Erkenntnis trieb den großen Lyriker und Märchenerzähler zugleich von Hoffmann hinweg; denn er selber, wesensverwandt, war zu dieser Zeit bereits müd geworden an seinem zerquälten Leben und rüstete sich zur Rückkehr in die katholische Kirche, empfand ein „Grauen vor aller Poesie, die sich selbst spiegelt und nicht Gott" – hier konnte es keine Gemeinsamkeit mehr geben. Einen Freund gewann Hoffmann hingegen an einem anderen kongenialen Künstler: dem Schauspieler Ludwig Devrient, der 1815 an das Schauspielhaus am Gendarmenmarkt verpflichtet worden war. Um ihre Nächte in der Eckstube der Weinhandlung von Lutter und Wegner rankte sich schon seinerzeit die Legende. Ehemalige Offiziere von kleinem Adel, literaturverständig, noch mehr jedoch den Genüssen der Welt aufgeschlossen, waren ihre Trabanten. Kunstgespräche wurden auch in diesem Kreis geführt, und an „Witz und Geist" mangelte es auch nicht. Aber bei ihnen ging es genialischer und turbulenter zu; bei ihnen wurde zum Beispiel der spröde Holzschneider und Akademieprofessor Gubitz so betrunken gemacht, daß er sich „aus jenem Eckzimmer“ einen „unvergänglichen Widerwillen gegen Champagner“ holte; bei ihnen wurde einem zudringlichen Baron ein Stück Rasierseife als Käse aufgeschwatzt, und tobend vor Vergnügen beobachteten die Zechgenossen, wie ihm der Seifenschaum vom Munde flockte; bei ihnen wurde der Plan zu einem Theaterskandal entworfen, der einem aufgeblasenen Bassisten den Verbleib in Berlin unmöglich machte. All diese Anekdoten erfassen freilich nur die der Öffentlichkeit zugekehrte Seite der Nächte bei Lutter und Wegner. Der Dichter, der sein „Geschäftsleben ... wie den Klotz des Baugefangenen“ hinter sich herschleppte, und der Schauspieler, der seine Rollen nicht spielte, sondern lebte und der sein Genie mehr als ihm guttat an Machwerke verschwenden mußte – sie waren erst dann bei sich selber, wenn sie allein in der Eckstube saßen und sich, wie Hoffmann es nannte, „montierten“, wenn ihr Geist, vom Wein beflügelt, sich über die Widerwärtigkeiten des Alltags hinweghob und den Flug in höhere, poetische Zonen antrat.

Wenn Hoffmann trotz der Zähigkeit, die sich mit seiner Sensibilität verband, fortgesetzter Kränklichkeit unterworfen war, so, daß nervöse Störungen geradezu zu seinem Charakterbild gehören, dann geht das nicht allein zu Lasten der ungewöhnlichen Arbeitsleistung, die er neben gewissenhafter Amtsführung bewältigte, sondern auch zu Lasten seines völlig undiätetischen, exzessiven Lebens: Trotz seiner Reizbarkeit und Überreizung suchte Hoffmann den ekstatischen Moment, die Exaltation, den Rausch immer wieder herbeizuzwingen, weil er sich nur in erhöhtem Zustand von der Atemnot befreit fühlte, die ihn, den Ungeschützten, ohne die Mitgift der revolutionären Ideen des 18. Jahrhunderts Aufgewachsenen, in der dumpfen Atmosphäre der deutschen Nachkriegszeit befiel. Sich zu „phantasmasieren“ war für Hoffmann eine Lebensnotwendigkeit; die Nächte bei Lutter und Wegner, von der Legende aufgebläht, bilden dabei nur ein schmales Kapitel: er trank, wie ein Hoffmann-Biograph von ihm und Devrient sagte, nicht aus Zufall, sondern aus Weltanschauung. – Konkret wirkte sich der Druck, der auf Hoffmann lastete, in seinen letzten Jahren aus. Am 1. Oktober 1819 berief ihn das Justizministerium in die „Immediatkommission zur Ermittlung hochverräterischer Verbindungen und anderer gefährlicher Umtriebe“, und durch dieses Nebenamt geriet der politisch Uninteressierte mitten in die politischen Auseinandersetzungen der Nachkriegszeit.

Napoleon war geschlagen und auf die Atlantikinsel St. Helena verbannt worden. Die Erwartungen, mit denen das Volk, insbesondere die in Freiwilligenverbänden kämpfende akademische Jugend, in den Krieg gezogen war, waren jedoch unbefriedigt geblieben. Ein neues, einheitliches und freiheitliches Deutschland war aus den Schlachten von Leipzig und Belle Alliance nicht hervorgegangen, die von Frankreich, England und Rußland bereits Jahrhunderte zuvor errungene Nationalstaatlichkeit wurde nicht verwirklicht. Auf dem Wiener Kongreß 1814/15 befestigten die deutschen Fürsten ihre Macht. In den nächsten Jahren war die bürgerliche Intelligenz der Universitäten die Avantgarde des Kampfes gegen die Feudalherrschaft in Deutschland. Die in der 1815 gegründeten Burschenschaft zusammengeschlossenen Studenten anerkannten in ihren Reihen weder Standesunterschiede noch partikularistische Sonderinteressen. Viele von ihnen waren Kriegsteilnehmer gewesen und trugen nun ihre uneingelösten Kriegsziele in die Jahre des Friedens. Im Oktober 1817 trafen sich Studenten mehrerer Universitäten auf der Wartburg zu einer großen Demonstration für Deutschlands Einheit und Freiheit. Sie hatten kein allgemeinverbindliches Programm, und ihre politisch-sozialen Vorstellungen gingen bisweilen abenteuerliche Wege. Da sie sich jedoch zu einem einigen Vaterland und zur Souveränität des Volkes bekannten, wurden sie von den deutschen Regierungen diffamiert und bespitzelt, und willkommenen Anlaß zu ihrer Unterdrückung bot eine von idealer Gesinnung getragene, jedoch völlig hilflose studentische Aktion: Anderthalb Jahre nach dem Wartburgfest, im März 1819, ermordete der einer radikalen Burschenschaftsgruppe angehörende Theologiestudent Sand den als Volksfeind und Zarenspitzel geltenden Schriftsteller Kotzebue, und dieses Attentat wurde von den Machthabern in den deutschen Ländern mit einem Verfolgungsfeldzug gegen alle Patrioten beantwortet.

Hoffmann stand der bürgerlichen Oppositionsbewegung fern, und für die Deutschtümelei der Burschenschafter, für die Kraftmeierei der von Jahn gegründeten Turnerschaft hatte er nur gründliche Verachtung. Boshaft bereits in der Anlage ist die Darstellung des Burschentums im „Kater Murr“: Nicht anders als in Tiernatur vermochte Hoffmann die zornigen jungen Männer vorzuführen; das Burschenleben ist eine Etappe im Werdegang eines Katers. Der deutschnationale Student und der von ihm verabscheute pomadige Philister sind in Hoffmanns Sicht keine Gegensätze, sondern einander ergänzende Gegenpole im „geistigen Tierreich“ des deutschen Philisteriums. Diese Zuordnung beweist ein feines Gespür für die deutschen Zustände, in denen selbst die Opposition nur zu kurzatmiger Größe gedeihen konnte; sie verliert nur wenig an innerem Wert durch die Beobachtung, daß Hoffmann das zügellose Treiben der in Landsmannschaften und Orden korporierten Studenten mit dem von sittlichen Idealen erfüllten Bundesleben der Burschenschaften in eines setzte, als „Burschen" (dem damaligen Sprachgebrauch folgend) den Studenten schlechthin begriff.

Der Beamte Hoffmann war überzeugt, „daß dem hirngespenstischen Treiben einiger junger Strudelköpfe Schranken gesetzt werden mußten", daß es insbesondere nach „Sands verabscheuungswürdiger meuchelmörderischer Tat" an der Zeit sei, „auf gesetzlichem Wege mit aller Strenge zu strafen und zu steuern". Sein Begriff der Gesetzlichkeit unterschied sich jedoch grundlegend von dem der preußischen Polizei und Regierung, war in seinem Wesen bürgerlich – mochte sich Hoffmann dessen auch nicht bewußt sein. Rechtshistoriker sehen das Berliner Kammergericht, dem er angehörte, zeitweilig an der Spitze des Kampfes um die Einführung bürgerlicher Rechtsnormen in die preußische Justiz. Dazu gehörte, „die Polizeiwillkür" des absolutistischen Staats „zu brechen, die Unabhängigkeit des Richters, die Öffentlichkeit und Mündlichkeit des Verfahrens durchzusetzen, ... das königliche Bestätigungs- und Begnadigungsrecht ... abzugrenzen" (Eugen Walter). In der Zeit, in der die als „Demagogen" verklagten Patrioten verfolgt wurden, erreichten die Auseinandersetzungen zwischen Gericht und Regierung einen Höhepunkt, und der Kammergerichtsrat Hoffmann bewies sich als couragierter, unbeugsamer Verfechter bürgerlicher Rechtsprinzipien. Gleich bei der ersten Untersuchung, die ihm als Mitglied der Immediatkommission übertragen wurde, kollidierte er mit dem Polizeidirektor Kamptz und der von ihm vertretenen reaktionären Regierungsclique. Ein Dr. Georg Ludwig Roediger war im Juli 1819 wegen hochverräterischer Umtriebe verhaftet worden. Hoffmann wies die Nichtigkeit der gegen den jungen Akademiker erhobenen Beschuldigungen nach, sorgte dafür, daß er freigelassen wurde, und blieb auch fest, als ihm eine Überprüfung des Falles aufgetragen wurde. Er konnte eine nochmalige Verhaftung Roedigers nicht verhindern; aber seine Unnachgiebigkeit hatte zur Folge, daß dem Richterkollegium durch königliches Dekret eine der Polizei willfährige Ministerialkommission übergeordnet wurde, die die richterlichen Beschlüsse unwirksam zu machen suchte. Die Spannungen zwischen den beiden Kommissionen entluden sich in einer von Hoffmann geführten Untersuchungssache. Ebenfalls im Juli 1819 war der Turnvater Jahn eingekerkert worden. Hoffmann erklärte die gegen Jahn gerichteten Anschuldigungen als haltlos, und auf Grund seines Berichts plädierte die Immediatkommission auf Freispruch. Die von Kamptz beeinflußte Ministerialkommission lehnte diesen Entscheid ab, und als die Richter ihr Amt niederzulegen drohten, falls ihrem Beschluß nicht entsprochen würde, erwirkte sie beim König, daß Jahn in „Ehrenhaft" gesetzt und auf die Festung Kolberg geschickt wurde. Dieser Niederlage der Justiz war eine ebenso empfindliche voraufgegangen. Noch während des Verfahrens hatte Kamptz in den Berliner Zeitungen eine Meldung veröffentlichen lassen, wonach die Schuld Jahns erwiesen sei. Jahn verklagte den Urheber dieser Verleumdung beim Kammergericht, Hoffmann wurde zum Referenten ernannt und lud Kamptz zum Termin. Der Justizminister und der Staatskanzler forderten jedoch das Gericht auf, den Prozeß angesichts des Amtes, das der Verklagte innehabe, niederzuschlagen. Hoffmann weigerte sich, dieser Aufforderung nachzukommen, „weil auch die höchsten Staatsbeamten nicht außer dem Gesetz gestellt, vielmehr demselben wie jeder andere Staatsbürger unterworfen sind"; nur der König sei befugt, „aus höheren Staatsgründen den Gang des Rechts zu hemmen". Daraufhin kam vom König strikte Weisung, das Verfahren einzustellen.

Einen ähnlichen Verlauf wie die Prozesse gegen Roediger und Jahn nahm auch der Prozeß gegen den aus den preußischen Rheinlanden stammenden Verwaltungsbeamten Ludwig von Mühlenfels, der sich im Krieg bei den Lützower Jägern ausgezeichnet hatte. Die tapfere Haltung, die Hoffmann auch in diesem Fall bewies, vermochte nichts gegen die Gewaltakte der Regierung. Angewidert von dem „Gewebe heilloser Willkür, frecher Nichtachtung aller Gesetze, persönlicher Animosität", ersuchte Hoffmann um seine Entlassung aus der Kommission. Dem Antrag wurde im Sommer 1821 stattgegeben. Ein halbes Jahr später wurde gegen ihn selber ein Disziplinarverfahren eröffnet.

Seit August 1821 arbeitete Hoffmann an seinem Märchen „Meister Floh", das ein Frankfurter Buchhändler in Verlag genommen hatte. Der Held des Märchens, der Kaufmannssohn Peregrinus Tyß, wird aus heiterem Himmel verhaftet und unter Anklage gestellt, ein Frauenzimmer entführt zu haben. Zwar wird in Frankfurt, dem Schauplatz des Märchens, gar kein Frauenzimmer vermißt, doch der Inquirent, der Geheime Hofrat Knarrpanti, ein Mann von „ungemeiner Sagazität", versichert dem Rat der Stadt, „daß, sei erst der Verbrecher ausgemittelt, sich das begangene Verbrechen von selbst finde", und getreu dieser scharfsinnigen Devise konstruiert er aus völlig unanstößigen Äußerungen und Notizen des Peregrinus ein schwindelerregendes Anklagegebäude, das den Helden fortwährender „entführerischer Umtriebe“ bezichtigt. Unverkennbar deutete diese Episode auf die Praktiken der preußischen Polizei bei der Demagogenverfolgung, und Hoffmann machte im Gespräch aus dieser Bezüglichkeit kein Hehl. „Der Kammergerichtsrat Hoffmann schreibt an einem humoristischen Buche, worin die ganze demagogische Geschichte, fast wörtlich aus den Protokollen, höchst lächerlich gemacht wird“, notierte der Schriftsteller Varnhagen von Ense im Januar 1822 in sein Tagebuch – die Nachricht machte die Runde. Sie erreichte auch den Polizeichef Kamptz. Der ließ das Manuskript in Frankfurt beschlagnahmen, erkannte mühelos die satirische Tendenz der Erzählung und mußte obendrein die Entdeckung machen, daß er selber zu dem Hofrat Knarrpanti, vor dem sich die Leute zu guter Letzt „mit allen Zeichen des Ekels und Abscheus die Nase“ zuhalten, Modell gestanden hatte. Kamptz schrieb einen Bericht an den Innenminister und verfaßte in dessen Auftrag eine Eingabe an die Staatskanzlei, in der er für Hoffmann strengste Bestrafung forderte. Angesichts der Unzuverlässigkeit des Kammergerichts empfahl er, von einer gerichtlichen Klage abzusehen, und schlug vor, Hoffmann auf dem Dienstweg zur Verantwortung zu ziehen und ihn nach Insterburg strafzuversetzen. Aus der Staatskanzlei kam eine königliche Kabinettsorder, die eine sofortige Vernehmung des Beschuldigten verfügte. Da Hoffmann erkrankt war, wurde diese Vernehmung für zwei Wochen ausgesetzt. Unterdessen bemühte sich der in Berlin weilende Hippel, einflußreiche Persönlichkeiten für den Freund zu gewinnen, und Hoffmann selber verfaßte eine Rechtfertigungsschrift, die mit dem Protokoll der am 22. Februar erfolgten Vernehmung den Instanzenweg antrat. Obwohl Hoffmann jegliche sträfliche Absicht der beanstandeten Märchenepisode bestritt und durch Beispiele aus der Literaturgeschichte die Unverfänglichkeit seiner Dichtung zu beglaubigen versuchte, wäre es ihm kaum gelungen, sich der drohenden Disziplinarstrafe zu entziehen, hätte sich sein Leiden nicht als tödlich erwiesen. Eine Erkrankung des zentralen Nervensystems lähmte seinen Körper und führte zu fortschreitendem Kräfteverfall. Am 25. Juni 1822 ist er, 46jährig, gestorben. Bis zu seinem Tode war sein Geist ungebrochen, und als ihm seine Hände den Dienst versagten, diktierte er vom Krankenlager seine letzten Dichtungen. Zu ihnen gehört das Meisterwerk „Vetters Eckfenster“, das in seiner tiefen Menschlichkeit, in seiner Liebe zum bunten einfachen Leben Hoffmanns Kunst nicht am Ende, sondern eher an einem neuen Anfang zeigt.

Zwei Romane hat Hoffmann hinterlassen: „Die Elixiere des Teufels" (1816) und die unvollendeten „Lebensansichten des Katers Murr nebst fragmentarischer Biographie des Kapellmeisters Johannes Kreisler in zufälligen Makulaturblättern" (1819/21); hinzu kommt eine stattliche Reihe von Erzählungen und Märchen, die, häufig in Zeitschriften und Taschenbüchern erstveröffentlicht, in drei Sammlungen vereinigt wurden. Die erste, bereits genannt, trägt den Titel „Fantasiestücke in Callots Manier" (1814/15); die zweite, 1816/17 veröffentlicht, vereinigte „Nachtstücke"; die dritte Sammlung, auf den geselligen Kreis um Hoffmann Bezug nehmend, führt den Titel „Die Serapionsbrüder" und erschien 1819–1821. Selbständig veröffentlicht wurden u. a. das Märchen „Klein Zaches" (1819), das Capriccio „Prinzessin Brambilla" (1820) und – auf Geheiß der preußischen Polizei um die Knarrpanti-Episode verkürzt – das Märchen „Meister Floh" (1822). Drei Jahre nach Hoffmanns Tod, 1825, gab Hitzig zudem zwei Bände „Letzte Erzählungen" heraus.

Ein Überblick über Hoffmanns Werk führt vor das merkwürdige Phänomen, daß in unmittelbarer Nachbarschaft von anspruchsvoller, tiefschürfender Dichtung Erzählungen stehen, die sich kaum über das Niveau bloßer Belletristik erheben; in denen sich die kolportagehaften Elemente, mit denen er sehr häufig arbeitet, verselbständigt haben, die sich der Wirkung greller, reißerischer Stoffe anvertrauen. Es ist zu beobachten, daß solche Erzählungen nach den „Fantasiestücken" überhandnehmen und für einige Jahre seine Produktion geradezu bestimmen. Hoffmann war sich dessen auch bewußt. Im August 1815 gab er Hippel einen Bericht über die Vielzahl seiner amtlichen Pflichten und klagte dann: „Ich schreibe keinen goldnen Topf mehr! – So was muß man nur recht lebhaft fühlen und sich selbst keine Illusionen machen!" Spätestens mit dem „Klein Zaches" hat er wieder Gleichwertiges geschaffen. Aber auch danach entstand Unterhaltungsware neben seiner großen Erzählkunst. In einem seiner letzten Briefe erklärte Hoffmann die Wertunterschiede innerhalb seiner Arbeiten in aller Unbefangenheit: „Man müßte vier Hände haben wie der Floh, und da zu vier Händen zwei Köpfe gehören, so würd' es nötig sein, daß der Kopf einen Vizekopf ernenne als Vizekönig, Lieu-tenant oder wenigstens umsichtigen Departements-Rat. Und auf wen anders könnte die Wahl fallen als auf den Teil, der gewissermaßen die geringer geprägte Rückseite der bessern Antlitz-Seite ist. Aber wie die Arbeit verteilen? I nun! Der unten da bekäme die Taschenbücher!" Hoffmann beutete seine schriftstellerischen Fähigkeiten rückhaltlos aus, scheute nach eigenem Geständnis nicht davor zurück, sich dann und wann ein bißchen zu blamieren, wenn er Geld machen mußte – und aus dieser Verlegenheit kam er selten heraus. Die vorliegende Auswahl verzichtet selbstredend auf Arbeiten, die der „Vizekopf" ausgebrütet hat, beschränkt sich auf herausragende Leistungen seiner Erzählkunst.

Bereits in der ersten Sammlung, den „Fantasiestücken", zeichnen sich die thematischen Schwerpunkte von Hoffmanns Dichtung ab. Jean Paul, mit dessen „Attestat" das erste Werk Hoffmanns den Weg in die Öffentlichkeit antrat, war geneigt, den Titel zu korrigieren und das Buch der Sinnfälligkeit halber „Kunstnovellen" zu überschreiben. Das war nun keineswegs eine Erleuchtung; denn Hoffmanns technischer Titel hatte wenigstens den Vorzug sprachlicher Eindeutigkeit. Auf vielen Blättern des lothringischen Graphikers Jaques Callot (1592–1635), der zehn Jahre am Hof der Medici in Florenz verbrachte, greift die Phantasie keck ins alltägliche Leben, es auflösend in Spiel, es erhöhend zum Fest. Der Hinweis auf dessen „Manier" sollte Hoffmanns eigene rechtfertigen; auch bei ihm erscheint „das Gemeinste aus dem Alltagsleben ... in dem Schimmer einer gewissen romantischen Originalität, so daß das dem Phantastischen hingegebene Gemüt auf eine wunderbare Weise davon angesprochen wird". Es ließe sich freilich nachweisen, daß nur ein Werk Hoffmanns dem Geist, in dem Callots Manier wurzelt, voll entspricht, und dieses Werk gehört nicht den „Fantasiestücken" an; es ist die „Prinzessin Brambilla" von 1820. Es ließe sich nachweisen, daß Hoffmanns „Fantasiestücke" nur in einem abstrakt-technischen Sinne mit Callots Graphiken korrespondieren. Er durfte sich auf ihn berufen, wenn er Menschen in Tiergestalt verkörperte wie in der „Nachricht von einem gebildeten jungen Mann" oder später in den „Lebensansichten des Katers Murr" – aber er unterlag sicherlich einer Täuschung, wenn er in Callot einen Künstler seinesgleichen vermutete und dessen Zwittergebilde aus Tier und Mensch als Produkte einer Ironie ansprach, die, „indem sie das Menschliche mit dem Tier in Konflikt setzt, den Menschen mit seinem ärmlichen Tun und Treiben verhöhnt". Callot war kein Satiriker. In eine andere Tradition führt auch die „Nachricht von den neuesten Schicksalen des Hundes Berganza": daß wahre Menschlichkeit und Kunstverstand einem Hund zugehören, während im menschlichen Bereich Dünkel und Selbstsucht regieren – das war nicht bei Callot, wohl aber bei dem irischen Satiriker Jonathan Swift vorgebildet, der im vierten Teil von „Gullivers Reisen" ein Land schilderte, in dem Pferde und Esel die von den Menschen verratene Weisheit und Gesittung pflegen. Vollends von seinem Gewährsmann entfernt sich Hoffmann in seinen originellsten Dichtungen: Wenn ein Spaziergänger an einem Herbstnachmittag des Jahres 1809 im Berliner Tiergarten den 1787 verstorbenen Musiker Christoph Willibald Gluck trifft, dann erinnert an Callot bloß noch das allgemeine Kunstprinzip, die Verquickung von Phantasie und Wirklichkeit; im übrigen herrscht hier Hoffmanns Manier, keine andere.

Der von ihm gewählte Titel verständigt jedenfalls über sein dichterisches Verfahren, nicht über die Themen und Inhalte seiner Dichtung. Jean Paul gedachte gerade davon etwas durchblicken zu lassen, und bei gutwilliger Deutung seines Titelvorschlags ist zuzugestehen, daß das zentrale Thema der „Fantasiestücke" die Kunst ist – genauer hieße es wohl: Künstler und poetische Naturen im Konflikt mit der deutschen Bürgerwelt. Der Kapellmeister Kreisler, der Hund Berganza, der Student Anselmus im „Goldnen Topf" sind einander darin verwandt, daß sie den Sinn des Lebens nicht in des Bürgers „immerwährender Geschäftsreise vom Buttermarkt zum Käsemarkt" beschlossen sehen und in sehnsuchtsvoller Hingabe an Natur und Kunst die engen Maße des „bürgerlichen Kalendertags" sprengen. Dieses Eichendorff- und dieses Brentano-Zitat mögen als unvorgreifliche Signale dafür gelten, daß sich Hoffmanns Dichtung thematisch der Romantik anschloß.

Jean Paul mußte jedoch einräumen, daß ein Beitrag zu den „Fantasiestücken", die Erzählung „Der Magnetiseur", in einen anderen Themenbereich führt. Viele Novellen in den „Nachtstücken" und den „Serapionsbrüdern" verweilen hier ausschließlich: bei den Nachtseiten der menschlichen Natur. Im Hause seiner Großmutter hatte Hoffmann den ersten Anschauungsunterricht über anomale seelische Strukturen erhalten, Hysterie und Wahnsinn aus nächster Nähe erlebt. Er selber war ein hochgradig nervöser Mensch, und auf Grund seiner Reizbarkeit, übermäßigen Alkoholgenusses und schwerer Krankheiten waren ihm Erlebnisse pathologischer Art nicht fremd. Die Tagebücher und Freundesberichte erwähnen optische Illusionen und Halluzinationen, fixe Ideen und Anzeichen simultaner Bewußtseinsspaltung. Hoffmann für geisteskrank zu erklären, geben diese Hinweise keinen Anlaß; er erkannte seinen Wahnvorstellungen keine objektive Existenz zu. Die Grenzüberschreitungen, die er an sich beobachtete, wirkten sich jedoch aus in seinem Werk. Begünstigt dadurch, daß er im Gegensatz zu den Klassikern und vielen zeitgenössischen Romantikern niemals bewußter Exponent einer Klasse wurde, konzentrierte sich Hoffmanns Interesse auf unerhörte psychische Begebenheiten, Extremfälle menschlichen Lebens und Erlebens, auf die Geheimnisse der Menschenseele. Er wurde zum „klassischen Dichter des Dämonischen und Rätselhaften, der die verwickeltsten seelischen Probleme, die Spaltung des Ich, die unheimliche Macht fixer Ideen und Träume, die rätselhaften Kräfte des Unterbewußtseins, die verschiedenen Stufen des Wahnsinns mit wunderbarer Hellsichtigkeit und psychologischer Meisterschaft behandelte" (Oppeln-Bronikowski). Der Kapellmeister Kreisler, der durch das „Mißverhältnis des inneren Gemüts mit dem äußern Leben" bis an den Rand des Wahnsinns getrieben wird; der exzentrische Rat Krespel, dessen tolles Gebaren von seinen Mitbürgern als Ausdruck eines zerrütteten Hirns gedeutet wird und der in Wahrheit nur so die Schmerzen auszugleichen vermag, die sein „in das irdische Tun und Treiben eingeschachteter Geist" empfindet; der Goldschmied Cardillac, rechtschaffener Bürger und entsetzlicher Mörder in einem, unfähig, die ihm im Mutterschoß zugewachsene Leidenschaft für Gold und Geschmeide zu zähmen – sie allein können bereits Hoffmanns Interesse an außerordentlichen, seelisch beschwerten Charakteren beglaubigen. Selbst in der biederen Erzählung von „Meister Martin dem Küfner und seinen Gesellen", die in den „Serapionsbrüdern" bezeichnenderweise Sylvester-Contessa zugeordnet wird, geht die Initialzündung von einer fixen Idee aus, indem der Titelheld seine Tochter nur einem Manne seines Handwerks zuzuerkennen willens ist. Das Höchste leistet in dieser Hinsicht der Roman „Die Elixiere des Teufels", wo das verdrängte Unterbewußte in Gestalt eines Doppelgängers leibhaftig in die Realität hineintritt und jene Taten ausführt, die das wache Bewußtsein auf Grund bestimmter ethischer Hemmungen auszuführen sich scheut.

Durch seine Leidenschaft für das Nachtseitige der Menschenseele geriet Hoffmann in den Sog einer Lehre, die zu seinen Lebzeiten eine ähnliche Erregung und Verwirrung der Geister auslöste wie in den ersten Jahrzehnten dieses Jahrhunderts die Psychoanalyse: der Lehre vom tierischen Magnetismus. Sie ging auf den in Wien und im vorrevolutionären Paris praktizierenden Arzt Franz Anton Mesmer zurück, der im Magnetismus die Kraft gefunden zu haben glaubte, die die Welt im Innersten zusammenhält, das geheime Lebensprinzip, dessen sich die Medizin zur Heilung, ja zur Verhütung von Krankheiten bedienen könnte. Er bestrich seine Patienten mit einem Magneten und beobachtete dabei gewisse Heilerfolge, erzielte ähnliche Wirkungen durch Striche mit der bloßen Hand und setzte daraufhin an, daß der belebten Natur eine dem mineralischen Magnetismus entsprechende Kraft innewohne, die er animalischen (tierischen) Magnetismus nannte. Es hat sich herausgestellt, daß die theoretischen Grundlagen dieser Lehre falsch sind: der menschliche Körper verfügt über keine magnetischen Eigenschaften und reagiert auch nicht auf magnetische Metalle. In Wahrheit war Mesmer bestimmten Erscheinungen der Suggestion und Hypnose auf die Spur gekommen, und in dieser Richtung wurde seine Lehre um 1780 auch weiterentwickelt: der Straßburger Arzt Puységur versetzte seine Patienten durch Hypnose in einen somnambulen Zustand und trat dann mit ihnen in Rapport. Soweit verdienen die Vorgänge nur mäßiges Interesse. Die Medizin hatte sich neuen, sicherlich überschätzten Phänomenen genähert, mehr nicht. Nach 1789 und in gesteigertem Maße nach 1815 wirkte jedoch die Lehre vom tierischen Magnetismus ins Große. Die Gesellschaftsgeschichte hatte einen kritischen Punkt erreicht: Eine jahrhundertealte Gesellschaftsordnung war 1789 zerschlagen worden; die Kriege der Französischen Revolution und der französischen Großbourgeoisie erstreckten sich über ganz Europa und mobilisierten die Völker; die Schwäche des deutschen Bürgertums hatte jedoch zur Folge, daß Deutschland unerlöst blieb, den Anschluß an die bürgerliche Neuzeit nicht herzustellen vermochte. – Einen kritischen Punkt hatte auch die derzeitige Naturwissenschaft und mit ihr das philosophische Denken erreicht: Das von der Mechanik abgeleitete Weltbild erwies sich als nicht mehr zulänglich; die Erfahrungen und Entdeckungen, die beim Übergang zur kapitalistischen Produktion gewonnen worden waren, forderten die Ausbildung dialektischer Denkmethoden. In dieser Krisensituation der Geschichte und des Geistes sammelte sich besonders in Deutschland Gärstoff für Theorien, die, vernunftfeindlich und intuitionsgläubig in der Methode, spekulativ-idealistisch in der Sache, das Jahrhundert der Aufklärung und Revolution zurückzunehmen versuchten. „Anarchie ist das Zeugungselement der Religion", schrieb der Romantiker Novalis; und in den Rang einer Offenbarungsreligion arrivierte der Mesmerismus. „Die in unsern aufgeklärten Zeiten an Christum zu glauben aufgehört, bekennen sich am willigsten zu Mesmer, der ihnen allenfalls Christum wieder als seinesgleichen unterschiebt", heißt es in einem Brief Adelbert von Chamissos. Einem Magnetisierten (= Hypnotisierten) schien nach Ansicht vieler Ärzte, Dilettanten und Scharlatane höhere Erkenntniskraft beschieden als dem Menschen mit wachem Bewußtsein. Die Tatsache, daß im somnambulen Zustand oder auch im Traum vergessene, unbemerkte und abgespaltete Seeleninhalte reproduziert werden, verführte zu der Annahme, daß das Unterbewußtsein aus dem Bewußtsein eines höheren Geistes schöpft, mit der „Weltseele" in Harmonie steht. Die Möglichkeit, hellzusehen, fernzusehen, mit den Geistern Verstorbener Kontakt aufzunehmen, schien durch den Mesmerismus – wenn nicht verbürgt, so doch – wahrscheinlich gemacht.

Hoffmann war bereits in Bamberg durch den Medizinaldirektor Marcus und den Arzt Friedrich Speyer mit den Gedankengängen Mesmers und seiner Anhänger bekannt geworden, und durch Koreff wurden seine Kenntnisse erweitert. Er studierte die einschlägige Literatur, u. a. Kluges „Versuch einer Darstellung des Magnetismus als Heilmittel" (1811), Gotthilf Heinrich Schuberts „Ansichten von der Nachtseite der Naturwissenschaft" (1808) und dessen „Symbolik des Traums" (1814), und diese Studien schlugen sich nieder in seinem Werk. Ein unmittelbares Zeugnis dafür ist die 1813 geschriebene, den „Fantasiestücken" eingegliederte Erzählung „Der Magnetiseur", die von der Sorge getragen ist, daß die nach Hoffmanns Auffassung ohnehin bloßliegende Integrität des Menschen durch dämonische, die Hypnose als Werkzeug ihrer Begehrlichkeit und ihres Machtwillens mißbrauchende Geschöpfe zerstört werden könnte. In Zukunft trug er nur noch beiläufig sittliche Fragen an den Mesmerismus heran. Ohne magnetopathische Heilungen, magnetische Rapporte und psychische Fernwirkungen ging es jedoch bei ihm nicht mehr ab. Die Fee Rosabelverde bändigte den ungebärdigen Wechselbalg Klein Zaches, indem sie ihm über den Kopf streicht; die Zigeunerin Chiara vermag die Prinzessin Hedwiga auf dieselbe Art zu beruhigen („Kater Murr"). Hedwiga und Kreisler erweisen sich als einander verwandte Naturen, indem sie bei einer Berührung wie elektrisiert zusammenzucken. Die Gräfin Hermenegilda erschaut im somnambulen Zustand auf den Tag und die Stunde genau den Tod ihres im fernen Italien kämpfenden Geliebten („Das Gelübde"). Die Beispiele ließen sich zwanglos mehren.

In einer 1903 veröffentlichten Untersuchung des Irrenarztes Otto Klinke wurde Hoffmann als hervorragender Psychologe bezeichnet und sein Werk geradezu als Auskunftei für den Stand der Psychologie und Psychiatrie in den ersten Jahrzehnten des 19. Jahrhunderts empfohlen. Man muß sich jedoch darüber im klaren sein, daß die negativen Urteile über Hoffmann, die aus dem Lager der klassischen deutschen Dichtung und Philosophie kamen, sich derselben Argumentation, nur mit umgekehrten Vorzeichen, bedienten. Hegel hatte unrecht, wenn er Hoffmann vorwarf, daß er „der Krankheit des Geistes das Wort geredet“ habe. Unrecht hatte auch Goethe, als er, Scott zitierend, in Hoffmanns Werken „fieberhafte Träume eines leicht beweglichen, kranken Gehirns“ zu erkennen glaubte und die Mühe einer literarischen Kritik für verfehlt erklärte. Diesem Urteil wüchse auch dann keine Verbindlichkeit zu, wenn der medizinische Befund intakt wäre. Hölderlins Wahnsinn sagt nichts aus über Hölderlins späte Gedichte. Das Unbehagen, das die Klassiker Hoffmann gegenüber empfanden, wird jedoch nicht gegenstandslos durch die Widerlegung ihrer Argumente. Es bedarf lediglich schärferer, ins Ästhetische vorgetriebener Definition.

1797 hatte Friedrich Schlegel eine Schrift „Über das Studium der griechischen Poesie“ veröffentlicht, die den Standort der zeitgenössischen Literatur aus dem Verständnis der Antike zu bestimmen versuchte. In Schlegels Sicht war „Charakterlosigkeit“ ihr einziger Charakter, „Verwirrung das Gemeinsame in der Masse ihrer Hervorbringungen und Bestrebungen, Gesetzlosigkeit der Geist ihrer Entwicklungsgeschichte“. Mit derselben Entschiedenheit, mit der er an der griechischen Poesie „die sittliche Fülle, die freie Gesetzmäßigkeit, die edle Menschlichkeit, das schöne Ebenmaß, das zarte Gleichgewicht, die treffende Schicklichkeit“ rühmte, verurteilte er an der modernen „das totale Übergewicht des Charakteristischen, Individuellen und Interessanten ... das rastlose, unersättliche Streben nach dem Neuen, Pikanten und Frappanten, bei dem dennoch die Sehnsucht unbefriedigt“ bleibe. Diese Darstellung ist weniger eine Bestandsaufnahme der zeitgenössischen bürgerlichen Literatur als eine Vorwegnahme spätbürgerlicher Literaturtendenzen – und Hoffmann ist einer der ersten, bei dem die Prophetie reale Gestalt gewinnt. Er gibt in seiner Dichtung dem Charakteristischen und Normwidrigen den Vorzug vor dem Typischen. Unbelastet von heroischen Illusionen über die Möglichkeiten der bürgerlichen Gesellschaft, umgreift er in seiner Dichtung das Häßliche, das von dieser Gesellschaft, besonders in ihrer deutschen Spielart, emporgetragen wird. Zweifellos hat die deutsche Gesellschaftsmisere von seinem Nervensystem Besitz ergriffen, ist er nicht nur ihr Chronist, sondern auch ihr Opfer. Im Gegensatz zur spätbürgerlichen Literatur bleibt jedoch der Bezugsort seiner Ästhetik das Schöne. Seine musikalischen Leitbilder bezeugen das eindeutig. Hoffmann gestaltete das Häßliche, weil es ihn bedrängte. Die Leiden des Kapellmeisters Johannes Kreisler stehen auch in dieser Hinsicht für die seinen. Mit einem neuen, suggestiven Realismus spüren seine Dichtungen die Verzerrung und Verkrüppelung des durch

Feudalherrschaft und kapitalistische Produktion seiner selbst entfremdeten Menschen auf. Hoffmanns Ausdrucksmittel sind durch und durch unklassisch, der Gehalt seiner Dichtungen ist infiziert von den Krankheiten, die er bekämpfte. Beides erfüllte die Vertreter der Klassik mit Mißtrauen und ließ sie von ihm Abstand nehmen. Die Grundrichtung seines Kampfes ist jedoch die gleiche.

Weiter reichende Folgen als die psychologischen Aspekte der mesmeristischen Lehre hatten für Hoffmanns Werk die philosophischen Spekulationen, die sich um sie herumlagerten. Das seine frühe Dichtung beherrschende und später immer wieder abgewandelte Thema, der Konflikt von Künstlern und poetischen Naturen mit der deutschen Bürgerwelt, erhielt durch diese Spekulationen eine philosophische und geschichtliche Tiefe, die sich freilich in Untiefen verliert und die realen gesellschaftlichen Widersprüche verdunkelt. Er übernahm die ihm von Schubert zugetragene romantische Lehre, daß der ursprüngliche Mensch, seelisch undifferenziert, in einer ungestörten Harmonie mit der Natur und Gott gelebt habe. Er setzte wie die frühen Romantiker den Sündenfall des Menschengeschlechts an dem Punkt an, an dem der Mensch zum Bewußtsein seiner selbst kam und denkend Natur und Gott gegenübergetreten sei. Entsprechend dieser Konzeption werden alle geistigen und geschichtlichen Bewegungen, in denen sich der Mensch mit Verstandeskräften aus Unmündigkeit und Untertänigkeit befreite, verurteilt, werden insbesondere der Rationalismus und der Materialismus der europäischen Aufklärung als zerstörerische, lebensfeindliche Prinzipien dargestellt. Von Schubert wurde an Hoffmann jedoch auch der Glaube herangetragen, daß sich ein drittes Geschichtszeitalter ankündige, in dem sich die alte Harmonie auf höherer Stufe wiederherstellen würde, in dem die Vereinzelung des Menschen und seine Entfremdung von Natur und Gott aufgehoben wäre – wobei sich für den Mesmeristen Schubert diese Hoffnung unmittelbar an die im höchsten Stadium des magnetischen Schlafs eintretende allgemeine geistige Klarheit knüpfte, in der er einen Vorgriff auf eine höhere menschliche Daseinsform vermutete.

Produktiv wurde für Hoffmann besonders der von Schubert ausgesprochene Gedanke, daß der Mensch nicht bloß im somnambulen Zustand, sondern auch durch poetisches Erleben der ursprünglichen Harmonie mit der Weltseele wieder innewerden könne, daß auf den Künstler die Fähigkeit unmittelbarer, intuitiver Erkenntnis der Naturzusammenhänge überkommen sei. Dieser den Künstler adelnde

Gedanke stimmte voll mit Hoffmanns Anschauungen überein, bestimmte die Formierung der Konflikte in seinen wesentlichsten Dichtungen. Die Seligkeit, zu der Anselmus, der Märchenheld im „Goldnen Topf", findet, ist „das Leben in der Poesie, der sich der heilige Einklang aller Wesen als tiefstes Geheimnis der Natur offenbaret". Das Wunderland Atlantis, dem er zugeführt wird, liegt märchenhaft gesprochen hinter den sieben Bergen, philosophisch gesprochen in seiner eigenen Seele. Für den Erzähler des Märchens, den vor dem Schwarzen Tor von Dresden logierenden Kapellmeister Ernst Theodor Amadeus Hoffmann, besteht kein Anlaß, sein eigenes Schicksal angesichts der sieghaft gelösten Lebensverwicklungen des Anselmus zu beklagen; denn auch er hat, wie ihm der Archivarius Lindhorst versichert, in Atlantis – wenn nicht ein Rittergut, wie der Anselmus, so doch – einen „artigen Meierhof als poetisches Besitztum" seines „innern Sinns".

Anscheinend mündet Hoffmanns Werk in das Werk des Frühromantikers Novalis, des radikalen Verfechters eines subjektiven Idealismus in Philosophie und Kunst. Wesentliche Thesen des 1801 verstorbenen, von Hoffmann hochverehrten Dichters scheinen auf seine Erzählungen und Märchen nicht bloß zuzutreffen, sondern sie geradezu zu konstituieren. „Es liegt nur an der Schwäche unserer Organe und der Selbstberührung, daß wir uns nicht in einer Feenwelt erblicken"; und: „Nach Innen geht der geheimnisvolle Weg. In uns, oder nirgends, ist die Ewigkeit mit ihren Welten, die Vergangenheit und Zukunft. Die Außenwelt ist die Schattenwelt, sie wirft ihren Schatten in das Lichtreich." Bereits Hoffmanns erste Dichtung, das Fantasiestück „Ritter Gluck", führt den Leser vor Probleme, die anscheinend nur lösbar sind, indem man ansetzt, daß Hoffmann das Sein nur als Bewußtsein anerkennt.

Der sonderbare Mann, dem der Erzähler an einem Herbstnachmittag des Jahres 1809 in Webers Kaffeezelt im Berliner Tiergarten erstmals begegnet, ist kein Gespenst; trotz aller skurrilen Züge hat er unverkennbar menschliche Größe. Er ist auch kein wahnsinniger Musiker, der sich, wie Werner Bergengruen meinte, „bis zur Identität in Glucks Schöpfungswelt eingelebt hat". Die Art, wie er Glucks Kompositionen in Glucks Geist weiterentwickelt, schließt eine Nachfolge, paarte sie sich auch mit Selbstaufgabe, aus. Er ist der Ritter Gluck. Der aber war 1787 gestorben. Das weiß der Erzähler ebensogut wie der Leser. Hoffmanns Dichtung spart nicht mit solchen Überraschungen. Die Frau, die sich während einer Aufführung von Mozarts „Don Juan" in die Fremdenloge 23 setzt, ist die Sängerin, die auf der Bühne die Donna Anna singt.

Ihr Tod, nachts mit dem Glockenschlag zwei, ist nur sinnvoll, wenn man ansetzt, daß sie zugleich auch die Donna Anna ist. In Hoffmanns Märchen türmen sich solche Ungeheuerlichkeiten. Alles weist anscheinend darauf hin, daß Hoffmann Zeit und Raum und Naturgesetz als Kategorien des menschlichen Bewußtseins ansprach und die Welt, getreu den Thesen des Novalis, romantisierte.

Aber bei näherer Betrachtung stimmt das doch nicht. Man würde den großen Ironiker Hoffmann verkennen, wenn man ihn mit dem im ersten Abschnitt der „Serapionsbrüder" beschriebenen Grafen P** gleichsetzte, der sich für den Heiligen Serapion und den Wald, der seine Hütte umgibt, für die Thebaische Wüste hält; der „mit grauenhaftem Scharfsinn" behauptet, „daß es nur der Geist sei, der sehe, höre, fühle, der Tat und Begebenheit fasse, und daß also auch sich wirklich *das* begeben, was er dafür anerkenne". Hoffmann ist nicht Serapion. Hoffmann ist nicht Novalis.

Die Welt, in der sich das Wunderbare vollzieht, ist mit einer Präzision festgelegt, die in der deutschen Literatur ohne Vorbild ist. Im „Ritter Gluck" Berlin mit den Linden, Tiergarten, Klaus und Webers Zelte, Friedrichstraße, Opernhaus; Mohrrübenkaffee an Stelle des durch Napoleons Kontinentalsperre mangelnden Bohnenkaffees; Gespräche über die Schuhe der gefeierten Schauspielerin Friederike Bethmann. Im „Goldnen Topf" Dresden „am Himmelfahrtstage, nachmittags um drei Uhr", Schwarzes Tor, Allee zum Linkischen Bade, Pirnaer Vorstadt, Feuerwerk in Antons Garten; die Gestalten alle nach Rang und Stand bestimmt: Assessor, Registrator, Konrektor, Archivarius, Hofrat – hierarchisch gestaffelte Bürokratie der deutschen Residenzstädte Anfang des 19. Jahrhunderts. Das Wunderbare, das in diese geographisch, historisch und soziologisch genau fixierte Welt einbricht, trifft auf Menschen, deren innerste Natur sich dem Wunder entgegenwölbt. Die „Fantasiestücke" tragen den Untertitel „Blätter aus dem Tagebuch eines reisenden Enthusiasten". Daß der 1787 in Wien begrabene Ritter Gluck 1809 im Berliner Tiergarten spazierengeht; daß sich die Sängerin der Donna Anna zugleich auf der Bühne und in der Theaterloge 23 befindet, daß sie die Donna Anna singt und zugleich auch ist – all das erschließt sich nur „Enthusiasten", die an das Wunder glauben. „Nur das romantische Gemüt kann eingehen in das Romantische", heißt es im „Don Juan". Für die Bürger, die an der Wirtstafel ihr Mittagsbrot verzehren, ist die Sängerin der Donna Anna daran gestorben, daß sie ihre Musik- und Theaterliebe „häßlich übertrieb". Es gibt noch weitere Schärfebestimmungen. Der „Ritter Gluck" trägt den Untertitel „Eine Erinnerung aus dem Jahre 1809". Die Handlungszeit ist der Spätherbst des bezeichneten Jahres. Veröffentlicht wurde die Erzählung jedoch am 15. Februar 1809 in der Leipziger „Allgemeinen Musikalischen Zeitung", ein halbes Jahr bevor die Geschichte überhaupt beginnt. Das ist keine bloße Mystifikation des Lesers, sondern schränkt die Geschichte in einem genau bestimmbaren Sinne ein. Hoffmanns Erzählungen bewegen sich auf zwei Ebenen: die eine ist die Welt des Alltags, die exakt nachgezeichnet wird; daneben gibt es eine höhere Welt, in der die im Alltag herrschenden Gesetze keinen Kurswert besitzen. Die Vermittlung zwischen den beiden auch sprachlich voneinander abgehobenen Erzählebenen wird meist durch Doppelgestalten vollzogen, durch Archivare, die zugleich Feuersalamander, Privatgelehrte, die zugleich Geisterfürsten sind usw. Durch behutsame, aber scharf pointierte Relativierungen wird jedoch angezeigt, daß die höhere Welt zwar als real gesetzt, aber nicht als wirklich seiend, zumindest nicht als so seiend zu betrachten ist.

Funktion und Bedeutung dieses Erzählens ergeben sich bei einer Betrachtung von Hoffmanns Märchen. Wieder sind es ganz bestimmte Menschen, denen sich das Wunder öffnet: Jünglinge, die mit poetischem Sinn begabt sind, die sich in den banalen Alltag nicht einfügen können, denen im Gegenteil alles schiefgeht – Enthusiasten. Der eine von ihnen, der Held im „Meister Floh", heißt bezeichnenderweise Peregrinus – der Fremdling. Ihnen erschließt sich die höhere Welt. Die Assessoren, Hofräte und Hofratsgattinnen, Professoren und Registratoren haben zu ihr keinen Zugang. In dem von Hoffmann gestalteten Konflikt zwischen Künstlern und poetischen Naturen mit der deutschen Bürgerwelt ist der Bürger platter Verstandesmensch, in Nützlichkeitskategorien denkend, die Kunst als bloßes Lebensornament mißdeutend; er ist, um mit Schelling zu sprechen, ein Mensch, dem „nur das wirklich und wahrhaft ist, was man kann mit den Händen betasten". Der Künstler ist anders beschaffen. Er mißtraut den Versuchen, durch Verstandesoperationen in das Innere der Natur einzudringen, grundsätzlich; er denkt in ästhetischen Kategorien; die Kunst aber gilt ihm als Verheißung einer höheren Welt, in der die Fesseln, die um den Menschen geschlagen sind, sich lösen werden.

Welche Partei Hoffmann nimmt, steht außer Zweifel. In den Märchen gibt es Szenen, in denen der Unglaube des Bürgers an eine den Verstand überschreitende, übernatürliche Welt auf ihn zurückfällt, Szenen von überwältigender Komik. Es genügt, auf die Erlebnisse des Studenten Fabian im „Klein Zaches“ zu verweisen, der an den magischen Fähigkeiten des Geisterfürsten Prosper Alpanus zweifelt und prompt damit bestraft wird, daß die Ärmel seines Rocks zusammenschrumpfen, wohingegen sich die Rockschöße zu einer Schleppe auswachsen – eine Maskerade, die ihm in dem Staat des aufgeklärten Fürsten Paphnutius den Verdacht einträgt, ein Sektierer und Tumultuant zu sein.

Der Philisterkampf, den Hoffmann in seinen Erzählungen und Märchen, besonders den frühen, führt, schließt ihn an die durch Novalis, Tieck, Brentano u. a. repräsentierte romantische Schule an. Die von ihm gegebenen Bestimmungen des Bürgers und des Künstlers bezeugen, daß er auch nicht der für die Romantiker charakteristischen Gefahr entging, als Gegenbild zu dem Deutschlands Städte bewohnenden banalen Philister den überspannten Philister aufzustellen; als Gegenentwurf zu des Bürgers Meinung, daß die Kunst ein im Grunde überflüssiges Lebensornament sei, die exklusive These zu propagieren, daß Künstlerschaft die einzig sinnvolle Lebensfunktion wäre. Jean Pauls Kritik, daß man aus Kunstliebe leicht in Menschenhaß geraten könne, hat in dem sich hier andeutenden Elitebewußtsein ihre Wurzel.

Erst in seinem späteren Werk dringt Hoffmann wesentlich über romantische Positionen hinaus, wird der Spießbürger als politisches und soziales Phänomen begriffen. Im „Klein Zaches“, noch entschiedener aber im „Kater Murr“, erscheint der Spießbürger als Produkt und Existenzgrund des überständigen kleinstaatlichen Feudalabsolutismus in Deutschland, und sein Gegenspieler, der Künstler, wird als Opfer historisch-konkreter gesellschaftlicher Konstellationen bestimmt.

Der Roman von 1819/21 kündigt sich bereits im Titel als komplexes literarisches Gebilde an: die „Lebensansichten des Katers Murr nebst fragmentarischer Biographie des Kapellmeisters Johannes Kreisler in zufälligen Makulaturblättern“ schildern zwei Lebensläufe, die äußerlich nur lose miteinander verknüpft sind. In dem Romanteil, der den Haupttitel liefert, greift Hoffmann auf das in den „Fantasiestücken“ formulierte, nach Callot benannte ironische Prinzip zurück, den Menschen mit seinem ärmlichen Tun und Treiben dadurch zu verhöhnen, daß er ihn in tierischer Gestalt vorführt. Der Kater Murr, dessen Lebensansichten von dem als Herausgeber zeichnenden Hoffmann zum Druck befördert werden, ist einer jener dilettantischen Schöngeister, die Hoffmann bereits in früherer Tiersatire mit dem Haß des schöpferischen Künstlers verfolgt hatte; er ist einer der selbstzufriedenen, bornierten Spießer, die als Konrektor und Registrator, Professor und Hofrat bereits seine Märchen bevölkert hatten; er ist Spießer auch dann, wenn er sich in neuer, kriegerischer Gestalt, als kommersierender Student vorstellt. Murr ist ein Mensch – doch er ist es nicht immer. Die ironische Erzählweise Hoffmanns läßt sich die Freiheit, der Gestalt Murrs auch authentisch tierische Züge zu geben. Murr ist auch ein Kater. Sobald er aber seine Tiernatur bewahrt, sobald er nicht vorgibt zu sein, was er nicht ist, gehört ihm offenkundig des Dichters Liebe. In Murr wird also der deutsche Spießer verhöhnt; in Murr wird ein unverbildet-lebendiges Tier geliebt; die volle Bedeutung von Hoffmanns ironischer Erzählweise erschließt sich jedoch erst dann, wenn man erkennt, daß die dem Tier Murr entgegengebrachte Freundlichkeit dem unverbildet-lebendigen Menschen gilt. War der Dichter der „Fantasiestücke" geneigt, den Wert des Menschen ausschließlich nach seinem Verhältnis zur Kunst zu bemessen, so läßt der Dichter des „Kater Murr" ahnen, daß sein Verständnis des Menschen die ästhetenhaft-romantischen Vorbehalte hinter sich gelassen hat. In der kleinen Skizze „Des Vetters Eckfenster", die Hoffmann wenige Wochen vor seinem Tode schrieb, tritt die im Roman angedeutete Möglichkeit ans Licht: der gelähmte, an seinen Lehnstuhl gefesselte Dichter entwirft in ihr ein von Heiterkeit und Freundlichkeit durchleuchtetes Bild der ihm verbliebenen Welt und erkennt in den einfachen, unverbildeten Menschen des Volkes ungebrochene Menschlichkeit.

In dem zweiten Romanteil, der „fragmentarischen Biographie des Kapellmeisters Johannes Kreisler in zufälligen Makulaturblättern", nimmt Hoffmann die Gestalt jenes Musikers wieder auf, die in den ersten beiden Bänden der „Fantasiestücke" vorgestellt worden war. Er überantwortet ihr wiederum seine eigene biographische Vergangenheit: die Kindheit und Jugend im Hause des Onkels Otto Wilhelm Doerffer in Königsberg, den Zwiespalt zwischen dem bürgerlichen Beruf und den künstlerischen Neigungen, vor allem seine Liebe zu der Gesangsschülerin Julia Mark. Er gibt Kreisler wiederum sein eigenes bizarres Äußere und seinen aus tiefem Leid an der Unvereinbarkeit von Künstlerideal und gesellschaftlicher Wirklichkeit hervorbrechenden zornigen Humor. Trotz personaler Identität ist jedoch der Kreisler der „Fantasiestücke" nicht wesensgleich mit dem Kreisler des Romans. Der Kreisler der „Fantasiestücke" wurde in Selbstzeugnissen vorgestellt. Der Kreisler des „Kater Murr" wird in das epische Gefüge eines Romans eingegliedert. Die „Kreisleriana" waren in Elegie und Satire betont subjektive Bekenntnisse eines in Bürgerhäusern tätigen Kapellmeisters und Musiklehrers. Die fragmentarische Lebensbeschreibung des Romans schildert objektiv und distanziert ein Künstlerleben an einem gespenstischen Duodezhof in Deutschland. Kreisler bleibt Sprachrohr für Hoffmanns Meinungen und Gesinnungen; aber diese Meinungen und Gesinnungen werden – in viel stärkerem Maße, als daß die subjektiven „Kreisleriana" vermochten – bestimmten Gesellschaftszuständen zugeordnet und zudem durch die Struktur des Romans relativiert.

Die Kompliziertheit der Romanstruktur gebietet, sie in ihren Grundzügen zu vergegenwärtigen. Murr erzählt, in der Ichform, seine Lebensansichten. Aus Versehen werden Blätter mitgedruckt, die der Kater bei seiner Schriftstellerei als Löschpapier oder Unterlage benutzt hat. Diese Blätter gehören einem anderen, zwar gedruckten, aber nicht in den Handel gekommenen Buch an, in dem ein namentlich nicht genannter Biograph das erzählt, „was er von dem wunderlichen Leben des Kapellmeisters Kreisler erfahren" hat. Diesem Biographen ist es nach seiner eigenen Aussage nicht möglich, die Geschichte Kreislers in schöner chronologischer Ordnung vorzutragen, da ihm „nur mündlich, brockenweis mitgeteilte Nachrichten zu Gebote stehen, die er, um nicht das Ganze aus dem Gedächtnis zu verlieren, sogleich verarbeiten muß". Durch Zufall werden also Bruchstücke einer Biographie gedruckt, die ihrerseits aus zufällig aufgenommenen, bruchstückhaften Nachrichten besteht. Diese Anlage hat zum Beispiel zur Folge, daß der Leser einen chronologisch an das Ende des zweiten Bandes gehörigen Abschnitt der Kreisler-Biographie am Anfang des ersten Bandes kennenlernt.

Eine weitere Komplikation ergibt sich für den Leser dadurch, daß zwar die Murr-Biographie mit der Anzeige vom Tode des Helden abgeschlossen wird, die Kreisler-Biographie hingegen in einem echten Sinne Fragment blieb. Hoffmann starb, ehe er die Arbeit an dem geplanten dritten Band beginnen konnte. Der Fortgang der vorwiegend an einem Fürstenhof, zum Teil in einem Kloster spielenden Handlung, die von Ehebruch, Kindesunterschiebung, Menschenraub, falscher Thronfolge getragen ist, läßt sich nicht absehen. Nur soviel ist ersichtlich, daß Hoffmann alle Mittel des Kolportageromans aufbietet, um die Illegitimität der sich betont legitimistisch gebärdenden fürstlichen Hofhaltung zu erweisen; daß er im Zeitalter der Metternichschen Reaktion den feudalistischen Absolutismus und den politischen Katholizismus als überfällige, menschenmörderische Mächte beschreibt.

Ein Roman, der aus chronologisch ungeordneten Fragmenten besteht;

der durch den Tod des Dichters wirklich Fragment blieb; der willkürlich in eine fremde Romanhandlung eingestreut wird – das scheint freilich darauf hinzuweisen, daß sich Hoffmann auf der Höhe seines Schaffens bei aller politischen und ideologischen Selbständigkeit strikter als je den ästhetischen Normen der Romantik verpflichtete. Die frühromantische Dichtungstheorie hatte das Fragment als einzige dem Fragmentarischen des Menschenlebens gemäße Form bezeichnet. Sie hatte die These aufgestellt, daß die Willkür des Dichters kein Gesetz über sich leide. Zwanzig Jahre nach der Propagierung dieser Theorie schrieb Hoffmann einen Roman, der ihr voll zu entsprechen scheint.

Die besondere Ironie seiner Erzählweise besteht jedoch darin, daß die Anleihen bei der romantischen Ästhetik auf weite Strecken hin nur vorgetäuscht werden. Was aus Kreislers Leben erzählt wird, ist nämlich gar nicht so fragmentarisch, wie Titel und Vorrede des Herausgebers behaupten. Der fingierte Biograph erfaßt Hauptstationen aus dem Lebensweg des Kapellmeisters. Dem Vandalismus des Katers fallen nur Bruchstücke von Sätzen zum Opfer. Erweist sich die Ankündigung, daß die Kreisler-Biographie fragmentarisch-willkürlich sei, als spielerische Fiktion, so steht zu erwarten, daß auch die zwei Romanhandlungen des Doppelromans nicht durch einen Zufall ineinander gerieten. Tatsächlich sind sie streng und fern von aller romantischen Willkür aufeinander bezogen. Hoffmann trifft den Nerv der deutschen Gesellschaftszustände, indem er die Spießerwelt Murrs als ergänzenden Gegenpol zu der anachronistischen Hofhaltung des Fürsten Irenäus darstellt, in die Kreisler verschlagen wird. Aber auch die Kreisler-Biographie selbst steht mit der Murr-Handlung im geheimen Kontakt. Die wesentlichsten Themen aus der Biographie des Kapellmeisters – Jugendgeschichte, Künstlernot, Begegnung der Liebenden im Gesang – haben in den Lebensansichten des Katers Murr eine Entsprechung. Diese Kontrapunktik sorgt dafür, daß die ohnehin satirisch angelegten Lebensansichten des Spießerkaters bis zur Nichtigkeit entwertet werden. Sie macht jedoch auch bewußt, daß die Tragik von Kreislers Künstlerleben aus dem Zusammenwirken der kunstfeindlichen Spießer- und Hofwelt resultiert, ja daß diese Tragik nur eine besondere Form der gesellschaftlichen Misere ist. Wie der Kreisler der „Fantasiestücke", wie Anselmus, Balthasar und Peregrinus kann der Kreisler des Romans erfüllte Künstlerschaft und erfüllte Liebe nur in einem Jenseits des Geistes erwarten. Aber diese Erwartung wird als unmittelbare Folge von Gesellschaftszuständen gedeutet, die dem Menschen ein erfülltes Leben verweigern. Daß Hoffmann die Möglichkeit einer anderen Gesellschaftsordnung, die der Kunst ein redliches Hineinpassen bereitet, nicht grundsätzlich ausschloß, beweist die Novelle „Meister Martin der Küfner und seine Gesellen“ (1819). Das Bild, das diese Novelle vom späten 16. Jahrhundert entwirft, ist nicht geschichtlich. Sie beschwört eine Wunderlandschaft, in der Handwerk und Kunst, Bürger und Künstler einträchtig beieinander wohnen. Wunschtraum wie diese idyllische Landschaft ist Hoffmanns mystische Metaphysik: auf eine überwirkliche Seinssphäre verwiesene menschliche Not, in eine überwirkliche Seinssphäre verlagerte menschliche Hoffnung.

Zehn Jahre nach Hoffmanns Tod hielt ein Dichter, der die Parole ausgab, den Himmel der Hoffnung auf Erden zu installieren, Generalabrechnung mit der „Romantischen Schule“. Heinrich Heine nennt Hoffmann und den Frühromantiker Novalis in einem Atem, weist ihnen jedoch entgegengesetzte Positionen zu: Novalis „mit seinen idealischen Gebilden schwebt immer in der blauen Luft, während Hoffmann mit allen seinen bizarren Fratzen sich doch immer an der irdischen Realität festklammert. Wie aber der Riese Antäus unbezwingbar stark blieb, wenn er mit dem Fuße die Mutter Erde berührte, und seine Kraft verlor, sobald ihn Herkules in die Höhe hob: so ist auch der Dichter stark und gewaltig, solange er den Boden der Wirklichkeit nicht verläßt, und er wird ohnmächtig, sobald er schwärmerisch in der blauen Luft umherschwebt.“ Mit der ihm eigenen Sicherheit erfaßte Heine in diesen Worten die wesentlichste Eigentümlichkeit von Hoffmanns Werk. Hoffmanns Sehnsucht trug ihn in unabsehliche Fernen: nach Atlantis, nach Dschinnistan, in das fernste Indien, in die Geisterwelt der Musik. Aber die „Basis der Himmelsleiter“, auf der Hoffmann den Leser in höhere Regionen hinaufgeleitet, ist, nach einer Erklärung in den „Serapionsbrüdern“, „befestigt ... im Leben“. Hoffmanns Dichtung reflektiert in phantastischen Formen das abgestandene Leben des deutschen Bürgertums in den ersten Jahrzehnten des vorigen Jahrhunderts. Sie kennzeichnet die polizeigeschützte Feudalherrschaft als Grundübel der deutschen Gesellschaftsmisere. Die „Himmelsleitern“ seiner Dichtung zeigen, daß er den aufklärerisch-revolutionären Ideen des 18. Jahrhunderts fremd und feindlich gegenüberstand und die deutschen Zustände nicht als veränderlich erkannte; sie zeigen jedoch zugleich, daß er sie verändert wünschte.

ERZÄHLUNGEN
UND
MÄRCHEN

RITTER GLUCK

Eine Erinnerung aus dem Jahre 1809

Der Spätherbst in Berlin hat gewöhnlich noch einige schöne Tage. Die Sonne tritt freundlich aus dem Gewölk hervor, und schnell verdampft die Nässe in der lauen Luft, welche durch die Straßen weht. Dann sieht man eine lange Reihe, buntgemischt – Elegants, Bürger mit der Hausfrau und den lieben Kleinen in Sonntagskleidern, Geistliche, Jüdinnen, Referendare, Freudenmädchen, Professoren, Putzmacherinnen, Tänzer, Offiziere usw. durch die Linden nach dem Tiergarten ziehen. Bald sind alle Plätze bei Klaus und Weber besetzt; der Mohrrübenkaffee dampft, die Elegants zünden ihre Zigarros an, man spricht, man streitet über Krieg und Frieden, über die Schuhe der Mad. Bethmann, ob sie neulich grau oder grün waren, über den geschlossenen Handelsstaat und böse Groschen usw., bis alles in eine Arie aus „Fanchon" zerfließt, womit eine verstimmte Harfe, ein paar nicht gestimmte Violinen, eine lungensüchtige Flöte und ein spasmatischer Fagott sich und die Zuhörer quälen. Dicht an dem Geländer, welches den Weberschen Bezirk von der Heerstraße trennt, stehen mehrere kleine runde Tische und Gartenstühle; hier atmet man freie Luft, beobachtet die Kommenden und Gehenden, ist entfernt von dem kakophonischen Getöse jenes vermaledeiten Orchesters: da setze ich mich hin, dem leichten Spiel meiner Phantasie mich überlassend, die mir befreundete Gestalten zuführt, mit denen ich über Wissenschaft, über Kunst, über alles, was dem Menschen am teuersten sein soll, spreche. Immer bunter und bunter wogt die Masse der Spaziergänger bei mir vorüber, aber nichts stört mich, nichts kann meine phantastische Gesellschaft verscheuchen. Nur das verwünschte Trio eines höchst niederträchtigen Walzers reißt mich aus der Traumwelt. Die kreischende Oberstimme der Violine und Flöte und des Fagotts schnarrenden Grundbaß allein höre ich; sie gehen auf und ab, fest aneinanderhaltend in Oktaven, die das Ohr zerschneiden, und unwillkürlich, wie jemand, den ein brennender Schmerz ergreift, ruf ich aus:

„Welche rasende Musik! die abscheulichen Oktaven!" – Neben mir murmelt es:

„Verwünschtes Schicksal! schon wieder ein Oktavenjäger!"

Ich sehe auf und werde nun erst gewahr, daß, von mir unbemerkt, an demselben Tisch ein Mann Platz genommen hat, der seinen Blick starr auf mich richtet und von dem nun mein Auge nicht wieder loskommen kann.

Nie sah ich einen Kopf, nie eine Gestalt, die so schnell einen so tiefen Eindruck auf mich gemacht hätten. Eine sanft gebogene Nase schloß sich an eine breite, offene Stirn, mit merklichen Erhöhungen über den buschigen, halbgrauen Augenbraunen, unter denen die Augen mit beinahe wildem, jugendlichem Feuer (der Mann mochte über fünfzig sein) hervorblitzten. Das weichgeformte Kinn stand in seltsamem Kontrast mit dem geschlossenen Munde, und ein skurriles Lächeln, hervorgebracht durch das sonderbare Muskelspiel in den eingefallenen Wangen, schien sich aufzulehnen gegen den tiefen, melancholischen Ernst, der auf der Stirn ruhte. Nur wenige graue Löckchen lagen hinter den großen, vom Kopfe abstehenden Ohren. Ein sehr weiter, moderner Überrock hüllte die große hagere Gestalt ein. Sowie mein Blick auf den Mann traf, schlug er die Augen nieder und setzte das Geschäft fort, worin ihn mein Ausruf wahrscheinlich unterbrochen hatte. Er schüttete nämlich aus verschiedenen kleinen Tüten mit sichtbarem Wohlgefallen Tabak in eine vor ihm stehende große Dose und feuchtete ihn mit rotem Wein aus einer Viertelsflasche an. Die Musik hatte aufgehört; ich fühlte die Notwendigkeit, ihn anzureden.

„Es ist gut, daß die Musik schweigt", sagte ich; „das war ja nicht auszuhalten."

Der Alte warf mir einen flüchtigen Blick zu und schüttete die letzte Tüte aus.

„Es wäre besser, daß man gar nicht spielte", nahm ich nochmals das Wort. „Sind Sie nicht meiner Meinung?"

„Ich bin gar keiner Meinung", sagte er. „Sie sind Musiker und Kenner von Profession ..."

„Sie irren; beides bin ich nicht. Ich lernte ehemals Klavierspielen und Generalbaß, wie eine Sache, die zur guten Erziehung gehört, und da sagte man mir unter anderm, nichts mache einen widrigern Effekt, als wenn der Baß mit der Oberstimme in Oktaven fortschreite. Ich nahm das damals auf Autorität an und habe es nachher immer bewährt gefunden."

„Wirklich?" fiel er mir ein, stand auf und schritt langsam und bedächtig nach den Musikanten hin, indem er öfters, den Blick in die Höhe gerichtet, mit flacher Hand an die Stirn klopfte, wie jemand, der irgendeine Erinnerung wecken will. Ich sah ihn mit den Musikanten sprechen, die er mit gebietender Würde behandelte. Er kehrte zurück, und kaum hatte er sich gesetzt, als man die Ouvertüre der „Iphigenia in Aulis" zu spielen begann.

Mit halbgeschlossenen Augen, die verschränkten Arme auf den Tisch gestützt, hörte er das Andante; den linken Fuß leise bewegend, bezeichnete er das Eintreten der Stimmen; jetzt erhob er den Kopf – schnell warf er den Blick umher –, die linke Hand mit auseinandergespreizten Fingern ruhte auf dem Tische, als greife er einen Akkord auf dem Flügel, die rechte Hand hob er in die Höhe: es war ein Kapellmeister, der dem Orchester das Eintreten des andern Tempos angibt – die rechte Hand fällt, und das Allegro beginnt! – Eine brennende Röte fliegt über die blassen Wangen; die Augenbraunen fahren zusammen auf der gerunzelten Stirn, eine innere Wut entflammt den wilden Blick mit einem Feuer, das mehr und mehr das Lächeln wegzehrt, das noch um den halbgeöffneten Mund schwebte. Nun lehnt er sich zurück, hinauf ziehen sich die Augenbraunen, das Muskelspiel auf den Wangen kehrt wieder, die Augen erglänzen, ein tiefer, innerer Schmerz löst sich auf in Wollust, die alle Fibern ergreift und krampfhaft erschüttert – tief aus der Brust zieht er den

Atem, Tropfen stehen auf der Stirn; er deutet das Eintreten des Tutti und andere Hauptstellen an; seine rechte Hand verläßt den Takt nicht, mit der linken holt er sein Tuch hervor und fährt damit über das Gesicht. – So belebte er das Skelett, welches jene paar Violinen von der Ouvertüre gaben, mit Fleisch und Farben. Ich hörte die sanfte, schmelzende Klage, womit die Flöte emporsteigt, wenn der Sturm der Violinen und Bässe ausgetobt hat und der Donner der Pauken schweigt; ich hörte die leise anschlagenden Töne der Violoncelle, des Fagotts, die das Herz mit unnennbarer Wehmut erfüllen; das Tutti kehrt wieder, wie ein Riese hehr und groß schreitet das Unisono fort, die dumpfe Klage erstirbt unter seinen zermalmenden Tritten. –

Die Ouvertüre war geendigt; der Mann ließ beide Arme herabsinken und saß mit geschlossenen Augen da, wie jemand, den eine übergroße Anstrengung entkräftet hat. Seine Flasche war leer; ich füllte sein Glas mit Burgunder, den ich unterdessen hatte geben lassen. Er seufzte tief auf, er schien aus einem Traume zu erwachen. Ich nötigte ihn zum Trinken; er tat es ohne Umstände, und indem er das volle Glas mit einem Zuge hinunterstürzte, rief er aus: „Ich bin mit der Aufführung zufrieden! das Orchester hielt sich brav!"

„Und doch", nahm ich das Wort – „doch wurden nur schwache Umrisse eines mit lebendigen Farben ausgeführten Meisterwerks gegeben."

„Urteile ich richtig? – Sie sind kein Berliner!"

„Ganz richtig; nur abwechselnd halte ich mich hier auf."

„Der Burgunder ist gut, aber es wird kalt."

„So lassen Sie uns ins Zimmer gehen und dort die Flasche leeren."

„Ein guter Vorschlag. – Ich kenne Sie nicht, dafür kennen Sie mich aber auch nicht. Wir wollen uns unsere Namen nicht abfragen: Namen sind zuweilen lästig. Ich trinke Burgunder, er kostet mich nichts, wir befinden uns wohl beieinander, und damit gut!"

Er sagte dies alles mit gutmütiger Herzlichkeit. Wir waren ins Zimmer getreten; als er sich setzte, schlug er den Überrock auseinander, und ich bemerkte mit Verwunderung, daß er unter demselben eine gestickte Weste mit langen Schößen, schwarzsamtne Beinkleider und einen ganz kleinen, silbernen Degen trug. Er knöpfte den Rock sorgfältig wieder zu.

„Warum fragten Sie mich, ob ich ein Berliner sei?“ begann ich.

„Weil ich in diesem Falle genötigt gewesen wäre, Sie zu verlassen.“

„Das klingt rätselhaft.“

„Nicht im mindesten, sobald ich Ihnen sage, daß ich – nun, daß ich ein Komponist bin.“

„Noch immer errate ich Sie nicht.“

„So verzeihen Sie meinen Ausruf vorhin; denn ich sehe, Sie verstehen sich ganz und gar nicht auf Berlin und auf Berliner.“

Er stand auf und ging einigemal heftig auf und ab; dann trat er ans Fenster und sang kaum vernehmlich den Chor der Priesterinnen aus der „Iphigenia in Tauris“, indem er dann und wann bei dem Eintreten der Tutti an die Fensterscheiben klopfte. Mit Verwundern bemerkte ich, daß er gewisse andere Wendungen der Melodien nahm, die durch Kraft und Neuheit frappierten. Ich ließ ihn gewähren. Er hatte geendigt und kehrte zurück zu seinem Sitz. Ganz ergriffen von des Mannes sonderbarem Benehmen und den phantastischen Äußerungen eines seltenen musikalischen Talents, schwieg ich. Nach einer Weile fing er an:

„Haben Sie nie komponiert?“

„Ja; ich habe mich in der Kunst versucht; nur fand ich alles, was ich, wie mich dünkte, in Augenblicken der Begeisterung geschrieben hatte, nachher matt und langweilig; da ließ ich's denn bleiben.“

„Sie haben unrecht getan; denn schon, daß Sie eigne Versuche verwarfen, ist kein übles Zeichen Ihres Talents. Man lernt Musik als Knabe, weil's Papa und Mama so haben wollen; nun wird darauflos geklimpert und gegeigt; aber unvermerkt wird der Sinn empfänglicher für Melodie. Vielleicht war das halb vergessene Thema eines Liedchens, welches man nun anders sang, der erste eigne Gedanke, und dieser Embryo, mühsam genährt von fremden Kräften, genas zum Riesen, der alles um sich her aufzehrte und in sein Mark und Blut verwandelte! – Ha, wie ist es möglich, die tausenderlei Arten, wie man zum Komponieren kommt, auch nur anzudeuten! – Es ist eine breite Heerstraße, da tummeln sich alle herum und jauchzen und schreien: ‚Wir sind Geweihte! wir sind am Ziel!' – Durchs elfenbeinerne Tor kommt man ins Reich der Träume; wenige sehen das Tor einmal, noch wenigere gehen durch! – Abenteuerlich sieht es hier aus. Tolle Gestalten schweben hin und her, aber sie haben Charakter – eine mehr wie die andere. Sie lassen sich auf der Heerstraße nicht sehen, nur hinter dem elfenbeinernen Tor sind sie zu finden. Es ist schwer, aus diesem Reiche zu kommen; wie vor Alzinens Burg versperren die Ungeheuer den Weg – es wirbelt – es dreht sich – viele verträumen den Traum im Reiche der Träume – sie zerfließen im Traum – sie werfen keinen Schatten mehr, sonst würden sie am Schatten gewahr werden den Strahl, der durch dies Reich fährt; aber nur wenige, erweckt aus dem Traume, steigen empor und schreiten durch das Reich der Träume – sie kommen zur Wahrheit – der höchste Moment ist da: die Berührung mit dem Ewigen, Unaussprechlichen! – Schaut die Sonne an, sie ist der Dreiklang, aus dem die Akkorde, Sternen gleich, herabschießen und Euch mit Feuerfaden umspinnen. – Verpuppt im Feuer liegt Ihr da, bis sich Psyche emporschwingt in die Sonne." –

Bei den letzten Worten war er aufgesprungen, warf den Blick, warf die Hand in die Höhe. Dann setzte er sich wieder und leerte schnell das ihm eingeschenkte Glas. Es entstand eine Stille, die ich nicht unterbrechen mochte, um den außerordentlichen Mann nicht aus dem Geleise zu bringen. Endlich fuhr er beruhigter fort:

„Als ich im Reich der Träume war, folterten mich tausend Schmerzen und Ängste! Nacht war's, und mich schreckten die grinsenden Larven der Ungeheuer, welche auf mich einstürmten und mich bald in den Abgrund des Meeres versenkten, bald hoch in die Lüfte emporhoben. Da fuhren Lichtstrahlen durch die Nacht, und die Lichtstrahlen waren Töne, welche mich umfingen mit lieblicher Klarheit. – Ich erwachte von meinen Schmerzen und sah ein großes, helles Auge, das blickte in eine Orgel, und wie es blickte, gingen Töne hervor und schimmerten und umschlangen sich in herrlichen Akkorden, wie ich sie nie gedacht hatte. Melodien strömten auf und nieder, und ich schwamm in diesem Strom und wollte untergehen; da blickte das Auge mich an und hielt mich empor über den brausenden Wellen. – Nacht wurde es wieder, da traten zwei Kolosse in glänzenden Harnischen auf mich zu: Grundton und Quinte! sie rissen mich empor, aber das Auge lächelte: ‚Ich weiß, was deine Brust mit Sehnsucht erfüllt; der sanfte, weiche Jüngling Terz wird unter die Kolosse treten; du wirst seine süße Stimme hören, mich wiedersehen, und meine Melodien werden dein sein.'" –

Er hielt inne.

„Und Sie sahen das Auge wieder?"

„Ja, ich sah es wieder! – Jahrelang seufzt ich im Reich der Träume – da – ja da! Ich saß in einem herrlichen Tal und hörte zu, wie die Blumen miteinander sangen. Nur eine Sonnenblume schwieg und neigte traurig den geschlossenen Kelch zur Erde. Unsichtbare Bande zogen mich hin zu ihr – sie hob ihr Haupt – der Kelch schloß sich auf, und aus ihm strahlte mir das Auge entgegen. Nun zogen die Töne wie Lichtstrahlen aus meinem Haupte zu den Blumen, die begierig sie einsogen. Größer und größer wurden der Sonnenblume Blätter – Gluten strömten aus ihnen hervor – sie umflossen mich – das Auge war verschwunden und ich im Kelche." –

Bei den letzten Worten sprang er auf und eilte mit raschen, jugendlichen Schritten zum Zimmer hinaus. Vergebens wartete ich auf seine Zurückkunft; ich beschloß daher, nach der Stadt zu gehen.

Schon war ich in der Nähe des Brandenburger Tores, als ich in der Dunkelheit eine lange Figur hinschreiten sah und alsbald meinen Sonderling wiedererkannte. Ich redete ihn an:

„Warum haben Sie mich so schnell verlassen?"

„Es wurde zu heiß, und der Euphon fing an zu klingen."

„Ich verstehe Sie nicht!"

„Desto besser."

„Desto schlimmer, denn ich möchte Sie gern ganz verstehen."

„Hören Sie denn nichts?"

„Nein."

„– Es ist vorüber! – Lassen Sie uns gehen. Ich liebe sonst nicht eben die Gesellschaft; aber – Sie komponieren nicht – Sie sind kein Berliner." –

„Ich kann nicht ergründen, was Sie so gegen die Berliner einnimmt. Hier, wo die Kunst geachtet und in hohem Maße ausgeübt wird, sollt ich meinen, müßte einem Manne von Ihrem künstlerischen Geiste wohl sein!"

„Sie irren! – Zu meiner Qual bin ich verdammt, hier wie ein abgeschiedener Geist im öden Raume umherzuirren."

„Im öden Raume, hier, in Berlin?"

„Ja, öde ist's um mich her, denn kein verwandter Geist tritt auf mich zu. Ich stehe allein."

„Aber die Künstler! die Komponisten!"

„Weg damit! Sie kritteln und kritteln – verfeinern alles bis zur feinsten Meßlichkeit, wühlen alles durch, um nur einen armseligen Gedanken zu finden; über dem Schwatzen von Kunst, von Kunstsinn und was weiß ich – können sie nicht zum Schaffen kommen, und wird ihnen einmal so zumute, als wenn sie ein paar Gedanken ans Tageslicht befördern müßten, so zeigt die furchtbare Kälte ihre weite Entfernung von der Sonne – es ist lappländische Arbeit."

„Ihr Urteil scheint mir viel zu hart. Wenigstens müssen Sie die herrlichen Aufführungen im Theater befriedigen."

„Ich hatte es über mich gewonnen, einmal wieder ins Theater zu gehen, um meines jungen Freundes Oper zu hören – wie heißt sie gleich? – Ha, die ganze Welt ist in dieser Oper! Durch das bunte Gewühl geputzter Menschen ziehen die Geister des Orkus – alles hat hier Stimme und allmächtigen Klang – Teufel, ich meine ja ‚Don Juan'! Aber nicht die Ouvertüre, welche Prestissimo, ohne Sinn und Verstand abgesprudelt wurde, konnt ich überstehen; und ich hatte mich bereitet dazu durch Fasten und Gebet, weil ich weiß, daß der Euphon von diesen Massen viel zu sehr bewegt wird und unrein anspricht!"

„Wenn ich auch eingestehen muß, daß Mozarts Meisterwerke größtenteils auf eine kaum erklärliche Weise hier vernachlässigt werden, so erfreuen sich doch Glucks Werke gewiß einer würdigen Darstellung."

„Meinen Sie? – Ich wollte einmal ‚Iphigenia in Tauris' hören. Als ich ins Theater trete, höre ich, daß man die Ouvertüre der ‚Iphigenia in Aulis' spielt. Hm – denke ich, ein Irrtum; man gibt *diese* Iphigenia! Ich erstaune, als nun das Andante eintritt, womit die ‚Iphigenia in Tauris' anfängt, und der Sturm folgt. Zwanzig Jahre liegen dazwischen! Die ganze Wirkung, die ganze wohlberechnete Exposition des Trauerspiels geht verloren. Ein stilles Meer – ein Sturm – die Griechen werden ans Land geworfen, die Oper ist da! – Wie? hat der Komponist die Ouvertüre ins Gelag hineingeschrieben, daß man sie wie ein Trompeterstückchen abblasen kann, wie und wo man will?"

„Ich gestehe den Mißgriff ein. Indessen, man tut doch alles, um Glucks Werk zu heben."

„Ei ja!" sagte er kurz und lächelte dann bitter und immer bittrer. Plötzlich fuhr er auf, und nichts vermochte ihn aufzuhalten. Er war im Augenblicke wie verschwunden, und mehrere Tage hintereinander suchte ich ihn im Tiergarten vergebens. – –

Einige Monate waren vergangen, als ich an einem kalten regnichten Abende mich in einem entfernten Teile der Stadt verspätet hatte und nun nach meiner Wohnung in der Friedrichsstraße eilte. Ich mußte bei dem Theater vorbei; die rauschende Musik, Trompeten und Pauken, erinnerten mich, daß gerade Glucks „Armida" gegeben wurde, und ich war im Begriff hineinzugehen, als ein sonderbares Selbstgespräch, dicht an den Fenstern, wo man fast jeden Ton des Orchesters hört, meine Aufmerksamkeit erregte.

„Jetzt kömmt der König – sie spielen den Marsch – o paukt,

paukt nur zu! – 's ist recht munter! ja, ja, sie müssen ihn heute eilfmal machen – der Zug hat sonst nicht Zug genug. – Haha – maestoso – schleppt euch, Kinderchen. – Sieh, da bleibt ein Figurant mit der Schuhschleife hängen. – Richtig, zum zwölftenmal! und immer auf die Dominante hinausgeschlagen. – O ihr ewigen Mächte, das endet nimmer! Jetzt macht er sein Kompliment – Armida dankt ergebenst. – Noch einmal? – Richtig, es fehlen noch zwei Soldaten! Jetzt wird ins Rezitativ hineingepoltert. – Welcher böse Geist hat mich hier festgebannt?"

„Der Bann ist gelöst", rief ich. „Kommen Sie!"

Ich faßte meinen Sonderling aus dem Tiergarten – denn niemand anders war der Selbstredner – rasch beim Arm und zog ihn mit mir fort. Er schien überrascht und folgte mir schweigend. Schon waren wir in der Friedrichsstraße, als er plötzlich stillstand.

„Ich kenne Sie", sagte er. „Sie waren im Tiergarten – wir sprachen viel – ich habe Wein getrunken – habe mich erhitzt – nachher klang der Euphon zwei Tage hindurch – ich habe viel ausgestanden – es ist vorüber!"

„Ich freue mich, daß der Zufall Sie mir wieder zugeführt hat. Lassen Sie uns näher miteinander bekannt werden. Nicht weit von hier wohne ich; wie wär es ..."

„Ich kann und darf zu niemand gehen."

„Nein, Sie entkommen mir nicht; ich gehe mit Ihnen."

„So werden Sie noch ein paar hundert Schritte mit mir laufen müssen. Aber Sie wollten ja ins Theater?"

„Ich wollte ‚Armida' hören, aber nun –"

„Sie sollen *jetzt* ‚Armida' hören! kommen Sie!" –

Schweigend gingen wir die Friedrichsstraße hinauf; rasch bog er in eine Querstraße ein, und kaum vermochte ich ihm zu folgen, so schnell lief er die Straße hinab, bis er endlich vor einem unansehnlichen Hause stillstand. Ziemlich lange hatte er gepocht, als man endlich öffnete. Im Finstern tappend, erreichten wir die Treppe und ein Zimmer im obern Stock, dessen Türe mein Führer sorgfältig verschloß. Ich hörte noch eine Türe öffnen; bald darauf trat er mit einem angezündeten Lichte hinein, und der Anblick des sonderbar ausstaffierten Zimmers überraschte mich nicht wenig. Altmodisch reich verzierte Stühle, eine Wanduhr mit vergoldetem Gehäuse und ein breiter, schwerfälliger Spiegel gaben dem Ganzen das düstere Ansehn verjährter Pracht. In der Mitte stand ein kleines Klavier, auf demselben ein großes Tintenfaß von Porzellan, und daneben lagen einige Bogen rastriertes Papier. Ein schärferer Blick auf diese Vorrichtung zum Komponieren überzeugte mich jedoch, daß seit langer Zeit nichts geschrieben sein mußte; denn ganz vergelbt war das Papier, und dickes Spinnengewebe überzog das Tintenfaß. Der Mann trat vor einen Schrank in der Ecke des Zimmers, den ich noch nicht bemerkt hatte, und als er den Vorhang wegzog, wurde ich eine Reihe schön gebundener Bücher gewahr mit goldnen Aufschriften: „Orfeo“, „Armida“, „Alceste“, „Iphigenia“ usw., kurz, Glucks Meisterwerke sah ich beisammenstehen.

„Sie besitzen Glucks sämtliche Werke?“ rief ich.

Er antwortete nicht, aber zum krampfhaften Lächeln verzog sich der Mund, und das Muskelspiel in den eingefallenen Backen verzerrte im Augenblick das Gesicht zur schauerlichen Maske. Starr den düstern Blick auf mich gerichtet, ergriff er eins der Bücher – es war „Armida“ – und schritt feierlich zum Klavier hin. Ich öffnete es schnell und stellte den zusammengelegten Pult auf; er schien das gern zu sehen. Er schlug das Buch auf, und – wer schildert mein Erstaunen! ich erblickte rastrierte Blätter, aber mit keiner Note beschrieben.

Er begann: „Jetzt werde ich die Ouvertüre spielen! Wenden Sie die Blätter um, und zur rechten Zeit!“ – Ich versprach das, und nun spielte er herrlich und meisterhaft, mit vollgriffigen Akkorden, das majestätische Tempo di Marcia, womit die Ouvertüre anhebt, fast ganz dem Original getreu; aber das Allegro war nur mit Glucks Hauptgedanken durchflochten. Er brachte so viele neue geniale Wendungen hinein, daß mein Erstaunen immer wuchs. Vorzüglich waren seine Modulationen frappant, ohne grell zu werden, und er wußte den einfachen Hauptgedanken so viele melodiöse Melismen anzureihen, daß jene immer in neuer, verjüngter Gestalt wiederzukehren schienen. Sein Gesicht glühte; bald zogen sich die Augenbrauen zusammen, und ein lang verhaltener Zorn wollte gewaltsam losbrechen, bald schwamm das Auge in Tränen tiefer Wehmut. Zuweilen sang er, wenn beide Hände in künstlichen Melismen arbeiteten, das Thema mit einer angenehmen Tenorstimme; dann wußte er auf ganz besondere Weise mit der Stimme den dumpfen Ton der anschlagenden Pauke nachzuahmen. Ich wandte die Blätter fleißig um, indem ich seine Blicke verfolgte. Die Ouvertüre war geendet, und er fiel erschöpft mit geschlossenen Augen in den Lehnstuhl zurück. Bald raffte er sich aber wieder auf, und indem er hastig mehrere leere Blätter des Buchs umschlug, sagte er mit dumpfer Stimme:

„Alles dieses, mein Herr, habe ich geschrieben, als ich aus dem Reich der Träume kam. Aber ich verriet Unheiligen das Heilige, und eine eiskalte Hand faßte in dies glühende Herz! Es brach nicht, da wurde ich verdammt, zu wandeln unter den Unheiligen wie ein abgeschiedener Geist – gestaltlos, damit mich niemand kenne, bis mich die Sonnenblume wieder emporhebt zu dem Ewigen. – Ha – jetzt lassen Sie uns Armidens Szene singen!"

Nun sang er die Schlußszene der Armida mit einem Ausdruck, der mein Innerstes durchdrang. Auch hier wich er merklich von dem eigentlichen Originale ab; aber seine veränderte Musik war die Glucksche Szene gleichsam in höherer Potenz. Alles, was Haß, Liebe, Verzweiflung, Raserei in den stärksten Zügen ausdrücken kann, faßte er gewaltig in Töne zusammen. Seine Stimme schien die eines Jünglings, denn von tiefer Dumpfheit schwoll sie empor zur durchdringenden Stärke. Alle meine Fibern zitterten – ich war außer mir. Als er geendet hatte, warf ich mich ihm in die Arme und rief mit gepreßter Stimme: „Was ist das? Wer sind Sie?" –

Er stand auf und maß mich mit ernstem, durchdringendem Blick; doch als ich weiterfragen wollte, war er mit dem Lichte durch die Türe entwichen und hatte mich im Finstern gelassen. Es hatte beinahe eine Viertelstunde gedauert; ich verzweifelte, ihn wiederzusehen, und suchte, durch den Stand des Klaviers orientiert, die Türe zu öffnen, als er plötzlich in einem gestickten Galakleide, reicher Weste, den Degen an der Seite, mit dem Lichte in der Hand hereintrat.

Ich erstarrte; feierlich kam er auf mich zu, faßte mich sanft bei der Hand und sagte, sonderbar lächelnd: *„Ich bin der Ritter Gluck!“*

DON JUAN

Eine fabelhafte Begebenheit, die sich mit einem reisenden Enthusiasten zugetragen

Ein durchdringendes Läuten, der gellende Ruf „Das Theater fängt an!“ weckte mich aus dem sanften Schlaf, in den ich versunken war; Bässe brummten durcheinander – ein Paukenschlag – Trompetenstöße – ein klares A, von der Hoboe ausgehalten – Violinen stimmen ein: ich reibe mir die Augen. Sollte der allezeit geschäftige Satan mich im Rausche – ? Nein! ich befinde mich in dem Zimmer des Hotels, wo ich gestern abend halb gerädert abgestiegen. Gerade über meiner Nase hängt die stattliche Troddel der Klingelschnur; ich ziehe sie heftig an, der Kellner erscheint.

„Aber was um's Himmels willen soll die konfuse Musik da neben mir bedeuten? gibt es denn ein Konzert hier im Hause?“

„Ew. Exzellenz“ – (ich hatte mittags an der Wirtstafel Champagner getrunken) „Ew. Exzellenz wissen vielleicht noch nicht, daß dieses Hotel mit dem Theater verbunden ist. Diese Tapetentür führt auf einen kleinen Korridor, von dem Sie unmittelbar in Nr. 23 treten: das ist die Fremdenloge.“

„Was? – Theater? – Fremdenloge?“

„Ja, die kleine Fremdenloge zu zwei, höchstens drei Personen – nur so für vornehme Herren, ganz grün tapeziert, mit Gitterfenstern, dicht beim Theater! Wenn's Ew. Exzellenz gefällig ist – wir führen heute den ‚Don Juan‘ von dem berühmten Herrn Mozart aus Wien auf. Das Legegeld, einen Taler acht Groschen, stellen wir in Rechnung.“

Das letzte sagte er schon die Logentür aufdrückend, so rasch war ich bei dem Worte „Don Juan“ durch die Tapetentür in den

Korridor geschritten. Das Haus war für den mittelmäßigen Ort geräumig, geschmackvoll verziert und glänzend erleuchtet. Logen und Parterre waren gedrängt voll. Die ersten Akkorde der Ouvertüre überzeugten mich, daß ein ganz vortreffliches Orchester, sollten die Sänger auch nur im mindesten etwas leisten, mir den herrlichsten Genuß des Meisterwerks verschaffen würde. – In dem Andante ergriffen mich die Schauer des furchtbaren, unterirdischen regno all pianto; grausenerregende Ahnungen des Entsetzlichen erfüllten mein Gemüt. Wie ein jauchzender Frevel klang mir die jubelnde Fanfare im siebenten Takte des Allegro: ich sah aus tiefer Nacht feurige Dämonen ihre glühenden Krallen ausstrecken – nach dem Leben froher Menschen, die auf des bodenlosen Abgrunds dünner Decke lustig tanzten. Der Konflikt der menschlichen Natur mit den unbekannten, gräßlichen Mächten, die ihn, sein Verderben erlauernd, umfangen, trat klar vor meines Geistes Augen. Endlich beruhigt sich der Sturm; der Vorhang fliegt auf. Frostig und unmutvoll in seinen Mantel gehüllt, schreitet Leporello in finstrer Nacht vor dem Pavillon einher: „Notte e giorno faticar." – Also italienisch? – Hier am deutschen Orte italienisch? Ah che piacere! ich werde alle Rezitative, alles so hören, wie es der große Meister in seinem Gemüt empfing und dachte! Da stürzt Don Juan heraus; hinter ihm Donna Anna, bei dem Mantel den Frevler festhaltend. Welches Ansehn! Sie könnte höher, schlanker gewachsen, majestätischer im Gange sein: aber welch ein Kopf! – Augen, aus denen Liebe, Zorn, Haß, Verzweiflung wie aus *einem* Brennpunkt eine Strahlenpyramide blitzender Funken werfen, die wie griechisches Feuer unauslöschlich das Innerste durchbrennen! Des dunklen Haares aufgelöste Flechten wallen in Wellenringeln den Nacken hinab. Das weiße Nachtkleid enthüllt verräterisch nie gefahrlos belauschte Reize. Von der entsetzlichen Tat umkrallt, zuckt das Herz in gewaltsamen Schlägen. – – Und nun – welche Stimme! „Non sperar se non m'uccidi." – Durch den Sturm der Instrumente leuchten wie glühende Blitze die aus ätherischem Metall gegossenen Töne! – Vergebens sucht sich Don Juan loszureißen. – Will er es denn?

Warum stößt er nicht mit kräftiger Faust das Weib zurück und entflieht? Macht ihn die böse Tat kraftlos, oder ist es der Kampf von Haß und Liebe im Innern, der ihm Mut und Stärke raubt? – Der alte Papa hat seine Torheit, im Finstern den kräftigen Gegner anzufallen, mit dem Leben gebüßt; Don Juan und Leporello treten im rezitierenden Gespräch weiter vor ins Proszenium. Don Juan wickelt sich aus dem Mantel und steht da in rotem, gerissenen Sammet mit silberner Stickerei, prächtig gekleidet. Eine kräftige, herrliche Gestalt: das Gesicht ist männlich schön; eine erhabene Nase, durchbohrende Augen, weich geformte Lippen; das sonderbare Spiel eines Stirnmuskels über den Augenbrauen bringt sekundenlang etwas vom Mephistopheles in die Physiognomie, das, ohne dem Gesicht die Schönheit zu rauben, einen unwillkürlichen Schauer erregt. Es ist, als könne er die magische Kunst der Klapperschlange üben; es ist, als könnten die Weiber, von ihm angeblickt, nicht mehr von ihm lassen und müßten, von der unheimlichen Gewalt gepackt, selbst ihr Verderben vollenden. – Lang und dürr, in rot und weiß gestreifter Weste, kleinem roten Mantel, weißem Hut mit roter Feder, trippelt Leporello um ihn her. Die Züge seines Gesichts mischen sich seltsam zu dem Ausdruck von Gutherzigkeit, Schelmerei, Lüsternheit und ironisierender Frechheit; gegen das grauliche Kopf- und Barthaar stechen seltsam die schwarzen Augenbrauen ab. Man merkt es, der alte Bursche verdient, Don Juans helfender Diener zu sein. – Glücklich sind sie über die Mauer geflüchtet. – Fackeln – Donna Anna und Don Ottavio erscheinen: ein zierliches, geputztes, geлecktes Männlein von einundzwanzig Jahren höchstens. Als Annas Bräutigam wohnte er, da man ihn so schnell herbeirufen konnte, wahrscheinlich im Hause; auf den ersten Lärm, den er gewiß hörte, hätte er herbeieilen und den Vater retten können: er mußte sich aber erst putzen und mochte überhaupt nachts nicht gern sich herauswagen. – „Ma qual mai s'offre, o dei, spettacolo funesto agli occhi miei!“ Mehr als Verzweiflung über den grausamsten Frevel liegt in den entsetzlichen, herzzerschneidenden Tönen dieses Rezitativs und Duetts. Don Juans gewaltsames Attentat, das ihm

Verderben nur drohte, dem Vater aber den Tod gab, ist es nicht allein, was diese Töne der beängsteten Brust entreißt: nur ein verderblicher, tötender Kampf im Innern kann sie hervorbringen. –

Eben schalt die lange, hagere Donna Elvira, mit sichtlichen Spuren großer, aber verblühter Schönheit, den Verräter, Don Juan: „Tu nido d'inganni", und der mitleidige Leporello bemerkte ganz klug: „Parla come un libro stampato", als ich jemand neben oder hinter mir zu bemerken glaubte. Leicht konnte man die Logentür hinter mir geöffnet haben und hineingeschlüpft sein – das fuhr mir wie ein Stich durchs Herz. Ich war so glücklich, mich allein in der Loge zu befinden, um ganz ungestört das so vollkommen dargestellte Meisterwerk mit allen Empfindungsfasern, wie mit Polypenarmen, zu umklammern und in mein Selbst hineinzuziehn! Ein einziges Wort, das obendrein albern sein konnte, hätte mich auf eine schmerzhafte Weise herausgerissen aus dem herrlichen Moment der poetisch-musikalischen Begeisterung! Ich beschloß, von meinem Nachbar gar keine Notiz zu nehmen, sondern, ganz in die Darstellung vertieft, jedes Wort, jeden Blick zu vermeiden. Den Kopf in die Hand gestützt, dem Nachbar den Rücken wendend, schauete ich hinaus. – Der Gang der Darstellung entsprach dem vortrefflichen Anfange. Die kleine, lüsterne, verliebte Zerlina tröstete mit gar lieblichen Tönen und Weisen den gutmütigen Tölpel Masetto. Don Juan sprach sein inneres, zerrissenes Wesen, den Hohn über die Menschlein um ihn her, nur aufgestellt zu seiner Lust, in ihr mattliches Tun und Treiben verderbend einzugreifen, in der wilden Arie „Fin ch'han dal vino" ganz unverhohlen aus. Gewaltiger als bisher zuckte hier der Stirnmuskel. – Die Masken erscheinen. Ihr Terzett ist ein Gebet, das in rein glänzenden Strahlen zum Himmel steigt. – Nun fliegt der Mittelvorhang auf. Da geht es lustig her: Becher erklingen, in fröhlichem Gewühl wälzen sich die Bauern und allerlei Masken umher, die Don Juans Fest herbeigelockt hat. – Jetzt kommen die drei zur Rache Verschwornen. Alles wird feierlicher, bis der Tanz angeht. Zerlina wird gerettet, und in dem gewaltig donnernden

Finale tritt mutig Don Juan mit gezogenem Schwert seinen Feinden entgegen. Er schlägt dem Bräutigam den stählernen Galanteriedegen aus der Hand und bahnt sich durch das gemeine Gesindel, das er, wie der tapfere Roland die Armee des Tyrannen Cymork, durcheinanderwirft, daß alles gar possierlich übereinanderpurzelt, den Weg ins Freie. –

Schon oft glaubte ich dicht hinter mir einen zarten, warmen Hauch gefühlt, das Knistern eines seidenen Gewandes gehört zu haben: das ließ mich wohl die Gegenwart eines Frauenzimmers ahnen, aber ganz versunken in die poetische Welt, die mir die Oper aufschloß, achtete ich nicht darauf. Jetzt, da der Vorhang gefallen war, schauete ich nach meiner Nachbarin. – Nein – keine Worte drücken mein Erstaunen aus: Donna Anna, ganz in dem Kostüme, wie ich sie eben auf dem Theater gesehen, stand hinter mir und richtete auf mich den durchdringenden Blick ihres seelenvollen Auges. – Ganz sprachlos starrte ich sie an; ihr Mund (so schien es mir) verzog sich zu einem leisen, ironischen Lächeln, in dem ich mich spiegelte und meine alberne Figur erblickte. Ich fühlte die Notwendigkeit, sie anzureden, und konnte doch die durch das Erstaunen, ja ich möchte sagen, wie durch den Schreck gelähmte Zunge nicht bewegen. Endlich, endlich fuhren mir beinahe unwillkürlich die Worte heraus: „Wie ist es möglich, Sie hier zu sehen?“, worauf sie sogleich in dem reinsten Toskanisch erwiderte, daß, verstände und spräche ich nicht Italienisch, sie das Vergnügen meiner Unterhaltung entbehren müsse, indem sie keine andere als nur diese Sprache rede. – Wie Gesang lauteten die süßen Worte. Im Sprechen erhöhte sich der Ausdruck des dunkelblauen Auges, und jeder daraus leuchtende Blitz goß einen Glutstrom in mein Inneres, von dem alle Pulse stärker schlugen und alle Fibern erzuckten. – Es war Donna Anna, unbezweifelt. Die Möglichkeit abzuwägen, wie sie auf dem Theater und in meiner Loge habe zugleich sein können, fiel mir nicht ein. So wie der glückliche Traum das Seltsamste verbindet und dann ein frommer Glaube das Übersinnliche versteht und es den sogenannten natürlichen Erscheinungen des Lebens zwanglos anreiht, so geriet ich auch in der

Nähe des wunderbaren Weibes in eine Art Somnambulism, in dem ich die geheimen Beziehungen erkannte, die mich so innig mit ihr verbanden, daß sie selbst bei ihrer Erscheinung auf dem Theater nicht hatte von mir weichen können. – Wie gern setzte ich dir, mein Theodor, jedes Wort des merkwürdigen Gesprächs her, das nun zwischen der Signora und mir begann; allein, indem ich das, was sie sagte, deutsch hinschreiben will, finde ich jedes Wort steif und matt, jede Phrase ungelenk, das auszudrücken, was sie leicht und mit Anmut toskanisch sagte.

Indem sie über den „Don Juan", über ihre Rolle sprach, war es, als öffneten sich mir nun erst die Tiefen des Meisterwerks, und ich konnte hell hineinblicken und einer fremden Welt phantastische Erscheinungen deutlich erkennen. Sie sagte, ihr ganzes Leben sei Musik und oft glaube sie manches im Innern geheimnisvoll Verschlossene, was keine Worte ausspräches, singend zu begreifen. „Ja, ich begreife es dann wohl", fuhr sie mit brennendem Auge und erhöheter Stimme fort, „aber es bleibt tot und kalt um mich, und indem man eine schwierige Roulade, eine gelungene Manier beklatscht, greifen eisige Hände in mein glühendes Herz! – Aber du – du verstehst mich, denn ich weiß, daß auch *dir* das wunderbare, romantische Reich aufgegangen, wo die himmlischen Zauber der Töne wohnen!"

„Wie, du herrliche, wundervolle Frau – – du – du solltest mich kennen?" –

„Ging nicht der zauberische Wahnsinn ewig sehnender Liebe in der Rolle der *** in deiner neuesten Oper aus deinem Innern hervor? – Ich habe dich verstanden: dein Gemüt hat sich im Gesange mir aufgeschlossen! – Ja" (hier nannte sie meinen Vornamen), „ich habe *dich* gesungen, so wie deine Melodien *ich* sind."

Die Theaterglocke läutete: eine schnelle Blässe entfärbte Donna Annas ungeschminktes Gesicht; sie fuhr mit der Hand nach dem Herzen, als empfände sie einen plötzlichen Schmerz, und indem sie leise sagte: „Unglückliche Anna, jetzt kommen deine fürchterlichsten Momente" – war sie aus der Loge verschwunden. –

Der erste Akt hatte mich entzückt, aber nach dem wunderbaren Ereignis wirkte jetzt die Musik auf eine ganz andere, seltsame Weise. Es war, als ginge eine lang verheißene Erfüllung der schönsten Träume aus einer andern Welt wirklich in das Leben ein; als würden die geheimsten Ahnungen der entzückten Seele in Tönen festgebannt und müßten sich zur wunderbarsten Erkenntnis seltsamlich gestalten. – In Donna Annas Szene fühlte ich mich von einem sanften, warmen Hauch, der über mich hinwegglitt, in trunkener Wollust erbeben; unwillkürlich schlossen sich meine Augen, und ein glühender Kuß schien auf meinen Lippen zu brennen: aber der Kuß war ein wie von ewig dürstender Sehnsucht lang ausgehaltener Ton.

Das Finale war in frevelnder Lustigkeit angegangen: „Gia la mensa è preparata!" – Don Juan saß kosend zwischen zwei Mädchen und lüftete einen Kork nach dem andern, um den brausenden Geistern, die hermetisch verschlossen, freie Herrschaft über sich zu verstatten. Es war ein kurzes Zimmer mit einem großen gotischen Fenster im Hintergrunde, durch das man in die Nacht hinaussah. Schon während Elvira den Ungetreuen an alle Schwüre erinnert, sah man es oft durch das Fenster blitzen und hörte das dumpfe Murmeln des herannahenden Gewitters. Endlich das gewaltige Pochen. Elvira, die Mädchen entfliehen, und unter den entsetzlichen Akkorden der unterirdischen Geisterwelt tritt der gewaltige Marmorkoloß, gegen den Don Juan pygmäisch dasteht, ein. Der Boden erbebt unter des Riesen donnerndem Fußtritt. – Don Juan ruft durch den Sturm, durch den Donner, durch das Geheul der Dämonen sein fürchterliches „No!". Die Stunde des Untergangs ist da. Die Statue verschwindet, dicker Qualm erfüllt das Zimmer, aus ihm entwickeln sich fürchterliche Larven. In Qualen der Hölle windet sich Don Juan, den man dann und wann unter den Dämonen erblickt. Eine Explosion, wie wenn tausend Blitze einschlügen –: Don Juan, die Dämonen sind verschwunden, man weiß nicht wie! Leporello liegt ohnmächtig in der Ecke des Zimmers. – Wie wohltätig wirkt nun die Erscheinung der übrigen Personen, die den Juan, der von unterirdischen Mächten irdischer

Rache entzogen, vergebens suchen. Es ist, als wäre man nun erst dem furchtbaren Kreise der höllischen Geister entronnen. – Donna Anna erschien ganz verändert: eine Totenblässe überzog ihr Gesicht, das Auge war erloschen, die Stimme zitternd und ungleich, aber eben dadurch in dem kleinen Duett mit dem süßen Bräutigam, der nun, nachdem ihn der Himmel des gefährlichen Rächeramts glücklich überhoben hat, gleich Hochzeit machen will, von herzzerreißender Wirkung.

Der fugierte Chor hatte das Werk herrlich zu einem Ganzen geründet, und ich eilte in der exaltiertesten Stimmung, in der ich mich je befunden, in mein Zimmer. Der Kellner rief mich zur Wirtstafel, und ich folgte ihm mechanisch. – Die Gesellschaft war der Messe wegen glänzend und die heutige Darstellung des „Don Juan" der Gegenstand des Gesprächs. Man pries im allgemeinen die Italiener und das Eingreifende ihres Spiels; doch zeigten kleine Bemerkungen, die hier und da ganz schalkhaft hingeworfen wurden, daß wohl keiner die tiefere Bedeutung der Oper aller Opern auch nur ahnte. – Don Ottavio hatte sehr gefallen. Donna Anna war einem zu leidenschaftlich gewesen. Man müsse, meinte er, auf dem Theater sich hübsch mäßigen und das zu sehr Angreifende vermeiden. Die Erzählung des Überfalls habe ihn ordentlich konsterniert. Hier nahm er eine Prise Tabak und schaute ganz unbeschreiblich dummklug seinen Nachbar an, welcher behauptete, die Italienerin sei aber übrigens eine recht schöne Frau, nur zuwenig besorgt um Kleidung und Putz; eben in jener Szene sei ihr eine Haarlocke aufgegangen und habe das Demiprofil des Gesichts beschattet! Jetzt fing ein anderer ganz leise zu intonieren an: „Fin ch'han dal vino" – worauf eine Dame bemerkte, am wenigsten sei sie mit dem Don Juan zufrieden: der Italiener sei viel zu finster, viel zu ernst gewesen und habe überhaupt den frivolen, lustigen Charakter nicht leicht genug genommen. – Die letzte Explosion wurde sehr gerühmt. – Des Gewäsches satt, eilte ich in mein Zimmer.

In der Fremdenloge Nr. 23

Es war mir so eng, so schwül in dem dumpfen Gemach! – Um Mitternacht glaubte ich deine Stimme zu hören, mein Theodor! Du sprachst deutlich meinen Namen aus, und es schien an der Tapetentür zu rauschen. Was hält mich ab, den Ort meines wunderbaren Abenteuers noch einmal zu betreten? – Vielleicht sehe ich dich und sie, die mein ganzes Wesen erfüllt! – Wie leicht ist es, den kleinen Tisch hineinzutragen – zwei Lichter – Schreibzeug! Der Kellner sucht mich mit dem bestellten Punsch; er findet das Zimmer leer, die Tapetentür offen: er folgt mir in die Loge und sieht mich mit zweifelndem Blick an. Auf meinen Wink setzt er das Getränk auf den Tisch und entfernt sich, mit einer Frage auf der Zunge noch einmal sich nach mir umschauend. Ich lehne mich, ihm den Rücken wendend, über der Loge Rand und sehe in das verödete Haus, dessen Architektur, von meinen beiden Lichtern magisch beleuchtet, in wunderlichen Reflexen fremd und feenhaft hervorspringt. Den Vorhang bewegt die das Haus durchschneidende Zugluft. – Wie, wenn er hinaufwallte? wenn Donna Anna, geängstet von gräßlichen Larven, erschiene? – „Donna Anna!" rufe ich unwillkürlich: der Ruf verhallt in dem öden Raum, aber die Geister der Instrumente im Orchester werden wach – ein wunderbarer Ton zittert herauf; es ist, als säusle in ihm der geliebte Name fort! – Nicht erwehren kann ich mich des heimlichen Schauers, aber wohltätig durchbebt er meine Nerven. –

Ich werde meiner Stimmung Herr und fühle mich aufgelegt, dir, mein Theodor, wenigstens anzudeuten, wie ich jetzt erst das herrliche Werk des göttlichen Meisters in seiner tiefsten Charakteristik richtig aufzufassen glaube. – Nur der Dichter versteht den Dichter; nur ein romantisches Gemüt kann eingehen in das Romantische; nur der poetisch exaltierte Geist, der mitten im Tempel die Weihe empfing, das verstehen, was der Geweihte in der Begeisterung ausspricht. – Betrachtet man das Gedicht (den „Don Juan"), ohne ihm eine tiefere Bedeutung zu geben, so daß man nur das Geschichtliche in Anspruch nimmt, so ist es kaum zu begreifen, wie Mozart eine solche Musik dazu denken und dichten konnte. Ein Bonvivant, der Wein und Mädchen über die Maßen liebt, der mutwilligerweise den steinernen Mann als Repräsentanten des alten Vaters, den er bei Verteidigung seines eigenen Lebens niederstach, zu seiner lustigen Tafel bittet – wahrlich, hierin liegt nicht viel Poetisches, und, ehrlich gestanden, ist ein solcher Mensch es wohl nicht wert, daß die unterirdischen Mächte ihn als ein ganz besonderes Kabinettsstück der Hölle auszeichnen; daß der steinerne Mann, von dem verklärten Geiste beseelt, sich bemüht, vom Pferde zu steigen, um den Sünder vor dem letzten Stündlein zur Buße zu ermahnen; daß endlich der Teufel seine besten Gesellen ausschickt, um den Transport in sein Reich auf die gräßlichste Weise zu veranstalten. – Du kannst es mir glauben, Theodor, den Juan stattete die Natur, wie ihrer Schoßkinder liebstes, mit alledem aus, was den Menschen, in näherer Verwandtschaft mit dem Göttlichen, über den gemeinen Troß, über die Fabrikarbeiten, die als Nullen, vor die, wenn sie gelten sollen, sich erst ein Zähler stellen muß, aus der Werkstätte geschleudert werden, erhebt; was ihn bestimmt, zu besiegen, zu herrschen. Ein kräftiger, herrlicher Körper, eine Bildung, woraus der Funke hervorstrahlt, der, die Ahnungen des Höchsten entzündend, in die Brust fiel; ein tiefes Gemüt, ein schnell ergreifender Verstand. – Aber das ist die entsetzliche Folge des Sündenfalls, daß der Feind die Macht behielt, dem Menschen aufzulauern und ihm selbst in dem Streben nach dem Höchsten, worin er seine göttliche Natur ausspricht, böse Fallstricke zu legen. Dieser Konflikt der göttlichen und der dämonischen Kräfte erzeugt den Begriff des irdischen so wie der erfochtene Sieg den Begriff des überirdischen Lebens. – Den Juan begeisterten die Ansprüche auf das Leben, die seine körperliche und geistige Organisation herbeiführte, und ein ewiges brennendes Sehnen, von dem sein Blut siedend die Adern durchfloß, trieb ihn, daß er gierig und ohne Rast alle Erscheinungen der irdischen Welt aufgriff, in ihnen vergebens Befriedigung hoffend! – Es gibt hier auf Erden wohl nichts, was den Menschen in seiner innigsten Natur so hinaufsteigert als die Liebe; sie ist es, die, so geheimnisvoll und so gewaltig wirkend, die innersten Elemente des Daseins zerstört und verklärt; was Wunder also, daß Don Juan in der Liebe die Sehnsucht, die seine Brust zerreißt, zu stillen hoffte und daß der Teufel hier ihm die Schlinge über den Hals warf? In Don Juans Gemüt kam durch des Erbfeindes List der Gedanke, daß durch die Liebe, durch den Genuß des Weibes schon auf Erden das erfüllt werden könne, was bloß als himmlische Verheißung in unserer Brust wohnt und eben jene unendliche Sehnsucht ist, die uns mit dem Überirdischen in unmittelbaren Rapport setzt. Vom schönen Weibe zum schönern rastlos fliehend; bis zum Überdruß, bis zur zerstörenden Trunkenheit ihrer Reize mit der glühendsten Inbrunst genießend; immer in der Wahl sich betrogen glaubend, immer hoffend, das Ideal endlicher Befriedigung zu finden, mußte doch Juan zuletzt alles irdische Leben matt und flach finden, und indem er überhaupt den Menschen verachtete, lehnte er sich auf gegen die Erscheinung, die, ihm als das Höchste im Leben geltend, so bitter ihn getäuscht hatte. Jeder Genuß des Weibes war nun nicht mehr Befriedigung seiner Sinnlichkeit, sondern frevelnder Hohn gegen die Natur und den Schöpfer. Tiefe Verachtung der gemeinen Ansichten des Lebens, über die er sich erhoben fühlte, und bitterer Spott über Menschen, die in der glücklichen Liebe, in der dadurch herbeigeführten bürgerlichen Vereinigung auch nur im mindesten die Erfüllung der höheren Wünsche, die die Natur feindselig in unsere Brust legte, erwarten konnten, trieben ihn an, *da* vorzüglich sich aufzulehnen und, Verderben bereitend, dem unbekannten, schicksallenkenden Wesen, das ihm wie ein schadenfrohes, mit den kläglichen Geschöpfen seiner spottenden Laune ein grausames Spiel treibendes Ungeheuer erschien, kühn entgegenzutreten, wo von einem solchen Verhältnis die Rede war. – Jede Verführung einer geliebten Braut, jedes durch einen gewaltigen, nie zu verschmerzendes Unheil bringenden Schlag gestörte Glück der Liebenden ist ein herrlicher Triumph über jene feindliche Macht, der ihn immer mehr hinaushebt aus dem beengenden Leben – über die Natur – über den Schöpfer! – Er will auch wirklich immer mehr aus dem Leben, aber nur um hinabzustürzen in den Orkus. Annas Verführung mit den dabei eingetretenen Umständen ist die höchste Spitze, zu der er sich erhebt. –

Donna Anna ist rücksichtlich der höchsten Begünstigungen der Natur dem Don Juan entgegengestellt. So wie Don Juan ursprünglich ein wunderbar kräftiger, herrlicher Mann war, so ist sie ein göttliches Weib, über deren reines Gemüt der Teufel nichts vermochte. Alle Kunst der Hölle konnte nur sie irdisch verderben. – Sowie der Satan dieses Verderben vollendet hat, durfte auch nach der Fügung des Himmels die Hölle die Vollstreckung des Rächeramts nicht länger verschieben. – Don Juan ladet den erstochenen Alten höhnend im Bilde ein zum lustigen Gastmahl, und der verklärte Geist, nun erst den gefallnen Menschen durchschauend und sich um ihn betrübend, verschmäht es nicht, in furchtbarer Gestalt ihn zur Buße zu ermahnen. Aber so verderbt, so zerrissen ist sein Gemüt, daß auch des Himmels Seligkeit keinen Strahl der Hoffnung in seine Seele wirft und ihn zum bessern Sein entzündet! –

Gewiß ist es dir, mein Theodor, aufgefallen, daß ich von Annas Verführung gesprochen; und so gut ich es in dieser Stunde, wo tief aus dem Gemüt hervorgehende Gedanken und Ideen die Worte überflügeln, vermag, sage ich dir mit wenigen Worten, wie mir in der Musik, ohne alle Rücksicht auf den Text, das ganze Verhältnis der beiden im Kampf begriffenen Naturen (Don Juan und Donna Anna) erscheint. – Schon oben äußerte ich, daß Anna dem Juan gegenübergestellt ist. Wie, wenn Donna Anna vom Himmel dazu bestimmt gewesen wäre, den Juan in der Liebe, die ihn durch des Satans Künste verdarb, die ihm inwohnende göttliche Natur erkennen zu lassen und ihn der Verzweiflung seines nichtigen Strebens zu entreißen? – Zu spät, zur Zeit des höchsten Frevels, sah er sie, und da konnte ihn nur die teuflische Lust erfüllen, sie zu verderben. – Nicht gerettet wurde sie! Als er hinausfloh, war die Tat geschehen. Das Feuer einer übermenschlichen Sinnlichkeit, Glut aus der Hölle, durchströmte ihr Innerstes und machte jeden Widerstand vergeblich. Nur *er*, nur Don Juan konnte den wollüstigen Wahnsinn in ihr entzünden, mit dem sie ihn umfing, der mit der übermächtigen, zerstörenden Wut höllischer Geister im Innern sündigte. Als er nach vollendeter Tat entfliehen wollte, da umschlang wie ein gräßliches, giftigen Tod sprühendes Ungeheuer sie der Gedanke ihres Verderbens mit folternden Qualen. – Ihres Vaters Fall durch Don Juans Hand, die Verbindung mit dem kalten, unmännlichen, ordinären Don Ottavio, den sie einst zu lieben glaubte – selbst die im Innersten ihres Gemüts in verzehrender Flamme wütende Liebe, die in dem Augenblick des höchsten Genusses aufloderte und nun gleich der Glut des vernichtenden Hasses brennt: Alles dieses zerreißt ihre Brust. Sie fühlt, nur Don Juans Untergang kann der von tödlichen Martern beängsteten Seele Ruhe verschaffen; aber diese Ruhe ist ihr eigner irdischer Untergang. – Sie fordert daher unablässig ihren eiskalten Bräutigam zur Rache auf, sie verfolgt selbst den Verräter, und erst als ihn die unterirdischen Mächte in den Orkus hinabgezogen haben, wird sie ruhiger – nur vermag sie nicht dem hochzeitlustigen Bräutigam nachzugeben: „Lascia, o caro, un anno ancora, allo sfogo del mio cor!“ Sie wird dieses Jahr nicht überstehen; Don Ottavio wird niemals *die* umarmen, die ein frommes Gemüt davon rettete, des Satans geweihte Braut zu bleiben.

Wie lebhaft im Innersten meiner Seele fühlte ich alles dieses in den die Brust zerreißenden Akkorden des ersten Rezitativs und der Erzählung von dem nächtlichen Überfall! – Selbst die Szene der Donna Anna im zweiten Akt: „Crudele“, die, oberflächlich betrachtet, sich nur auf den Don Ottavio bezieht, spricht in geheimen Anklängen, in den wunderbarsten Beziehungen jene innere, alles irdische Glück verzehrende Stimmung der Seele aus. Was soll selbst in den Worten der sonderbare, von dem Dichter vielleicht unbewußt hingeworfene Zusatz:

„forse un giorno il cielo ancora sentirà pietà di me!“ –

Es schlägt zwei Uhr! – Ein warmer elektrischer Hauch gleitet über mich her – ich empfinde den leisen Geruch feinen italienischen Parfüms, der gestern zuerst mir die Nachbarin vermuten ließ; mich umfängt ein seliges Gefühl, das ich nur in Tönen aussprechen zu können glaube. Die Luft streicht heftiger durch das Haus – die Saiten des Flügels im Orchester rauschen – Himmel! wie aus weiter Ferne, auf den Fittichen schwellender Töne eines luftigen Orchesters getragen, glaube ich Annas Stimme zu hören: „Non mi dir bell' idol mio!" – Schließe dich auf, du fernes, unbekanntes Geisterreich – du Dschinnistan voller Herrlichkeit, wo ein unaussprechlicher, himmlischer Schmerz wie die unsäglichste Freude der entzückten Seele alles auf Erden Verheißene über alle Maßen erfüllt! Laß mich eintreten in den Kreis deiner holdseligen Erscheinungen! Mag der Traum, den du bald zum grausenerregenden, bald zum freundlichen Boten an den irdischen Menschen erkoren – mag er meinen Geist, wenn der Schlaf den Körper in bleiernen Banden festhält, den ätherischen Gefilden zuführen! –

Gespräch des Mittags an der Wirtstafel, als Nachtrag

Kluger Mann mit der Dose, stark auf den Deckel derselben schnippend: Es ist doch fatal, daß wir nun so bald keine ordentliche Oper mehr hören werden! aber das kommt von dem häßlichen Übertreiben!

Mulattengesicht: Jaja! hab's ihr oft genug gesagt! Die Rolle der Donna Anna griff sie immer ordentlich an! – Gestern war sie vollends gar wie besessen. Den ganzen Zwischenakt hindurch soll sie in Ohnmacht gelegen haben, und in der Szene im zweiten Akt hatte sie gar Nervenzufälle –

Unbedeutender: O sagen Sie –!

Mulattengesicht: Nun ja! Nervenzufälle, und war doch wahrlich nicht vom Theater zu bringen.

Ich: Um des Himmels willen – die Zufälle sind doch nicht von Bedeutung? wir hören doch Signora bald wieder?

Kluger Mann mit der Dose, eine Prise nehmend: Schwerlich, denn Signora ist heute morgens Punkt zwei Uhr gestorben.

KREISLERIANA

Johannes Kreislers, des Kapellmeisters, musikalische Leiden

Sie sind alle fortgegangen. – Ich hätt es an dem Zischeln, Scharren, Räuspern, Brummen durch alle Tonarten bemerken können; es war ein wahres Bienennest, das vom Stocke abzieht, um zu schwärmen. Gottlieb hat mir neue Lichter aufgesteckt und eine Flasche Burgunder auf das Fortepiano hingestellt. Spielen kann ich nicht mehr, denn ich bin ganz ermattet; daran ist mein alter herrlicher Freund hier auf dem Notenpulte schuld, der mich schon wieder einmal, wie Mephistopheles den Faust auf seinem Mantel, durch die Lüfte getragen hat, und so hoch, daß ich die Menschlein unter mir nicht sah und merkte, unerachtet sie tollen Lärm genug gemacht haben mögen. – Ein hundsföttischer, nichtswürdig vergeudeter Abend! Aber jetzt ist mir wohl und leicht. – Hab ich doch gar während des Spielens meinen Bleistift hervorgezogen und Seite 63 unter dem letzten System ein paar gute Ausweichungen in Ziffern notiert mit der rechten Hand, während die Linke im Strome der Töne fortarbeitete! Hinten auf der leeren Seite fahr ich schreibend fort. Ich verlasse Ziffern und Töne, und mit wahrer Lust, wie der genesene Kranke, der nun nicht aufhören kann zu erzählen, was er gelitten, notiere ich hier umständlich die höllischen Qualen des heutigen Tees. Aber nicht für mich allein, sondern für alle, die sich hier zuweilen an meinem Exemplar der Johann Sebastian Bachschen Variationen für das Klavier, erschienen bei Nägeli in Zürich, ergötzen und erbauen, bei dem Schluß der 30sten Variation meine Ziffern finden und, geleitet von dem großen lateinischen Verte (ich schreib es gleich hin, wenn meine Klageschrift zu Ende ist), das

Blatt umwenden und lesen. Diese erraten gleich den wahren Zusammenhang; sie wissen, daß der Geheime Rat Röderlein hier ein ganz scharmantes Haus macht und zwei Töchter hat, von denen die ganze elegante Welt mit Enthusiasmus behauptet, sie tanzten wie die Göttinnen, sprächen französisch wie die Engel und spielten und sängen und zeichneten wie die Musen. Der Geheime Rat Röderlein ist ein reicher Mann; er führt bei seinen vierteljährigen Dinés die schönsten Weine, die feinsten Speisen, alles ist auf den elegantesten Fuß eingerichtet, und wer sich bei seinen Tees nicht himmlisch amüsiert, hat keinen Ton, keinen Geist und vornehmlich keinen Sinn für die Kunst. Auf diese ist es nämlich auch abgesehen; neben dem Tee, Punsch, Wein, Gefrornen etc. wird auch immer etwas Musik präsentiert, die von der schönen Welt ganz gemütlich so wie jenes eingenommen wird. Die Einrichtung ist so: nachdem jeder Gast Zeit genug gehabt hat, eine beliebige Zahl Tassen Tee zu trinken, und nachdem zweimal Punsch und Gefrornes herumgegeben worden ist, rücken die Bedienten die Spieltische heran für den älteren, solideren Teil der Gesellschaft, der dem musikalischen das Spiel mit Karten vorzieht, welches auch in der Tat nicht solchen unnützen Lärm macht und wo nur einiges Geld erklingt. – Auf dies Zeichen schießt der jüngere Teil der Gesellschaft auf die Fräuleins Röderlein zu; es entsteht ein Tumult, in dem man die Worte unterscheidet: Schönes Fräulein, versagen Sie uns nicht den Genuß Ihres himmlischen Talents – o singe etwas, meine Gute. – Nicht möglich – Katarrh – der letzte Ball – nichts eingeübt. – O bitte, bitte – wir flehen etc. Gottlieb hat unterdessen den Flügel geöffnet und das Pult mit dem wohlbekannten Notenbuche beschwert. Vom Spieltisch herüber ruft die gnädige Mama: „Chantez donc, mes enfants!" Das ist das Stichwort *meiner* Rolle; ich stelle mich an den Flügel, und im Triumph werden die Röderleins an das Instrument geführt. Nun entsteht wieder eine Differenz: keine will zuerst singen. „Du weißt, liebe Nanette, wie entsetzlich heiser ich bin." – „Bin ich es denn weniger, liebe Marie?" – „Ich singe so schlecht." – „O Liebe, fange nur an etc." Mein Einfall (ich habe ihn jedesmal!), beide möchten mit einem Duo anfangen, wird gewaltig beklatscht, das Buch durchblättert, das sorgfältig eingeschlagene Blatt endlich gefunden, und nun geht's los: „Dolce dell' anima etc." – Das Talent der Fräulein Röderlein ist wirklich nicht das geringste. Ich bin nun fünf Jahre hier und viertehalb Jahre im Röderleinschen Hause Lehrer; für diese kurze Zeit hat es Fräulein Nanette dahin gebracht, daß sie eine Melodie, die sie nur zehnmal im Theater gehört und am Klavier dann höchstens noch zehnmal durchprobiert hat, so wegsingt, daß man gleich weiß, was es sein soll. Fräulein Marie faßt es schon beim achten Mal, und wenn sie öfters einen Viertelston tiefer steht, als das Piano, so ist das bei solch niedlichem Gesichtlein und den ganz leidlichen Rosenlippen am Ende wohl zu ertragen. – Nach dem Duett allgemeiner Beifallschorus! Nun wechseln Arietten und Duettinos, und ich hämmere das tausendmal geleierte Akkompagnement frisch darauf los. Während des Gesanges hat die Finanzrätin Eberstein durch Räuspern und leises Mitsingen zu verstehen gegeben: „Ich singe auch." Fräulein Nanette spricht: „Aber liebe Finanzrätin, nun mußt du uns auch deine göttliche Stimme hören lassen." Es entsteht ein neuer Tumult. Sie hat den Katarrh – sie kann nichts auswendig! – Gottlieb bringt zwei Arme voll Musikalien herangeschleppt: da wird geblättert und geblättert. Erst will sie singen: „Der Hölle Rache etc.," dann „Hebe, sieh etc.," dann: „Ach ich liebte etc." In der Angst schlage ich vor: „Ein Veilchen auf der Wiese etc." Aber sie ist fürs große Genre, sie will sich zeigen, es bleibt bei der Konstanze. – O schreie du, quieke, miaue, gurgle, stöhne, ächze, tremuliere, quinkeliere nur recht munter; ich habe den Fortissimozug getreten und orgle mich taub. – O Satan, Satan! welcher deiner höllischen Geister ist in diese Kehle gefahren, der alle Töne zwickt und zwängt und zerrt. Vier Saiten sind schon gesprungen, ein Hammer ist invalid. Meine Ohren gellen, mein Kopf dröhnt, meine Nerven zittern. Sind denn alle unreine Töne kreischender Marktschreier-Trompeten in diesen kleinen Hals gebannt? – Das hat mich angegriffen – ich trinke ein Glas Burgunder! – Man applaudierte unbändig, und jemand bemerkte, die Finanzrätin und Mozart hätten mich sehr ins Feuer gesetzt. Ich lächelte mit niedergeschlagenen Augen, recht dumm, wie ich wohl merkte. Nun erst regen sich alle Talente, bisher im verborgenen blühend, und fahren wild durcheinander. Es werden musikalische Exzesse beschlossen: Ensembles, Finalen, Chöre sollen aufgeführt werden. Der Kanonikus Kratzer singt bekanntlich einen himmlischen Baß, wie der Tituskopf dort bemerkt, der selbst bescheiden anführt, er sei eigentlich nur ein zweiter Tenor, aber freilich Mitglied mehrerer Singe-Akademien. Schnell wird alles zum ersten Chor aus dem „Titus" organisiert. Das ging ganz herrlich! Der Kanonikus, dicht hinter mir stehend, donnerte über meinem Haupte den Baß, als säng er mit obligaten Trompeten und Pauken in der Domkirche; er traf die Noten herrlich, nur das Tempo nahm er in der Eil' fast noch einmal so langsam. Aber treu blieb er sich wenigstens insofern, daß er durchs ganze Stück immer einen halben Takt nachschleppte. Die übrigen äußerten einen entschiedenen Hang zur antiken griechischen Musik, die bekanntlich die Harmonie nicht kennend, im Unisono ging; sie sangen alle die Oberstimme mit kleinen Varianten aus zufälligen Erhöhungen und Erniedrigungen, etwa um einen Viertelston. – Diese etwas geräuschvolle Produktion erregte eine allgemeine tragische Spannung, nämlich einiges Entsetzen, sogar an den Spieltischen, die für den Moment nicht so wie zuvor melodramatisch mitwirken konnten durch in die Musik eingeflochtene deklamatorische Sätze: z. B. Ach ich liebte – achtundvierzig – war so glücklich – ich passe – kannte nicht – Whist – der Liebe Schmerz – in der Farbe etc. – Es nahm sich recht artig aus. – (Ich schenke mir ein.) „Das war die höchste Spitze der heutigen musikalischen Exposition: nun ist's aus!" So dacht ich, schlug das Buch zu und stand auf. Da tritt der Baron, mein antiker Tenorist, auf mich zu und sagt: „O bester Herr Kapellmeister, Sie sollen ganz himmlisch phantasieren; o phantasieren Sie uns doch eins! nur ein wenig! ich bitte!" Ich versetzte ganz trocken, die Phantasie sei mir heute rein ausgegangen; und indem wir so darüber sprechen, hat ein Teufel in der Gestalt eines Elegants mit zwei Westen im Nebenzimmer unter meinem Hut die Bachschen Variationen ausgewittert; der denkt, es sind so Variatiönchen: nel cor mi non più sento – Ah vous dirai-je, maman etc. und will haben, ich soll darauf losspielen. Ich weigere mich: da fallen sie alle über mich her. „Nun so hört zu und berstet vor Langweile", denk ich und arbeite drauf los. Bei Nro. 3. entfernten sich mehrere Damen, verfolgt von Tituskӧpfen. Die Röderleins, weil der Lehrer spielte, hielten nicht ohne Qual aus bis Nro. 12. Nro. 15. schlug den Zweiwesten-Mann in die Flucht. Aus ganz übertriebener Höflichkeit blieb der Baron bis Nro. 30. und trank bloß viel Punsch aus, den Gottlieb für mich auf den Flügel stellte. Ich hätte glücklich geendet, aber diese Nro. 30., das Thema, riß mich unaufhaltsam fort. Die Quartblätter dehnten sich plötzlich aus zu einem Riesenfolio, wo tausend Imitationen und Ausführungen jenes Themas geschrieben standen, die ich abspielen mußte. Die Noten wurden lebendig und flimmerten und hüpften um mich her – elektrisches Feuer fuhr durch die Fingerspitzen in die Tasten – der Geist, von dem es ausströmte, überflügelte die Gedanken – der ganze Saal hing voll dichten Dufts, in dem die Kerzen düstrer und düstrer brannten – zuweilen sah eine Nase heraus, zuweilen ein paar Augen; aber sie verschwanden gleich wieder. So kam es, daß ich allein sitzen blieb mit meinem Sebastian Bach und von Gottlieb wie von einem spiritu familiari bedient wurde! – Ich trinke! – Soll man denn ehrliche Musiker so quälen mit Musik, wie ich heute gequält worden bin und so oft gequält werde? Wahrhaftig, mit keiner Kunst wird so viel verdammter Mißbrauch getrieben, als mit der herrlichen, heiligen Musika, die in ihrem zarten Wesen so leicht entweiht wird! Habt ihr wahres Talent, wahren Kunstsinn: gut, so lernt Musik, leistet was der Kunst Würdiges und gebt dem Geweihten euer Talent hin im rechten Maß. Wollt ihr ohne das quinkelieren: nun so tut's für euch und unter euch und quält nicht damit den Kapellmeister Kreisler und andere. – Nun könnte ich nach Hause gehen und meine neue Klaviersonate vollenden; aber es ist noch nicht eilf Uhr und eine schöne Sommernacht. Ich wette, neben mir beim Oberjägermeister sitzen die Mädchen am offnen Fenster und schreien mit kreischender, gellender, durchbohrender Stimme zwanzigmal: „Wenn mir dein Auge strahlet“ – aber immer nur die erste Strophe, in die Straße hinein. Schrägüber martert einer die Flöte und hat dabei Lungen wie Rameaus Neffe, und in langen, langen Tönen macht der Nachbar Hornist akustische Versuche. Die zahlreichen Hunde der Gegend werden unruhig, und meines Hauswirts Kater, aufgeregt durch jenes süße Duett, macht dicht neben meinem Fenster (es versteht sich, daß mein musikalisch-poetisches Laboratorium ein Dachstübchen ist), der Nachbarskatze, in die er seit dem März verliebt ist, die chromatische Skala hinaufjammernd, zärtliche Geständnisse. Nach eilf Uhr wird es ruhiger; so lange bleib ich sitzen, da ohnedies noch weißes Papier und Burgunder vorhanden, von dem ich gleich etwas genieße. – Es gibt, wie ich gehört habe, ein altes Gesetz, welches lärmenden Handwerkern verbietet, neben Gelehrten zu wohnen: sollten denn arme, bedrängte Komponisten, die noch dazu aus ihrer Begeisterung Gold münzen müssen, um ihren Lebensfaden weiter zu spinnen, nicht jenes Gesetz auf sich anwenden und die Schreihälse und Dudler aus ihrer Nähe verbannen können? Was würde der Maler sagen, dem man, indem er ein Ideal malte, lauter heterogene Fratzengesichter vorhalten wollte! Schlösse er die Augen, so würde er wenigstens ungestört das Bild in der Phantasie fortsetzen. Baumwolle in den Ohren hilft nicht, man hört doch den Mordspektakel; und dann die Idee, schon die Idee: jetzt singen sie – jetzt kommt das Horn etc. der Teufel holt die sublimsten Gedanken! – Das Blatt ist richtig vollgeschrieben; auf dem vom Titel umgeschlagenen weißen Streifen will ich nur noch bemerken, warum ich hundertmal es mir vornahm, mich nicht mehr bei dem Geheimen Rat quälen zu lassen, und warum ich hundertmal meinen Vorsatz brach. – Freilich ist es Röderleins herrliche Nichte, die mich mit Banden an dies Haus fesselt, welche die Kunst geknüpft hat. Wer einmal so glücklich war, die Schlußszene der Gluckschen „Armida“ oder die große Szene der Donna Anna im „Don Giovanni“ von Fräulein Amalien zu hören, der wird begreifen, daß eine Stunde mit ihr am Piano Himmelsbalsam in die Wunden gießt, welche alle Mißtöne des ganzen Tages mir gequältem musikalischen Schulmeister schlugen. Röderlein, welcher weder an die Unsterblichkeit der Seele, noch an den Takt glaubt, hält sie für gänzlich unbrauchbar für die höhere Existenz in der Teegesellschaft, da sie in dieser durchaus nicht singen will und denn doch wieder vor ganz gemeinen Leuten, z. B. simplen Musikern, mit einer Anstrengung singt, die ihr gar nicht einmal taugt; denn ihre langen, gehaltenen, schwellenden Harmonikatöne, welche mich in den Himmel tragen, hat sie, wie Röderlein meint, offenbar der Nachtigall abgehorcht, die eine unvernünftige Kreatur ist, nur in Wäldern lebt und von dem Menschen, dem vernünftigen Herrn der Schöpfung, nicht nachgeahmt werden darf. Sie treibt ihre Rücksichtslosigkeit so weit, daß sie sich zuweilen sogar von Gottlieb auf der Violine akkompagnieren läßt, wenn sie Beethovensche oder Mozartsche Sonaten, aus denen kein Teeherr und Whistiker klug werden kann, auf dem Piano spielt. – Das war das letzte Glas Burgunder. – Gottlieb putzt mir die Lichter und scheint sich zu wundern über mein emsiges Schreiben. – Man hat ganz recht, wenn man diesen Gottlieb erst sechzehn Jahr alt geschätzt. Das ist ein herrliches, tiefes Talent. Warum starb aber auch der Papa Torschreiber so früh; und mußte denn der Vormund den Jungen in die Liverei stecken? – Als Rode hier war, lauschte Gottlieb im Vorzimmer, das Ohr an die Saaltüre gedrückt, und spielte ganze Nächte; am Tage ging er sinnend, träumend umher, und der rote Fleck am linken Backen ist ein treuer Abdruck des Solitärs am Finger der Röderleinschen Hand, die, wie man durch sanftes Streicheln den somnambülen Zustand hervorbringt, durch starkes Schlagen ganz richtig entgegengesetzt wirken wollte. Nebst andern Sachen habe ich ihm die Sonaten von Corelli gegeben; da hat er unter den Mäusen in dem alten Oesterleinschen Flügel auf dem Boden gewütet, bis keine mehr lebte, und mit Röderleins Erlaubnis auch das Instrument auf sein kleines Stübchen transloziert. – „Wirf ihn ab, den verhaßten Bedientenrock, ehrlicher Gottlieb, und laß mich nach Jahren dich als den wackern Künstler an mein Herz drücken, der du werden kannst mit deinem herrlichen Talent, mit deinem tiefen

Kunstsinn!" – Gottlieb stand hinter mir und wischte sich die Tränen aus den Augen, als ich diese Worte laut aussprach. – Ich drückte ihm schweigend die Hand, wir gingen hinauf und spielten die Sonaten von Corelli.

Gedanken über den hohen Wert der Musik

Es ist nicht zu leugnen, daß in neuerer Zeit, dem Himmel sei's gedankt! der Geschmack an der Musik sich immer mehr verbreitet, so daß es jetzt gewissermaßen zur guten Erziehung gehört, die Kinder auch Musik lehren zu lassen, weshalb man denn in jedem Hause, das nur irgend etwas bedeuten will, ein Klavier, wenigstens eine Guitarre findet. Nur wenige Verächter der gewiß schönen Kunst gibt es noch hie und da, und diesen eine tüchtige Lektion zu geben, das ist jetzt mein Vorsatz und Beruf.

Der Zweck der Kunst überhaupt ist doch kein anderer, als dem Menschen eine angenehme Unterhaltung zu verschaffen und ihn so von den ernstern oder vielmehr den einzigen ihm anständigen Geschäften, nämlich solchen, die ihm Brot und Ehre im Staat erwerben, auf eine angenehme Art zu zerstreuen, so daß er nachher mit gedoppelter Aufmerksamkeit und Anstrengung zu dem eigentlichen Zweck seines Daseins zurückkehren, d. h. ein tüchtiges Kammrad in der Walkmühle des Staats sein und (ich bleibe in der Metapher) haspeln und sich trillen lassen kann. Nun ist aber keine Kunst zur Erreichung dieses Zwecks tauglicher, als die Musik. Das Lesen eines Romans oder Gedichts, sollte auch die Wahl so glücklich ausfallen, daß es durchaus nichts phantastisch Abgeschmacktes, wie mehrere der allerneuesten, enthält und also die Phantasie, die eigentlich der schlimmste und mit aller Macht zu ertötende Teil unserer Erbsünde ist, nicht im mindesten anregt – dieses Lesen, meine ich, hat doch das Unangenehme, daß man gewissermaßen genötigt wird, an das zu denken, was man liest: dies ist aber offenbar dem Zweck der Zerstreuung entgegen. Dasselbe gilt von dem Vorlesen in *der*

Art, daß, die Aufmerksamkeit ganz davon abwendend, man sehr leicht einschläft oder in ernste Gedanken sich vertieft, die, nach der von jedem ordentlichen Geschäftsmanne zu beobachtenden Geistesdiät, zyklisch eine Weile ruhen müssen. Das Beschauen eines Gemäldes kann nur sehr kurz dauern; denn das Interesse ist ja doch verloren, sobald man erraten hat, was es vorstellen soll. – Was nun aber die Musik betrifft, so können nur jene heillosen Verächter dieser edeln Kunst leugnen, daß eine gelungene Komposition, d. h. eine solche, die sich gehörig in Schranken hält und eine angenehme Melodie nach der andern folgen läßt, ohne zu toben oder sich in allerlei kontrapunktischen Gängen und Auflösungen närrisch zu gebärden, einen wunderbar bequemen Reiz verursacht, bei dem man des Denkens ganz überhoben ist oder der doch keinen ernsten Gedanken aufkommen, sondern mehrere ganz leichte, angenehme – von denen man nicht einmal sich bewußt wird, was sie eigentlich enthalten, gar lustig wechseln läßt. Man kann aber weiter gehen und fragen: wem ist es verwehrt, auch während der Musik mit dem Nachbar ein Gespräch über allerlei Gegenstände der politischen und moralischen Welt anzuknüpfen und so einen doppelten Zweck auf eine angenehme Weise zu erreichen? Im Gegenteil ist dies gar sehr anzuraten, da die Musik, wie man in allen Konzerten und musikalischen Zirkeln zu bemerken Gelegenheit haben wird, das Sprechen ungemein erleichtert. In den Pausen ist alles still, aber mit der Musik fängt der Strom der Rede an zu brausen und schwillt mit den Tönen, die hineinfallen, immer mehr und mehr an. Manches Frauenzimmer, deren Rede sonst nach jenem Ausspruch: Ja, ja! und Nein, nein! ist, gerät während der Musik in das übrige, was nach demselben Ausspruch zwar vom Übel sein soll, hier aber offenbar vom Guten ist, da ihr deshalb manchmal ein Liebhaber oder gar ein Ehegemahl, von der Süßigkeit der ungewohnten Rede berauscht, ins Garn fällt. – Himmel, wie unabsehbar sind die Vorteile einer schönen Musik! – Euch, ihr heillosen Verächter der edlen Kunst, führe ich nun in den häuslichen Zirkel, wo der Vater, müde von den ernsten Geschäften des Tages, im Schlafrock und in Pantoffeln fröhlich und guten Muts zum Murki seines ältesten Sohnes seine Pfeife raucht. Hat das ehrliche Röschen nicht bloß seinetwegen den Dessauer Marsch und „Blühe liebes Veilchen“ einstudiert, und trägt sie es nicht so schön vor, daß der Mutter die hellen Freudentränen auf den Strumpf fallen, den sie eben stopft? Würde ihm nicht endlich das hoffnungsvolle, aber ängstliche Gequäke des jüngsten Sprößlings beschwerlich fallen, wenn nicht der Klang der lieben Kindermusik das Ganze im Ton und Takt hielte? – Ist dein Sinn aber ganz dieser häuslichen Idylle, dem Triumph der einfachen Natur, verschlossen, so folge mir in jenes Haus mit hellerleuchteten Spiegelfenstern. Du trittst in den Saal; die dampfende Teemaschine ist der Brennpunkt, um den sich die eleganten Herren und Damen bewegen. Spieltische werden gerückt, aber auch der Deckel des Fortepiano fliegt auf, und auch hier dient die Musik zur angenehmen Unterhaltung und Zerstreuung. Gut gewählt, hat sie durchaus nichts Störendes, denn selbst die Kartenspieler, obschon mit etwas Höherem, mit Gewinn und Verlust, beschäftigt, dulden sie willig. – Was soll ich endlich von den großen öffentlichen Konzerten sagen, die die herrlichste Gelegenheit geben, musikalisch begleitet, diesen oder jenen Freund zu sprechen; oder ist man noch in den Jahren des Übermuts, mit dieser oder jener Dame süße Worte zu wechseln – wozu ja sogar die Musik noch ein schickliches Thema geben kann. Diese Konzerte sind die wahren Zerstreuungsplätze für den Geschäftsmann, und dem Theater sehr vorzuziehen, da dieses zuweilen Vorstellungen gibt, die den Geist unerlaubterweise auf etwas ganz Nichtiges und Unwahres fixieren, so daß man Gefahr läuft, in die Poesie hineinzugeraten, wovor sich denn doch jeder, dem seine bürgerliche Ehre am Herzen liegt, hüten muß! – Kurz, es ist, wie ich gleich anfangs erwähnte, ein entscheidendes Zeichen, wie sehr man jetzt die wahre Tendenz der Musik erkennt, daß sie so fleißig und mit so vielem Ernst getrieben und gelehrt wird. Wie zweckmäßig ist es nicht, daß die Kinder, sollten sie auch nicht das mindeste Talent zur Kunst haben, worauf es ja auch eigentlich gar nicht ankommt, doch zur Musik angehalten werden, um so, wenn sie sonst noch nicht obligat in der Gesellschaft wirken dürfen, doch wenigstens das Ihrige zur Unterhaltung und Zerstreuung beitragen zu können! – Wohl ein glänzender Vorzug der Musik vor jeder andern Kunst ist es auch, daß sie in ihrer Reinheit (ohne Einmischung der Poesie) durchaus moralisch und daher in keinem Fall von schädlichem Einfluß auf die zarte Jugend ist. Jener Polizeidirektor attestierte keck dem Erfinder eines neuen Instruments, daß darin nichts gegen den Staat, die Religion und die guten Sitten enthalten sei; mit derselben Keckheit kann jeder Musikmeister dem Papa und der Mama im voraus versichern, die neue Sonate enthalte nicht *einen* unmoralischen Gedanken. Werden die Kinder älter, so versteht es sich von selbst, daß sie von der Ausübung der Kunst abstrahieren müssen, da für ernste Männer so etwas sich nicht wohl schicken will, und Damen darüber sehr leicht höhere Pflichten der Gesellschaft etc. versäumen können. Diese genießen dann das Vergnügen der Musik nur passiv, indem sie sich von Kindern oder Künstlern von Profession vorspielen lassen. – Aus der richtig angegebenen Tendenz der Kunst fließt auch von selbst, daß die Künstler, d. h. diejenigen Personen, welche (freilich töricht genug!) ihr ganzes Leben einem, nur zur Erholung und Zerstreuung dienenden Geschäfte widmen, als ganz untergeordnete Subjekte zu betrachten und nur darum zu dulden sind, weil sie das miscere utili dulce in Ausübung bringen. Kein Mensch von gesundem Verstande und gereiften Einsichten wird den besten Künstler so hoch schätzen, als den wackern Kanzelisten, ja den Handwerksmann, der das Polster stopfte, worauf der Rat in der Schoßstube oder der Kaufmann im Comptoir sitzt, da hier das Notwendige, dort nur das Angenehme beabsichtigt wird. Wenn man daher mit dem Künstler höflich und freundlich umgeht, so ist das nur eine Folge unserer Kultur und unserer Bonhommie, die uns ja auch mit Kindern und andern Personen, die Spaß machen, schön tun und tändeln läßt. Manche von diesen unglücklichen Schwärmern sind zu spät aus ihrem Irrtum erwacht und darüber wirklich in einigen Wahnsinn verfallen, welches man aus ihren Äußerungen über die Kunst sehr leicht abnehmen kann. Sie meinen nämlich, die Kunst ließe dem Menschen sein höheres Prinzip ahnen und führe ihn aus dem törichten Tun und Treiben des gemeinen Lebens in den Isistempel, wo die Natur in heiligen, nie gehörten und doch verständlichen Lauten mit ihm spräche. Von der Musik hegen diese Wahnsinnigen nun vollends die wunderlichsten Meinungen; sie nennen sie die romantischste aller Künste, da ihr Vorwurf nur das Unendliche sei; die geheimnisvolle, in Tönen ausgesprochene Sanskritta der Natur, die die Brust des Menschen mit unendlicher Sehnsucht erfülle, und nur in ihr verstehe er das hohe Lied der – Bäume, der Blumen, der Tiere, der Steine, der Gewässer! – Die ganz unnützen Spielereien des Kontrapunkts, die den Zuhörer gar nicht aufheitern und so den eigentlichen Zweck der Musik ganz verfehlen, nennen sie schauerlich geheimnisvolle Kombinationen und sind imstande, sie mit wunderlich verschlungenen Moosen, Kräutern und Blumen zu vergleichen. Das Talent, oder in der Sprache dieser Toren, der Genius der Musik, glühe, sagen sie, in der Brust des die Kunst übenden und hegenden Menschen und verzehre ihn, wenn das gemeinere Prinzip den Funken künstlich überbauen oder ableiten wolle, mit unauslöschlichen Flammen. Diejenigen, welche denn doch, wie ich es erst ausgeführt habe, ganz richtig über die wahre Tendenz der Kunst und der Musik insbesondere urteilen, nennen sie unwissende Frevler, die ewig von dem Heiligtum des höhern Seins ausgeschlossen bleiben müßten, und beurkunden dadurch ihre Tollheit. Denn ich frage mit Recht: wer ist besser daran, der Staatsbeamte, der Kaufmann, der von seinem Gelde Lebende, der gut ißt und trinkt, gehörig spazierenfährt, und den alle Menschen mit Ehrfurcht grüßen, oder der Künstler, der sich ganz kümmerlich in seiner phantastischen Welt behelfen muß? Zwar behaupten jene Toren, daß es eine ganz besondere Sache um die poetische Erhebung über das Gemeine sei, und manches Entbehren sich dann umwandle in Genuß; allein die Kaiser und Könige im Irrenhause mit der Strohkrone auf dem Haupt sind auch glücklich! Der beste Beweis, daß alle jene Floskeln nichts in sich tragen, sondern nur den innern Vorwurf, nicht nach dem Soliden gestrebt zu haben, beschwichtigen sollen, ist dieser, daß beinahe kein Künstler es aus reiner, freier Wahl wurde, sondern sie entstanden und entstehen noch immer aus der ärmern Klasse. Von unbegüterten, obskuren Eltern oder wieder von Künstlern geboren, machte sie die Not, die Gelegenheit, der Mangel an Aussicht auf ein Glück in den eigentlichen nützlichen Klassen zu dem, was sie wurden. Dies wird denn auch jenen Phantasten zum Trotz ewig so bleiben. Sollte nämlich eine begüterte Familie höheren Standes so unglücklich sein, ein Kind zu haben, das ganz besonders zur Kunst organisiert wäre oder das, nach dem lächerlichen Ausdruck jener Wahnwitzigen, den göttlichen Funken, der im Widerstande verzehrend um sich greift, in der Brust trüge; sollte es wirklich ins Phantasieren für Kunst und Künstlerleben geraten – so wird ein guter Erzieher durch eine kluge Geistesdiät, z. B. durch das gänzliche Entziehen aller phantastischen, übertreibenden Kost (Poesien und sogenannter starker Kompositionen von Mozart, Beethoven usw.), sowie durch die fleißig wiederholte Vorstellung der ganz subordinierten Tendenz jeder Kunst und des ganz untergeordneten Standes der Künstler ohne allen Rang, Titel und Reichtum, sehr leicht das verirrte junge Subjekt auf den rechten Weg bringen, so daß es am Ende eine rechte Verachtung gegen Kunst und Künstler spürt, die als wahres Remedium gegen jede Exzentrizität nie weit genug getrieben werden kann. – Den armen Künstlern, die noch nicht in den oben beschriebenen Wahnwitz verfallen sind, glaube ich wirklich nicht übel zu raten, wenn ich ihnen, um sich doch nur etwas aus ihrer zwecklosen Tendenz herauszureißen, vorschlage, noch nebenher irgendein leichtes Handwerk zu erlernen: sie werden gewiß dann schon als nützliche Mitglieder des Staats etwas gelten. Mir hat ein Kenner gesagt, ich hätte eine geschickte Hand zum Pantoffelmachen, und ich bin nicht abgeneigt, mich als Prototypus in die Lehre bei dem hiesigen Pantoffelmachermeister Schnabler, der noch dazu mein Herr Pate ist, zu begeben. – Das überlesend, was ich geschrieben, finde ich den Wahnwitz mancher Musiker sehr treffend geschildert, und mit einem heimlichen Grausen fühle ich mich mit ihnen verwandt. Der Satan raunt mir ins Ohr, daß ihnen manches so redlich Gemeinte wohl gar als heillose Ironie erscheinen könne; allein ich versichere nochmals: gegen euch, ihr Verächter der Musik, die ihr das erbauliche Singen und Spielen der Kinder unnützes Quinkelieren nennt und die Musik als eine geheimnisvolle, erhabene Kunst nur ihrer würdig hören wollt, gegen euch waren meine Worte gerichtet, und mit ernster Waffe in der Hand habe ich euch bewiesen, daß die Musik eine herrliche, nützliche Erfindung des aufgeweckten Tubalkain sei, welche die Menschen aufheitere, zerstreue, und daß sie so das häusliche Glück, die erhabenste Tendenz jedes kultivierten Menschen, auf eine angenehme befriedigende Weise befördere.

Der Musikfeind

Es ist wohl etwas Herrliches, so durch und durch musikalisch zu sein, daß man, wie mit besonderer Kraft ausgerüstet, die größten musikalischen Massen, die die Meister mit einer unzähligen Menge Noten und Töne der verschiedensten Instrumente aufgebauet, leicht und lustig handhabt, indem man sie, ohne sonderliche Gemütsbewegung, ohne die schmerzhaften Stöße des leidenschaftlichen Entzückens, der herzzerreißenden Wehmut zu spüren, in Sinn und Gedanken aufnimmt. – Wie hoch kann man sich dann auch über die Virtuosität der Spieler im Innern erfreuen; ja, diese Freude, die von innen herausstrebt, recht laut werden lassen, ohne alle Gefahr. An die Glückseligkeit, selbst ein Virtuos zu sein, will ich gar nicht denken; denn noch viel tiefer wird dann mein Schmerz, daß mir aller Sinn für Musik so ganz und gar abgeht, woher denn auch meine unbeschreibliche Unbeholfenheit in der Ausübung dieser herrlichen Kunst, die ich leider von Kindheit auf gezeigt, rühren mag. – Mein Vater war gewiß ein tüchtiger Musikus; er spielte fleißig auf einem großen Flügel oft bis in die späte Nacht hinein, und wenn es einmal ein Konzert in unserm Hause gab, dann spielte er sehr lange Stücke, wozu ihn die andern auf Violinen, Bässen, auch wohl Flöten und Waldhörnern ganz wenig begleiteten.

Wenn solch ein langes Stück endlich heraus war, dann schrien alle sehr und riefen: „Bravo, Bravo! welch ein schönes Konzert! wie fertig, wie rund gespielt!“ und nannten mit Ehrfurcht den Namen Emanuel Bach! – Der Vater hatte aber so viel hintereinander gehämmert und gebrauset, daß es mir immer vorkam, als sei das wohl kaum Musik, worunter ich mir so recht ans Herz gehende Melodien dachte, sondern er tue dies nur zum Spaß, und die andern hätten auch wieder ihren Spaß daran. – Ich war bei solchen Gelegenheiten immer in mein Sonntagsröckchen geknöpft und mußte auf einem hohen Stuhl neben der Mutter sitzen und zuhören, ohne mich viel zu regen und zu bewegen. Die Zeit wurde mir entsetzlich lang, und ich hätte wohl gar nicht ausdauern können, wenn ich mich nicht an den besondern Grimassen und komischen Bewegungen der Spieler ergötzt hätte. Vorzüglich erinnere ich mich noch eines alten Advokaten, der immer dicht bei meinem Vater die Geige spielte und von dem sie immer sagten, er wäre ein ganz übertriebener Enthusiast, und die Musik mache ihn halb verrückt, so daß er in der wahnsinnigen Exaltation, zu der ihn Emanuel Bachs oder Wolfs oder Bendas Genius hinaufschraube, weder rein greife noch Takt halte. – Mir steht der Mann noch ganz vor Augen. Er trug einen pflaumfarbenen Rock mit goldbesponnenen Knöpfen, einen kleinen silbernen Degen und eine rötliche, nur wenig gepuderte Perücke, an der hinten ein kleiner runder Haarbeutel hing. Er hatte einen unbeschreiblichen komischen Ernst in allem, was er begann. „Ad opus!“ pflegte er zu rufen, wenn der Vater die Musikblätter auf die Pulte verteilte. Dann ergriff er mit der rechten Hand die Geige, mit der linken aber die Perücke, die er abnahm und an einen Nagel hing. Nun hob er an, sich immer mehr und mehr übers Blatt beugend, zu arbeiten, daß die roten Augen glänzend heraustraten und Schweißtropfen auf der Stirn standen. Es geschah ihm zuweilen, daß er früher fertig wurde als die übrigen, worüber er sich denn nicht wenig wunderte und die andern ganz böse anschaute. Oft war es mir auch, als brächte er Töne heraus, denen ähnlich, die Nachbars Peter, mit naturhistorischem Sinn die verborgenen musikalischen Talente der

Katzen erforschend, unserm Hauskater ablockte durch schickliches Einklemmen des Schwanzes und sonst, weshalb er zuweilen von dem Vater etwas geprügelt wurde – (nämlich der Peter). – Kurz, der pflaumfarbene Advokat – er hieß Musewius – hielt mich ganz für die Pein des Stillsitzens schadlos, indem ich mich an seinen Grimassen, an seinen komischen Seitensprüngen, ja wohl gar an seinem Quinkelieren höchlich ergötzte. – Einmal machte er doch eine vollkommene Störung in der Musik, so daß mein Vater vom Flügel aufsprang und alle auf ihn zustürzten, einen bösen Zufall, der ihn ergriffen, befürchtend. Er fing nämlich an, erst etwas weniges mit dem Kopfe zu schütteln, dann aber in einem fortsteigenden Crescendo immer stärker und stärker den Kopf hin und her zu werfen, wozu er gräßlich mit dem Bogen über die Saiten hin und her fuhr, mit der Zunge schnalzte und mit dem Fuß stampfte. Es war aber nichts als eine kleine feindselige Fliege, die hatte ihn, mit beharrlichem Eigensinn in demselben Kreise bleibend, umsummt und sich, tausendmal verjagt, immer wieder auf die Nase gesetzt. Das hatte ihn in wilde Verzweiflung gestürzt. – Manchmal geschah es, daß die Schwester meiner Mutter eine Arie sang. Ach, wie freute ich mich immer darauf! Ich liebte sie sehr; sie gab sich viel mit mir ab und sang mir oft mit ihrer schönen Stimme, die so recht in mein Innerstes drang, eine Menge herrlicher Lieder vor, die ich so in Sinn und Gedanken trage, daß ich sie noch für mich leise zu singen vermag. – Es war immer etwas Feierliches, wenn meine Tante die Stimmen der Arien von Hasse oder von Traetta oder sonst einem Meister auflegte; der Advokat durfte nicht mitspielen. Schon wenn sie die Einleitung spielten und meine Tante noch nicht angefangen zu singen, klopfte mir das Herz, und ein ganz wunderbares Gefühl von Lust und Wehmut durchdrang mich, so daß ich mich kaum zu fassen wußte. Aber kaum hatte die Tante einen Satz gesungen, so fing ich an bitterlich zu weinen und wurde unter heftigen Scheltworten meines Vaters zum Saal hinausgebracht. Oft stritt sich mein Vater mit der Tante, weil letztere behauptete, mein Betragen rühre keineswegs davon her, daß mich die Musik auf unangenehme, widrige Weise affiziere, sondern vielmehr von der übergroßen Reizbarkeit meines Gemüts; dagegen mich der Vater geradezu einen dummen Jungen schalt, der aus Unlust heulen müsse wie ein antimusikalischer Hund. – Einen vorzüglichen Grund, nicht allein mich zu verteidigen, sondern auch sogar mir einen tief verborgenen musikalischen Sinn zuzuschreiben, nahm meine Tante aus dem Umstande her, daß ich oft, wenn der Vater zufällig den Flügel nicht zugeschlossen, mich stundenlang damit ergötzen konnte, allerlei wohlklingende Akkorde aufzusuchen und anzuschlagen. Hatte ich nun mit beiden Händen drei, vier, ja wohl sechs Tangenten gefunden, die, auf einmal niedergedrückt, einen gar wunderbaren, lieblichen Zusammenklang hören ließen, dann wurde ich nicht müde, sie anzuschlagen und austönen zu lassen. Ich legte den Kopf seitwärts auf den Deckel des Instruments; ich drückte die Augen zu; ich war in einer andern Welt; aber zuletzt mußte ich wieder bitterlich weinen, ohne zu wissen, ob vor Lust oder vor Schmerz. Meine Tante hatte mich oft belauscht und ihre Freude daran gehabt, wogegen mein Vater darin nur kindische Possen fand. Überhaupt schienen sie, so wie über mich, auch rücksichtlich anderer Gegenstände, vorzüglich der Musik, ganz uneins zu sein, indem meine Tante oft an musikalischen Stücken, vorzüglich wenn sie von italienischen Meistern ganz einfach und prunklos komponiert waren, ein großes Wohlgefallen fand, mein Vater aber, der ein heftiger Mann war, dergleichen Musik ein Dudeldumdei nannte, das den Verstand nie beschäftigen könne. Mein Vater sprach immer vom Verstande, meine Tante immer von Gefühl. – Endlich setzte sie es doch durch, daß mein Vater mich durch einen alten Kantor, der in den Familienkonzerten gewöhnlich die Viole strich, im Klavierspielen unterrichten ließ. Aber, du lieber Himmel, da zeigte es sich denn bald, daß die Tante mir viel zuviel zugetraut, der Vater dagegen recht hatte. An Taktgefühl sowie am Auffassen einer Melodie fehlte es mir, wie der Kantor behauptete, keinesweges; aber meine grenzenlose Unbehilflichkeit verdarb alles. Sollte ich ein Übungsstück für mich exerzieren und setzte mich mit dem besten Vorsatz, recht fleißig zu sein, an das Klavier, so verfiel ich unwillkürlich bald in jene Spielerei des Akkordsuchens, und so kam ich nicht weiter. Mit vieler, unsäglicher Mühe hatte ich mich durch mehrere Tonarten durchgearbeitet bis zu der verzweifelten, die vier Kreuze vorgezeichnet hat und, wie ich jetzt noch ganz bestimmt weiß, E-Dur genannt wird. Über dem Stück stand mit großen Buchstaben: Scherzando Presto, und als der Kantor es mir vorspielte, hatte es so was Hüpfendes, Springendes, das mir sehr mißfiel. Ach, wieviel Tränen, wieviel ermunternde Püffe des unseligen Kantors kostete mich das verdammte Presto! Endlich kam der für mich schreckliche Tag heran, an dem ich dem Vater und den musikalischen Freunden meine erworbenen Kenntnisse produzieren, alles, was ich gelernt, vorspielen sollte. Ich konnte alles gut, bis auf das abscheuliche E-Dur-Presto: da setzte ich mich abends vorher in einer Art von Verzweiflung ans Klavier, um, koste es was es wolle, fehlerfrei jenes Stück einzuspielen. Ich wußte selbst nicht, wie es zuging, daß ich das Stück gerade auf den Tangenten, die denen, welche ich aufschlagen sollte, rechts zunächst lagen, zu spielen versuchte; es gelang mir, das ganze Stück war leichter geworden, und ich verfehlte keine Note, nur auf andern Tangenten, und mir kam es vor, als klänge das Stück sogar viel besser, als so, wie es mir der Kantor vorgespielt hatte. Nun war mir froh und leicht zumute; ich setzte mich den andern Tag keck an den Flügel und hämmerte meine Stückchen frisch darauf los, und mein Vater rief einmal über das andere: „Das hätte ich nicht gedacht!" – Als das Scherzo zu Ende war, sagte der Kantor ganz freundlich: „Das war die schwere Tonart E-Dur!" und mein Vater wandte sich zu einem Freunde, sprechend: „Sehen Sie, wie fertig der Junge das schwere E-Dur handhabt!" – „Erlauben Sie, Verehrtester", erwiderte dieser, „das war ja F-Dur." – „Mitnichten, mitnichten!" sagte der Vater. „Ei ja doch", versetzte der Freund; „wir wollen es gleich sehen." Beide traten an den Flügel. „Sehen Sie", rief mein Vater triumphierend, indem er auf die vier Kreuze wies. „Und doch hat der Kleine F-Dur gespielt", sagte der Freund. – Ich sollte das Stück wiederholen. Ich tat es ganz unbefangen, indem es mir nicht einmal recht deutlich war, worüber sie so ernstlich stritten. Mein Vater sah in die Tasten; kaum hatte ich aber einige Töne gegriffen, als mir des Vaters Hand um die Ohren sauste. „Vertrackter, dummer Junge!" schrie er im höchsten Zorn. Weinend und schreiend lief ich davon, und nun war es mit meinem musikalischen Unterricht auf immer aus. Die Tante meinte zwar, gerade daß es mir möglich geworden, das ganze Stück richtig, nur in einem andern Ton zu spielen, zeige von wahrem musikalischen Talent; allein ich glaube jetzt selbst, daß mein Vater recht hatte, es aufzugeben, mich auf irgendeinem Instrumente unterrichten zu lassen, da meine Unbeholfenheit, die Steifheit und Ungelenkigkeit meiner Finger sich jedem Streben entgegengesetzt haben würde. – Aber eben diese Ungelenkigkeit scheint sich rücksichtlich der Musik auch auf mein geistiges Vermögen zu erstrecken. So habe ich nur zu oft bei dem Spiel anerkannter Virtuosen, wenn alles in jauchzende Bewunderung ausbrach, Langeweile, Ekel und Überdruß empfunden und mich noch dazu, da ich nicht unterlassen konnte, meine Meinung ehrlich herauszusagen, oder vielmehr mein inneres Gefühl deutlich aussprach, dem Gelächter der geschmackvollen, von der Musik begeisterten Menge preisgegeben. Ging es mir nicht doch vor kurzer Zeit ganz so, als ein berühmter Klavierspieler durch die Stadt reiste und sich bei einem meiner Freunde hören ließ? „Heute, Teuerster", sagte mir der Freund, „werden Sie gewiß von Ihrer Musikfeindschaft geheilt; der herrliche Y. wird Sie erheben – entzücken." Ich mußte mich wider meinen Willen dicht an das Pianoforte stellen; da fing der Virtuos an, die Töne auf und nieder zu rollen und erhob ein gewaltiges Gebrause, und als das immer fortdauerte, wurde mir ganz schwindelig und schlecht zumute, aber bald riß etwas anderes meine Aufmerksamkeit hin, und ich mag wohl, als ich den Spieler gar nicht mehr hörte, ganz sonderbar in das Pianoforte hineingestarrt haben; denn, als er endlich aufgehört hatte, zu donnern und zu rasen, ergriff mich der Freund beim Arm und rief: „Nun, Sie sind ja ganz versteinert! He, Freundchen, empfinden Sie nun endlich die tiefe, fortreißende Wirkung der himmlischen Musik?" – Da gestand ich ehrlich ein, wie ich eigentlich den Spieler wenig gehört, sondern mich vielmehr an dem schnellen Auf- und Abspringen – und dem gliederweisen Lauffeuer der Hämmer höchlich ergötzt habe; worüber denn alles in ein schallendes Gelächter ausbrach. – Wie oft werde ich empfindungs-, herz-, gemütlos gescholten, wenn ich unaufhaltsam aus dem Zimmer renne, sobald das Fortepiano geöffnet wird, oder diese und jene Dame die Guitarre in die Hand nimmt und sich zum Singen räuspert; denn ich weiß schon, daß bei der Musik, die sie gewöhnlich in den Häusern verführen, mir übel und weh wird und ich mir ordentlich physisch den Magen verderbe. – Das ist aber ein rechtes Unglück und bringt mir Verachtung der feinen Welt zuwege. Ich weiß wohl, daß eine solche Stimme, ein solcher Gesang wie der meiner Tante so recht in mein Innerstes dringt und sich da Gefühle regen, für die ich gar keine Worte habe; es ist mir, als sei das eben die Seligkeit, welche sich über das Irdische hebt und daher auch im Irdischen keinen Ausdruck zu finden vermag; aber eben deshalb ist es mir ganz unmöglich, höre ich eine solche Sängerin, in die laute Bewunderung auszubrechen wie die andern; ich bleibe still und schaue in mein Inneres, weil da noch alle die außen verklungenen Töne widerstrahlen, und da werde ich kalt, empfindungslos, ein Musikfeind gescholten. – Mir schrägüber wohnt der Konzertmeister, welcher jeden Donnerstag ein Quartett bei sich hat, wovon ich zur Sommerszeit den leisesten Ton höre, da sie abends, wenn es still auf der Straße geworden, bei geöffneten Fenstern spielen. Da setze ich mich aufs Sofa und höre mit geschlossenen Augen zu und bin ganz voller Wonne – aber nur bei dem ersten; bei dem zweiten Quartett verwirren sich schon die Töne, denn nun ist es, als müßten sie im Innern mit den Melodien des ersteren, die noch darin wohnen, kämpfen; und das dritte kann ich gar nicht mehr aushalten. Da muß ich fortrennen, und oft hat der Konzertmeister mich schon ausgelacht, daß ich mich von der Musik so in die Flucht schlagen ließe. – Sie spielten wohl, wie ich gehört habe, an sechs, acht solche Quartetts, und ich bewundere in der Tat die außerordentliche Geistesstärke, die innere musikalische Kraft, welche dazu gehört, so viel Musik hintereinander aufzufassen und durch das Abspielen alles so, wie im Innersten empfunden und gedacht, ins lebendige Leben ausgehen zu lassen. – Ebenso geht es mir mit den Konzerten, wo oft schon die erste Symphonie solch einen Tumult in mir erregt, daß ich für alles übrige tot bin. Ja, oft hat mich eben der erste Satz so aufgeregt, so gewaltsam erschüttert, daß ich mich hinaussehne, um all die seltsamen Erscheinungen, von denen ich befangen, deutlicher zu schauen, ja mich in ihren wunderbaren Tanz zu verflechten, daß ich, unter ihnen, ihnen gleich bin. Es kommt mir dann vor, als sei die gehörte Musik ich selbst. – Ich frage daher niemals nach dem Meister; das scheint mir ganz gleichgültig. Es ist mir so, als werde auf dem höchsten Punkt nur eine psychische Masse bewegt, und als habe ich in diesem Sinne viel Herrliches komponiert. – Indem ich dieses so für mich niederschreibe, wird mir angst und bange, daß es einmal in meiner angeborenen, unbefangenen Aufrichtigkeit mir über die Lippen fliehen könnte. Wie würde ich ausgelacht werden! Sollten nicht manche wahrhaftige musikalische Bravos an der Gesundheit meines Gemüts zweifeln? – Wenn ich oft nach der ersten Symphonie aus dem Konzertsaal eile, schreien sie mir nach: „Da läuft er fort, der Musikfeind!" und bedauern mich, da jeder Gebildete jetzt mit Recht verlangt, daß man nächst der Kunst, sich anständig zu verbeugen, und ebenso auch über das, was man nicht weiß, zu reden, auch die Musik liebe und treibe. Daß ich nun eben von diesem Treiben so oft getrieben werde hinaus in die Einsamkeit, wo die ewig waltende Macht in dem Rauschen der Eichenblätter über meinem Haupte, in dem Plätschern der Quelle wunderbare Töne anregt, die sich geheimnisvoll verschlingen mit den Lauten, die in meinem Innern ruhen und nun in herrlicher Musik hervorstrahlen – ja, das ist eben mein Unglück. – Die entsetzliche peinliche Schwerfälligkeit im Auffassen der Musik schadet mir auch recht in der Oper. – Manchmal freilich ist es mir, als würde nur dann und wann ein schickliches musikalisches Geräusch gemacht, und man verjage damit sehr zweckmäßig die Langeweile oder noch ärgere Ungetüme, so wie vor den Karawanen Zimbeln und Pauken toll und wild durcheinander geschlagen werden, um die wilden Tiere abzuhalten; aber wenn es oft so ist, als könnten die Personen nicht anders reden als in den gewaltigen Akzenten der Musik, als ginge das Reich des Wunderbaren auf wie ein flammender Stern – dann habe ich Mühe und Not, mich festzuhalten in dem Orkan, der mich erfaßt und in das Unendliche zu schleudern droht. – Aber in solch eine Oper gehe ich immer und immer wieder, und klarer und leuchtender wird es im Innern, und alle Gestalten treten heraus aus dem düstern Nebel und schreiten auf mich zu, und nun erkenne ich sie, wie sie so freundlich mir befreundet sind und mit mir dahinwallen im herrlichen Leben. – Ich glaube Glucks „Iphigenia" gewiß funfzigmal gehört zu haben. Darüber lachen aber mit Recht die echten Musiker und sagen: „Beim erstenmal hatten wir alles weg und beim dritten satt." – Ein böser Dämon verfolgt mich aber und zwingt mich, unwillkürlich komisch zu sein und Komisches zu verbreiten rücksichtlich meiner Musikfeindschaft. So stehe ich neulich im Schauspielhause, wohin ich aus Gefälligkeit für einen fremden Freund gegangen, und bin ganz vertieft in Gedanken, als sie gerade (es wurde eine Oper gegeben) so einen nichtssagenden musikalischen Lärm machen. Da stößt mich der Nachbar an, sprechend: „Das ist eine ganz vorzügliche Stelle!" Ich dachte und konnte in dem Augenblick nichts anderes denken, als daß er von der Stelle im Parterre spräche, wo wir uns gerade befanden, und antwortete ganz treuherzig: „Ja, eine gute Stelle, aber ein bißchen Zug weht doch!" – Da lachte er sehr, und als Anekdote von dem Musikfeind wurde es verbreitet in der ganzen Stadt, und überall neckte man mich mit meiner Zugluft in der Oper, und ich hatte doch recht. –

Sollte man es wohl glauben, daß es dessenungeachtet einen echten, wahren Musiker gibt, der noch jetzt rücksichtlich meines musikalischen Sinnes der Meinung meiner Tante ist? – Freilich wird niemand viel darauf geben, wenn ich gerade heraussage, daß dies kein anderer ist als der Kapellmeister Johannes Kreisler, der seiner Phantasterei wegen überall verschrien genug ist, aber ich bilde mir nicht wenig darauf ein, daß er es nicht verschmäht, mir recht nach meinem innern Gefühl, so wie es mich erfreut und erhebt, vorzusingen und vorzuspielen. – Neulich sagte er, als ich ihm meine musikalische Unbeholfenheit klagte, ich sei mit jenem Lehrling in dem Tempel zu Sais zu vergleichen, der, ungeschickt scheinend im Vergleich der andern Schüler, doch den wunderbaren Stein fand, den die andern mit allem Fleiß vergeblich suchten. Ich verstand ihn nicht, weil ich Novalis' Schriften nicht gelesen, auf die er mich verwies. Ich habe heute in die Leihbibliothek geschickt, werde das Buch aber wohl nicht erhalten, da es herrlich sein soll und also stark gelesen wird. – Doch nein; eben erhalte ich wirklich Novalis' Schriften, zwei Bändchen, und der Bibliothekar läßt mir sagen, mit dergleichen könne er immer aufwarten, da es stets zu Hause sei; nur habe er den Novalis nicht gleich finden können, da er ihn ganz und gar als ein Buch, nach dem niemals gefragt würde, zurückgestellt. – Nun will ich doch gleich sehen, was es mit den Lehrlingen zu Sais für eine Bewandtnis hat.

DIE VISION AUF DEM SCHLACHTFELDE BEI DRESDEN

Auf den dampfenden Ruinen des Feldschlößchens stand ich und sah hinab in die mit blutigen Leichen, mit Sterbenden bedeckte Ebene. Das dumpfe Röcheln des Todeskampfes, das Gewinsel des Schmerzes, das entsetzliche Geheul wütender Verzweiflung durchschnitt die Lüfte, und wie ein ferner Orkan brauste der Kanonendonner, die noch nicht gesättigte Rache furchtbar verkündend. Da war es mir, als zöge ein dünner Nebel über die Flur, und in ihm schwamm eine Rauchsäule, die sich allmählich verdickte zu einer finstern Gestalt. Näher und näher schwebend, stand sie hoch über meinem Haupte, da regte und bewegte sich alles auf dem Schlachtfelde; zerrissene Menschen standen auf und streckten ihre blutigen Schädel empor, und wilder wurde das Geheul, entsetzlicher der Jammer! Ein wunderbarer roter Schein blitzte, wie aus der Tiefe der Erde fahrend, durch die Luft, und aus Osten und Westen kamen lange – lange Züge leuchtender Gerippe heran, in den knöchernen Fäusten Schwerter tragend und sie erhebend gegen die Gestalt – Und immer wilder wurde das Geheul – entsetzlicher der Jammer! Aufs neue blitzte der rote Schein aus tiefer Erde, und aus Mittag und Mitternacht zogen zahllos die Gerippe heran mit glühenden Schwertern der Gestalt drohend. Und immer wilder und wilder wurde das Geheul, entsetzlicher der Jammer:

„Rache – Rache – unsere Qual über dich, blutiger Mörder!" Aus den blutigen Augen der Leichname, aus den knöchernen Augenhöhlen der Gerippe schossen Strahlen hinauf, die wie in emporflackernden Flammen die Gestalt erleuchteten. – Es war der Tyrann! – Er streckte seine Rechte aus über die Ebene und sprach:

„Was wollt ihr, Törichte, bin ich nicht selbst die Rache, bin ich nicht selbst das Verhängnis, dem ihr dienend gehorchen müßt?"

Da schrien die Stimmen von der Ebene herauf:

„Verworfener! höhne nicht die Macht, die hoch über dir schwebt – schaue über dich, Verblendeter!"

Aber der Tyrann senkte sein Haupt noch tiefer herab und sprach:

„Erkennt ihr mich? – ich bin der Tod!"

Da heulten noch wütender die Stimmen:

„Verworfener! höhne nicht die Macht, die den Tod sendet. Schaue über dich!"

Doch nicht aufwärts richtete der Tyrann seinen Blick; sondern zur Erde starrend, sprach er:

„Wahnsinnige, was sucht ihr über meinem Haupt? – über mir nichts! – öde ist der finstere Raum da droben, denn ich selbst bin die Macht der Rache und des Todes, und wenn ich meine Arme ausstrecke über euch, verstummt euer Jammer, und ihr sinkt vernichtet in den Staub!"

Und als er dies gesprochen, streckte er seine Arme wie im roten Feuer glühende Sicheln weit über die Ebene, und es war, als öffne die Erde den schwarzen bodenlosen Abgrund, die Leichname und Gerippe versanken, und ihr Geheul, ihr schneidender Jammer verhallte in der Tiefe. Da fuhr es herauf im tosenden Ungestüm wie eine Windsbraut, die Erde bebte, und in dem Sturme heulte und winselte die tiefe Klage von tausend Menschenstimmen. Nun quollen Blutstropfen aus der Tiefe, die das Wiesengrün färbten und bald gleich rauschenden Bächen im schäumenden Strom zusammensprudelten, der über die Ebene brauste. Immer stärker, immer höher stürmten seine Wellen, und aus dem zischenden gärenden Blut hob bald ein fürchterlicher riesiger Drache sein entsetzliches Haupt empor. Bald tauchte der glühende schuppige Schlangenleib aus den Blutwellen, und mit den schwarzen Fittichen gewaltig rauschend, daß, wie vor dem mächtigen Orkan, die Wälder sich beugten, flog der Drache auf in die Lüfte, und er faßte den Tyrannen mit den spitzigen Krallen, die er tief in seine Brust eingrub. – Da schrie der Tyrann, von dem gräßlichen Schmerz gepackt, auf im Krampf der Verzweiflung, daß seine Stimme im heulenden Mißton durch des Sturmes Brausen gellte, aber es erscholl wie Posaunen von oben herab:

„Erdenwurm! der du dich erhoben aus dem Staube – wähntest du nicht vermessen, die Macht zu sein, die den Schmerz, die den Tod sendet? – Erdenwurm, die Stunde der Erkenntnis, der Vergeltung ist da! – Aus denen, die du opfertest im frevelnden Hohn, wurde die Qual geboren, die dich zerfleischt im ewigen Jammer!"

Nun umschlang, fester und fester sein Gewinde schnürend, der Drache den Tyrannen, und überall gingen aus seinem Leibe spitze glühende Krallen hervor, die er wie Dolche in das Fleisch des Tyrannen schlug. Da wand der Tyrann, wie durch namenlose Folter verrenkt, das Haupt empor und sah über sich die in blendendem Funkeln strahlende Sonne, den Fokus des ewigen Verhängnisses, und entsetzlicher, schneidender wurde der heulende Jammer:

„Erlösung – Erlösung von dieser Qual – Tod – Ruhe in der tiefsten Tiefe der Erde!"

Da erscholl aus dem Fokus aufs neue die Stimme im Posaunenton:

„Entarteter! Verworfener! – die Erde ist nicht deine Heimat, die dir Ruhe gibt, denn nur dem Menschen, den du frech verhöhntest, ist es vergönnt, in ihrem Schoße zu ruhen, bis er, durchstrahlt vom ewigen Lichte, emporkeimt zum höhern Sein, aber im öden Raum ist *dein* Sein ewige Qual."

„Ach, nur Linderung, nur Trost in meinem Jammer", heulte der Tyrann.

„Schau herab", sprach die Stimme, „ob du in eines Menschen Brust Trost für dich finden magst, und deine Qual soll gelindert sein!"

Da trug das Ungeheuer den Tyrannen tiefer herab zur Erde, und es rauschten im nächtlichen Dunkel finstere gräßliche Gestalten – Nero – Dschingiskhan – Tilly – Alba waren unter ihnen, sie schauten mit tiefem Entsetzen die Marter des Tyrannen, und dumpf murmelten ihre Stimmen: „Was ist unsere Qual gegen seine Marter, denn uns ward noch Trost von der Erde, der wir angehörten."

Der Tyrann schaute um sich im wahnsinnigen Verlangen, aber öde blieb es auf der Ebene.

„Ist denn in keines Menschen Brust Trost für meine Qual!" schrie er in gräßlicher Verzweiflung, aber seine Stimme verhallte in den weiten Gründen, und kein menschlicher Ton des Trostes auf der ganzen weiten Erde unterbrach das dumpfe Schweigen der furchtbaren Öde.

Da faßte ihn gewaltiger der Drache und bohrte tiefer die glühenden Krallen in seine Brust, daß schrecklicher das Geheul seines namenlosen Jammers der wütendsten Verzweiflung durch die Lüfte raste, aber aus dem Fokus strahlte die Posaunenstimme:

„Für dich kein Trost auf der Erde, der du im frevelnden Hohn entsagtest. Ewig ist die Vergeltung und deine Qual." Als ich, wie aus schwerem Traum erwacht, die Ruinen verließ, hatte sich schon tiefe Dämmerung über die Flur gelegt; der Raub schlich gierig spähend dem Morde nach – winselnde Sterbende wurden geplündert. Es hielt schwer, durch den Schlag zu kommen, denn der Tumult herein- und herausziehender Soldaten drückte die Menschen zusammen. – Noch hallte die Stimme der ewigen Macht, die das Urteil über den Verdammten gesprochen, in meiner Brust, als ich schon in friedlicher Wohnung von den Schrecknissen des Tages ausrastete. – Ruhiger wurde es endlich in meiner Seele, und bald war es mir, als sei das glänzende Sternbild der Dioskuren segensreich über der Erde aufgegangen, die erquickt den mütterlichen Schoß öffnete, um die Früchte des Friedens in nie versiegendem Reichtum zu spenden. Ich erkannte die strahlenden Helden, die Söhne der Götter: – *Alexander* und *Friedrich Wilhelm!*

DER GOLDNE TOPF

Ein Märchen aus der neuen Zeit

Erste Vigilie

Die Unglücksfälle des Studenten Anselmus. – Des Konrektors Paulmann Sanitätsknaster und die goldgrünen Schlangen.

Am Himmelfahrtstage, nachmittags um drei Uhr, rannte ein junger Mensch in Dresden durchs Schwarze Tor und geradezu in einen Korb mit Äpfeln und Kuchen hinein, die ein altes häßliches Weib feilbot, so daß alles, was der Quetschung glücklich entgangen, hinausgeschleudert wurde und die Straßenjungen sich lustig in die Beute teilten, die ihnen der hastige Herr zugeworfen. Auf das Zetergeschrei, das die Alte erhob, verließen die Gevatterinnen ihre Kuchen- und Branntweintische, umringten den jungen Menschen und schimpften mit pöbelhaftem Ungestüm auf ihn hinein, so daß er, vor Ärger und Scham verstummend, nur seinen kleinen, nicht eben besonders gefüllten Geldbeutel hinhielt, den die Alte begierig ergriff und schnell einsteckte. Nun öffnete sich der festgeschlossene Kreis, aber indem der junge Mensch hinausschoß, rief ihm die Alte nach: „Ja renne – renne nur zu, Satanskind – ins Kristall bald dein Fall – ins Kristall!“ – Die gellende, krächzende Stimme des Weibes hatte etwas Entsetzliches, so daß die Spaziergänger verwundert stillstanden und das Lachen, das sich erst verbreitet, mit einem Mal verstummte. – Der Student Anselmus (niemand anders war der junge Mensch) fühlte sich, unerachtet er des Weibes sonderbare Worte durchaus nicht verstand, von einem unwillkürlichen Grausen ergriffen, und er beflügelte noch mehr seine Schritte, um sich den auf ihn gerichteten Blicken der neugierigen Menge zu entziehen. Wie er sich nun durch das Gewühl geputzter Menschen durcharbeitete, hörte er überall murmeln: „Der arme junge Mann – Ei! – über das verdammte Weib!“ – Auf ganz sonderbare Weise hatten die geheimnisvollen Worte der Alten dem lächerlichen Abenteuer eine gewisse tragische Wendung gegeben, so daß man dem vorhin ganz Unbemerkten jetzt teilnehmend nachsah. Die Frauenzimmer verziehen dem wohlgebildeten Gesichte, dessen Ausdruck die Glut des innern Grimms noch erhöhte, sowie dem kräftigen Wuchse des Jünglings alles Ungeschick sowie den ganz aus dem Gebiete aller Mode liegenden Anzug. Sein hechtgrauer Frack war nämlich so zugeschnitten, als habe der Schneider, der ihn gearbeitet, die moderne Form nur vom Hörensagen gekannt, und das schwarzatlasne wohlgeschonte Unterkleid gab dem Ganzen einen gewissen magistermäßigen Stil, dem sich nun wieder Gang und Stellung durchaus nicht fügen wollte. – Als der Student schon beinahe das Ende der Allee erreicht, die nach dem Linkischen Bade führt, wollte ihm beinahe der Atem ausgehen. Er war genötigt, langsamer zu wandeln; aber kaum wagte er den Blick in die Höhe zu richten, denn noch immer sah er die Äpfel und Kuchen um sich tanzen, und jeder freundliche Blick dieses oder jenes Mädchens war ihm nur der Reflex des schadenfrohen Gelächters am Schwarzen Tor. So war er bis an den Eingang des Linkischen Bades gekommen; eine Reihe festlich gekleideter Menschen nach der andern zog herein. Musik von Blasinstrumenten ertönte von innen, und immer lauter und lauter wurde das Gewühl der lustigen Gäste. Die Tränen wären dem armen Studenten Anselmus beinahe in die Augen getreten, denn auch *er* hatte, da der Himmelfahrtstag immer ein besonderes Familienfest für ihn gewesen, an der Glückseligkeit des Linkischen Paradieses teilnehmen, ja er hatte es bis zu einer halben Portion Kaffee mit Rum und einer Bouteille Doppelbier treiben wollen und, um so recht schlampampen zu können, mehr Geld eingesteckt, als eigentlich erlaubt und tunlich war. Und nun hatte ihn der fatale Tritt in den Äpfelkorb um alles gebracht, was er bei sich getragen. An Kaffee, an Doppelbier, an Musik, an den

Anblick der geputzten Mädchen – kurz! – an alle geträumten Genüsse war nicht zu denken; er schlich langsam vorbei und schlug endlich den Weg an der Elbe ein, der gerade ganz einsam war. Unter einem Holunderbaume, der aus der Mauer hervorgesprossen, fand er ein freundliches Rasenplätzchen; da setzte er sich hin und stopfte eine Pfeife von dem Sanitätsknaster, den ihm sein Freund, der Konrektor Paulmann, geschenkt. – Dicht vor ihm plätscherten und rauschten die goldgelben Wellen des schönen Elbstroms, hinter demselben streckte das herrliche Dresden kühn und stolz seine lichten Türme empor in den duftigen Himmelsgrund, der sich hinabsenkte auf die blumigen Wiesen und frisch grünenden Wälder, und aus tiefer Dämmerung gaben die zackichten Gebirge Kunde vom fernen Böhmerlande. Aber finster vor sich hin blickend, blies der Student Anselmus die Dampfwolken in die Luft, und sein Unmut wurde endlich laut, indem er sprach: „Wahr ist es doch, ich bin zu allem möglichen Kreuz und Elend geboren! – Daß ich niemals Bohnenkönig geworden, daß ich im Paar oder Unpaar immer falsch geraten, daß mein Butterbrot immer auf die fette Seite gefallen, von allem diesen Jammer will ich gar nicht reden; aber ist es nicht ein schreckliches Verhängnis, daß ich, als ich denn doch nun dem Satan zum Trotz Student geworden war, ein Kümmeltürke sein und bleiben mußte? – Ziehe ich wohl je einen neuen Rock an, ohne gleich das erstemal einen Talgfleck hineinzubringen oder mir an einem übel eingeschlagenen Nagel ein verwünschtes Loch hineinzureißen? Grüße ich wohl je einen Herrn Hofrat oder eine Dame, ohne den Hut weit von mir zu schleudern oder gar auf dem glatten Boden auszugleiten und schändlich umzustülpen? Hatte ich nicht schon in Halle jeden Markttag eine bestimmte Ausgabe von drei bis vier Groschen für zertretene Töpfe, weil mir der Teufel in den Kopf setzt, meinen Gang geradeaus zu nehmen wie die Laminge? Bin ich denn ein einziges Mal ins Kollegium, oder wo man mich sonst hinbeschieden, zu rechter Zeit gekommen? Was half es, daß ich eine halbe Stunde vorher ausging und mich vor die Tür hinstellte, den Drücker in der Hand, denn sowie ich mit dem Glockenschlage aufdrücken wollte, goß mir der Satan ein Waschbecken über den Kopf oder ließ mich mit einem Heraustretenden zusammenrennen, daß ich in tausend Händel verwickelt wurde und darüber alles versäumte. – Ach! ach! wo seid ihr hin, ihr seligen Träume künftigen Glücks, wie ich stolz wähnte, ich könne es wohl hier noch bis zum geheimen Sekretär bringen! Aber hat mir mein Unstern nicht die besten Gönner verfeindet? – Ich weiß, daß der Geheime Rat, an den ich empfohlen bin, verschnittenes Haar nicht leiden mag; mit Mühe befestigt der Friseur einen kleinen Zopf an meinem Hinterhaupt, aber bei der ersten Verbeugung springt die unglückselige Schnur, und ein munterer Mops, der mich umschnüffelt, apportiert im Jubel das Zöpfchen dem Geheimen Rate. Ich springe erschrocken nach und stürze über den Tisch, an dem er frühstückend gearbeitet hat, so daß Tassen, Teller, Tintenfaß – Sandbüchse klirrend herabstürzen und der Strom von Schokolade und Tinte sich über die eben geschriebene Relation ergießt. ‚Herr, sind Sie des Teufels?‘ brüllt der erzürnte Geheime Rat und schiebt mich zur Tür hinaus. – Was hilft es, daß mir der Konrektor Paulmann Hoffnung zu einem Schreiberdienste gemacht hat, wird es denn mein Unstern zulassen, der mich überall verfolgt! – Nur noch heute! – Ich wollte den lieben Himmelfahrtstag recht in der Gemütlichkeit feiern, ich wollte ordentlich was daraufgehen lassen. Ich hätte ebensogut wie jeder andere Gast in Linkes Bade stolz rufen können: ‚Markör – eine Flasche Doppelbier – aber vom besten bitte ich!‘ – Ich hätte bis spätabends sitzen können und noch dazu ganz nahe bei dieser oder jener Gesellschaft herrlich geputzter schöner Mädchen. Ich weiß es schon, der Mut wäre mir gekommen, ich wäre ein ganz anderer Mensch geworden; ja, ich hätte es so weit gebracht, daß wenn diese oder jene gefragt: ‚Wie spät mag es wohl jetzt sein?‘ oder ‚Was ist denn das, was sie spielen?‘, da wäre ich mit leichtem Anstande aufgesprungen, ohne mein Glas umzuwerfen oder über die Bank zu stolpern; mich in gebeugter Stellung anderthalb Schritte vorwärts bewegend, hätte ich gesagt: ‚Erlauben Sie, Mademoiselle, Ihnen zu dienen, es ist die Ouvertüre aus dem Donauweibchen‘ oder ‚Es wird gleich sechs Uhr schlagen‘. –

Hätte mir das ein Mensch in der Welt übel deuten können? – Nein! sage ich, die Mädchen hätten sich so schalkhaft lächelnd angesehen, wie es wohl zu geschehen pflegt, wenn ich mich ermutige, zu zeigen, daß ich mich auch wohl auf den leichten Weltton verstehe und mit Damen umzugehen weiß. Aber da führt mich der Satan in den verwünschten Äpfelkorb, und nun muß ich in der Einsamkeit meinen Sanitätsknaster –" Hier wurde der Student Anselmus in seinem Selbstgespräche durch ein sonderbares Rieseln und Rascheln unterbrochen, das sich dicht neben ihm im Grase erhob, bald aber in die Zweige und Blätter des Holunderbaums hinaufglitt, der sich über seinem Haupte wölbte. Bald war es, als schüttle der Abendwind die Blätter, bald, als kosten Vögelein in den Zweigen, die kleinen Fittiche im mutwilligen Hinundherflattern rührend. – Da fing es an zu flüstern und zu lispeln, und es war, als ertönten die Blüten wie aufgehangene Kristallglöckchen. Anselmus horchte und horchte. Da wurde, er wußte selbst nicht wie, das Gelispel und Geflüster und Geklingel zu leisen halbverwehten Worten:

„Zwischendurch – zwischenein – zwischen Zweigen, zwischen schwellenden Blüten schwingen, schlängeln, schlingen wir uns – Schwesterlein – Schwesterlein, schwinge dich im Schimmer – schnell, schnell herauf – herab – Abendsonne schießt Strahlen, zischelt der Abendwind – raschelt der Tau – Blüten singen – rühren wir Zünglein, singen wir mit Blüten und Zweigen – Sterne bald glänzen – müssen herab – zwischendurch, zwischenein schlängeln, schlingen, schwingen wir uns, Schwesterlein." –

So ging es fort in Sinne verwirrender Rede. Der Student Anselmus dachte: ‚Das ist denn doch nur der Abendwind, der heute mit ordentlich verständlichen Worten flüstert.' – Aber in dem Augenblick ertönte es über seinem Haupte wie ein Dreiklang heller Kristallglocken; er schaute hinauf und erblickte drei in grünem Gold erglänzende Schlänglein, die sich um die Zweige gewickelt hatten und die Köpfchen der Abendsonne entgegenstreckten. Da flüsterte und lispelte es von neuem in jenen Worten, und die Schlänglein schlüpften und kosten auf und nieder durch die Blätter und Zweige, und wie sie sich so schnell rührten, da war es, als streue der Holunderbusch tausend funkelnde Smaragde durch seine dunklen Blätter. ‚Das ist die Abendsonne, die so in dem Holunderbusch spielt', dachte der Student Anselmus, aber da ertönten die Glocken wieder, und Anselmus sah, wie eine Schlange ihr Köpfchen nach ihm herabstreckte. Durch alle Glieder fuhr es ihm wie ein elektrischer Schlag, er erbebte im Innersten – er starrte hinauf, und ein paar herrliche dunkelblaue Augen blickten ihn an mit unaussprechlicher Sehnsucht, so daß ein nie gekanntes Gefühl der höchsten Seligkeit und des tiefsten Schmerzes seine Brust zersprengen wollte. Und wie er voll heißen Verlangens immer in die holdseligen Augen schaute, da ertönten stärker in lieblichen Akkorden die Kristallglocken, und die funkelnden Smaragde fielen auf ihn herab und umspannen ihn, in tausend Flämmchen um ihn her flackernd und spielend mit schimmernden Goldfaden. Der Holunderbusch rührte sich und sprach: „Du lagst in meinem Schatten, mein Duft umfloß dich, aber du verstandest mich nicht. Der Duft ist meine Sprache, wenn ihn die Liebe entzündet." Der Abendwind strich vorüber und sprach: „Ich umspielte deine Schläfe, aber du verstandest mich nicht, der Hauch ist meine Sprache, wenn ihn die Liebe entzündet." Die Sonnenstrahlen brachen durch das Gewölk, und der Schein brannte wie in Worten: „Ich umgoß dich mit glühendem Gold, aber du verstandest mich nicht; Glut ist meine Sprache, wenn sie die Liebe entzündet."

Und immer inniger und inniger versunken in den Blick des herrlichen Augenpaars, wurde heißer die Sehnsucht, glühender das Verlangen. Da regte und bewegte sich alles, wie zum frohen Leben erwacht. Blumen und Blüten dufteten um ihn her, und ihr Duft war wie herrlicher Gesang von tausend Flötenstimmen, und was sie gesungen, trugen im Widerhall die goldenen vorüberfliehenden Abendwolken in ferne Lande. Aber als der letzte Strahl der Sonne schnell hinter den Bergen verschwand und nun die Dämmerung ihren Flor über die Gegend warf, da rief, wie aus weiter Ferne, eine rauhe tiefe Stimme:

„Hei, hei, was ist das für ein Gemunkel und Geflüster da drüben? – Hei, hei, wer sucht mir doch den Strahl hinter den Bergen! – genug gesonnt, genug gesungen – Hei, hei, durch Busch und Gras – durch Gras und Strom! – Hei – hei – Her u – u -- u nter – Her u – u – u nter!“ –

So verschwand die Stimme wie im Murmeln eines fernen Donners, aber die Kristallglocken zerbrachen im schneidenden Mißton. Alles war verstummt, und Anselmus sah, wie die drei Schlangen schimmernd und blinkend durch das Gras nach dem Strome schlüpften; rischelnd und raschelnd stürzten sie sich in die Elbe, und über den Wogen, wo sie verschwunden, knisterte ein grünes Feuer empor, das in schiefer Richtung nach der Stadt zu leuchtend verdampfte.

Zweite Vigilie

Wie der Student Anselmus für betrunken und wahnwitzig gehalten wurde. – Die Fahrt über die Elbe. – Die Bravourarie des Kapellmeisters Graun. – Conradis Magenlikör und das bronzierte Äpfelweib.

„Der Herr ist wohl nicht recht bei Troste!“ sagte eine ehrbare Bürgersfrau, die, vom Spaziergange mit der Familie heimkehrend, stillstand und mit übereinandergeschlagenen Armen dem tollen Treiben des Studenten Anselmus zusah. *Der* hatte nämlich den Stamm des Holunderbaumes umfaßt und rief unaufhörlich in die Zweige und Blätter hinein: „O nur noch einmal blinket und leuchtet, ihr lieblichen goldnen Schlänglein, nur noch einmal laßt eure Glockenstimmchen hören! Nur noch einmal blikket mich an, ihr holdseligen blauen Augen, nur noch einmal, ich muß ja sonst vergehen in Schmerz und heißer Sehnsucht!“ Und dabei seufzte und ächzte er aus der tiefsten Brust recht kläglich und schüttelte vor Verlangen und Ungeduld den Holunderbaum, der aber statt aller Antwort nur ganz dumpf und unvernehmlich mit den Blättern rauschte und so den Schmerz des Studenten Anselmus ordentlich zu verhöhnen schien. – „Der Herr ist wohl nicht recht bei Troste“, sagte die Bürgersfrau, und dem Anselmus war es so, als würde er aus einem tiefen Traum gerüttelt oder gar mit eiskaltem Wasser begossen, um ja recht jähling zu erwachen. Nun sah er erst wieder deutlich, wo er war, und besann sich, wie ein sonderbarer Spuk ihn geneckt und gar dazu getrieben habe, ganz allein für sich selbst in laute Worte auszubrechen. Bestürzt blickte er die Bürgersfrau an und griff endlich nach dem Hute, der zur Erde gefallen, um davonzueilen. Der Familienvater war unterdessen auch herangekommen und hatte, nachdem er das Kleine, das er auf dem Arm getragen, ins Gras gesetzt, auf seinen Stock sich stützend, mit Verwunderung dem Studenten zugehört und zugeschaut. Er hob jetzt Pfeife und Tabaksbeutel auf, die der Student fallen lassen, und sprach, beides ihm hinreichend: „Lamentier der Herr nicht so schrecklich in der Finsternis, und vexier Er nicht die Leute, wenn Ihm sonst nichts fehlt, als daß Er zuviel ins Gläschen geguckt – geh Er fein ordentlich zu Hause und leg Er sich aufs Ohr!" Der Student Anselmus schämte sich sehr, er stieß ein weinerliches Ach! aus. „Nun, nun", fuhr der Bürgersmann fort, „laß es der Herr nur gut sein, so was geschieht den Besten, und am lieben Himmelfahrtstage kann man wohl in der Freude seines Herzens ein Schlückchen über den Durst tun. Das passiert auch wohl einem Mann Gottes – der Herr ist ja doch wohl ein Kandidat. – Aber wenn es der Herr erlaubt, stopf ich mir ein Pfeifchen von seinem Tabak, meiner ist mir da droben ausgegangen." Dies sagte der Bürger, als der Student Anselmus schon Pfeife und Beutel einstecken wollte, und nun reinigte der Bürger langsam und bedächtig seine Pfeife und fing ebenso langsam an zu stopfen. Mehrere Bürgermädchen waren dazugetreten, die sprachen heimlich mit der Frau und kickerten miteinander, indem sie den Anselmus ansahen. *Dem* war es, als stände er auf lauter spitzigen Dornen und glühenden Nadeln. Sowie er nur Pfeife und Tabaksbeutel erhalten, rannte er spornstreichs davon. Alles, was er Wunderbares gesehen, war ihm rein aus dem Gedächtnis geschwunden, und er besann sich nur, daß er unter dem Holunderbaum allerlei tolles Zeug ganz laut geschwatzt, was ihm denn um so entsetzlicher war, als er von jeher einen innerlichen

Abscheu gegen alle Selbstredner gehegt. „Der Satan schwatzt aus ihnen“, sagte sein Rektor, und daran glaubte er auch in der Tat. Für einen am Himmelfahrtstage betrunkenen Candidatus theologiae gehalten zu werden, der Gedanke war ihm unerträglich. Schon wollte er in die Pappelallee bei dem Koselschen Garten einbiegen, als eine Stimme hinter ihm her rief: „Herr Anselmus! Herr Anselmus! wo rennen Sie denn um tausend Himmels willen hin in solcher Hast!“ Der Student blieb wie in den Boden gewurzelt stehen, denn er war überzeugt, daß nun gleich ein neues Unglück auf ihn einbrechen werde. Die Stimme ließ sich wieder hören: „Herr Anselmus, so kommen Sie doch zurück, wir warten hier am Wasser!“ – Nun vernahm der Student erst, daß es sein Freund, der Konrektor Paulmann, war, der ihn rief; er ging zurück an die Elbe und fand den Konrektor mit seinen beiden Töchtern sowie den Registrator Heerbrand, wie sie eben im Begriff waren, in eine Gondel zu steigen. Der Konrektor Paulmann lud den Studenten ein, mit ihm über die Elbe zu fahren und dann in seiner auf der Pirnaer Vorstadt gelegenen Wohnung abends über bei ihm zu bleiben. Der Student Anselmus nahm das recht gern an, weil er denn doch so dem bösen Verhängnis, das heute über ihn walte, zu entrinnen glaubte. Als sie nun über den Strom fuhren, begab es sich, daß auf dem jenseitigen Ufer bei dem Antonschen Garten ein Feuerwerk abgebrannt wurde. Prasselnd und zischend fuhren die Raketen in die Höhe, und die leuchtenden Sterne zersprangen in den Lüften, tausend knisternde Strahlen und Flammen um sich sprühend. Der Student Anselmus saß in sich gekehrt bei dem rudernden Schiffer, als er nun aber im Wasser den Widerschein der in der Luft herumsprühenden und knisternden Funken und Flammen erblickte, da war es ihm, als zögen die goldnen Schlänglein durch die Flut. Alles, was er unter dem Holunderbaum Seltsames geschaut, trat wieder lebendig in Sinn und Gedanken, und aufs neue ergriff ihn die unaussprechliche Sehnsucht, das glühende Verlangen, welches dort seine Brust in krampfhaft schmerzvollem Entzücken erschüttert. „Ach, seid ihr es denn wieder, ihr goldenen Schlänglein, singt nur, singt! In eurem Gesange erscheinen mir ja wieder die holden lieblichen dunkelblauen Augen – ach, seid ihr denn unter den Fluten!" – So rief der Student Anselmus und machte dabei eine heftige Bewegung, als wolle er sich gleich aus der Gondel in die Flut stürzen. „Ist der Herr des Teufels?" rief der Schiffer und erwischte ihn beim Rockschoß. Die Mädchen, welche bei ihm gesessen, schrien im Schreck auf und flüchteten auf die andere Seite der Gondel; der Registrator sagte dem Konrektor Paulmann etwas ins Ohr, worauf dieser mehreres antwortete, wovon der Student Anselmus aber nur die Worte verstand: „Dergleichen Anfälle – noch nicht bemerkt?" – Gleich nachher stand auch der Konrektor Paulmann auf und setzte sich mit einer gewissen ernsten gravitätischen Amtsmiene zu dem Studenten Anselmus, seine Hand nehmend und sprechend: „Wie ist Ihnen, Herr Anselmus?" Dem Studenten Anselmus vergingen beinahe die Sinne, denn in seinem Innern erhob sich ein toller Zwiespalt, den er vergebens beschwichtigen wollte. Er sah nun wohl deutlich, daß das, was er für das Leuchten der goldenen Schlänglein gehalten, nur der Widerschein des Feuerwerks bei Antons Garten war; aber ein nie gekanntes Gefühl, er wußte selbst nicht, ob Wonne, ob Schmerz, zog krampfhaft seine Brust zusammen, und wenn der Schiffer nun so mit dem Ruder ins Wasser hineinschlug, daß es, wie im Zorn sich emporkräuselnd, plätscherte und rauschte, da vernahm er in dem Getöse ein heimliches Lispeln und Flüstern: „Anselmus! Anselmus! Siehst du nicht, wie wir stets vor dir her ziehen? – Schwesterlein blickt dich wohl wieder an – glaube – glaube – glaube an uns." – Und es war ihm, als säh er im Widerschein drei grünglühende Streife. Aber als er dann recht wehmütig ins Wasser hineinblickte, ob nun nicht die holdseligen Augen aus der Flut herausschauen würden, da gewahrte er wohl, daß der Schein nur von den erleuchteten Fenstern der nahen Häuser herrührte. Schweigend saß er da und im Innern mit sich kämpfend; aber der Konrektor Paulmann sprach noch heftiger: „Wie ist Ihnen, Herr Anselmus?" Ganz kleinmütig antwortete der Student: „Ach, lieber Herr Konrektor, wenn Sie wüßten, was ich eben unter einem Holunderbaum bei der Linkeschen Gartenmauer ganz wachend mit offnen Augen für ganz besondere Dinge geträumt habe, ach, Sie würden es mir gar nicht verdenken, daß ich so gleichsam abwesend" – „Ei, ei, Herr Anselmus", fiel der Konrektor Paulmann ein, „ich habe Sie immer für einen soliden jungen Mann gehalten, aber träumen – mit hellen offenen Augen träumen und dann mit einemmal ins Wasser springen wollen, das – verzeihen Sie mir, können nur Wahnwitzige oder Narren!" – Der Student Anselmus wurde ganz betrübt über seines Freundes harte Rede, da sagte Paulmanns älteste Tochter Veronika, ein recht hübsches blühendes Mädchen von sechzehn Jahren: „Aber, lieber Vater, es muß dem Herrn Anselmus doch was Besonderes begegnet sein, und er glaubt vielleicht nur, daß er gewacht habe, unerachtet er unter dem Holunderbaum wirklich geschlafen und ihm allerlei närrisches Zeug vorgekommen, was ihm noch in Gedanken liegt." – „Und, teuerste Mademoiselle, werter Konrektor", nahm der Registrator Heerbrand das Wort, „sollte man denn nicht auch wachend in einen gewissen träumerischen Zustand versinken können? So ist mir in der Tat selbst einmal nachmittags beim Kaffee in einem solchen Hinbrüten, dem eigentlichen Moment körperlicher und geistiger Verdauung, die Lage eines verlornen Aktenstücks wie durch Inspiration eingefallen, und nur noch gestern tanzte auf gleiche Weise eine herrliche große lateinische Frakturschrift vor meinen hellen offenen Augen umher." – „Ach, geehrtester Registrator", erwiderte der Konrektor Paulmann, „Sie haben immer so einen Hang zu den Poeticis gehabt, und da verfällt man leicht in das Phantastische und Romanhafte." Aber dem Studenten Anselmus tat es wohl, daß man sich seiner in der höchst betrübten Lage, für betrunken oder wahnwitzig gehalten zu werden, annahm, und unerachtet es ziemlich finster geworden, glaubte er doch zum ersten Male zu bemerken, wie Veronika recht schöne dunkelblaue Augen habe, ohne daß ihm jedoch jenes wunderbare Augenpaar, das er in dem Holunderbaum geschaut, in Gedanken kam. Überhaupt war dem Studenten Anselmus mit einemmal nun wieder das Abenteuer unter dem Holunderbaum ganz verschwunden, er fühlte sich so leicht und froh, ja er trieb es wie im lustigen Übermute so weit, daß er bei dem Heraussteigen aus der Gondel seiner Schutzrednerin Veronika die hilfreiche Hand bot und ohne weiteres, als sie ihren Arm in den seinigen hing, sie mit so vieler Geschicklichkeit und so vielem Glück zu Hause führte, daß er nur ein einziges Mal ausglitt, und da es gerade der einzige schmutzige Fleck auf dem ganzen Wege war, Veronikas weißes Kleid nur ganz wenig bespritzte. Dem Konrektor Paulmann entging die glückliche Änderung des Studenten Anselmus nicht, er gewann ihn wieder lieb und bat ihn der harten Worte wegen, die er vorhin gegen ihn fallenlassen, um Verzeihung. „Ja!" fügte er hinzu, „man hat wohl Beispiele, daß oft gewisse Phantasmata dem Menschen vorkommen und ihn ordentlich ängstigen und quälen können, das ist aber körperliche Krankheit, und es helfen Blutigel, die man, salva venia, dem Hintern appliziert, wie ein berühmter, bereits verstorbener Gelehrter bewiesen." Der Student Anselmus wußte nun in der Tat selbst nicht, ob er betrunken, wahnwitzig oder krank gewesen, auf jeden Fall schienen ihm aber die Blutigel ganz unnütz, da die etwanigen Phantasmata gänzlich verschwunden und er sich immer heiterer fühlte, je mehr es ihm gelang, sich in allerlei Artigkeiten um die hübsche Veronika zu bemühen. Es wurde wie gewöhnlich nach der frugalen Mahlzeit Musik gemacht; der Student Anselmus mußte sich ans Klavier setzen, und Veronika ließ ihre helle, klare Stimme hören. – „Werte Mademoiselle", sagte der Registrator Heerbrand, „Sie haben eine Stimme wie eine Kristallglocke!" – „Das nun wohl nicht!" fuhr es dem Studenten Anselmus heraus, er wußte selbst nicht wie, und alle sahen ihn verwundert und betroffen an. „Kristallglocken tönen in Holunderbäumen wunderbar! wunderbar!" fuhr der Student Anselmus halbleise murmelnd fort. Da legte Veronika ihre Hand auf seine Schulter und sagte: „Was sprechen Sie denn da, Herr Anselmus?" Gleich wurde der Student wieder ganz munter und fing an zu spielen. Der Konrektor Paulmann sah ihn finster an, aber der Registrator Heerbrand legte ein Notenblatt auf den Pult und sang zum Entzücken eine Bravourarie vom Kapellmeister Graun. Der Student Anselmus akkompagnierte noch manches, und ein fugiertes Duett, das er mit Veronika vortrug und das der Konrektor Paulmann selbst komponiert, setzte alles in die fröhlichste Stimmung. Es war ziemlich spät geworden, und der Registrator Heerbrand griff nach Hut und Stock, da trat der Konrektor Paulmann geheimnisvoll zu ihm hin und sprach: „Ei, wollen Sie nicht, geehrter Registrator, dem guten Herrn Anselmus selbst – nun! wovon wir vorhin sprachen" – „Mit tausend Freuden", erwiderte der Registrator Heerbrand und begann, nachdem sie sich im Kreise gesetzt, ohne weiteres in folgender Art: „Es ist hier am Orte ein alter wunderlicher, merkwürdiger Mann, man sagt, er treibe allerlei geheime Wissenschaften, da es nun aber dergleichen eigentlich nicht gibt, so halte ich ihn eher für einen forschenden Antiquar, auch wohl nebenher für einen experimentierenden Chemiker. Ich meine niemand andern als unsern Geheimen Archivarius Lindhorst. Er lebt, wie Sie wissen, einsam in seinem entlegenen alten Haus, und wenn ihn der Dienst nicht beschäftigt, findet man ihn in seiner Bibliothek oder in seinem chemischen Laboratorio, wo er aber niemanden hineinläßt. Er besitzt außer vielen seltenen Büchern eine Anzahl zum Teil arabischer, koptischer und gar in sonderbaren Zeichen, die keiner bekannten Sprache angehören, geschriebener Manuskripte. Diese will er auf geschickte Weise kopieren lassen, und es bedarf dazu eines Mannes, der sich darauf versteht, mit der Feder zu zeichnen, um mit der höchsten Genauigkeit und Treue alle Zeichen auf Pergament, und zwar mit Tusche, übertragen zu können. Er läßt in einem besondern Zimmer seines Hauses unter seiner Aufsicht arbeiten, bezahlt außer dem freien Tisch während der Arbeit jeden Tag einen Speziestaler und verspricht noch ein ansehnliches Geschenk, wenn die Abschriften glücklich beendet. Die Zeit der Arbeit ist täglich von zwölf bis sechs Uhr. Von drei bis vier Uhr wird geruht und gegessen. Da er schon mit ein paar jungen Leuten vergeblich den Versuch gemacht hat, jene Manuskripte kopieren zu lassen, so hat er sich endlich an mich gewendet, ihm einen geschickten Zeichner zuzuweisen: da habe ich an Sie gedacht, lieber Herr Anselmus, denn ich weiß, daß Sie sowohl sehr sauber schreiben als auch mit der Feder zierlich und rein zeichnen. Wollen Sie daher in dieser schlechten Zeit und bis zu Ihrer etwanigen Anstellung den Speziestaler täglich verdienen und das Geschenk obendrein, so bemühen Sie sich morgen Punkt zwölf Uhr zu dem Herrn Archivarius, dessen Wohnung Ihnen bekannt sein wird. – Aber hüten Sie sich vor jedem Tinteflecken; fällt er auf die Abschrift, so müssen Sie ohne Gnade von vorn anfangen, fällt er auf das Original, so ist, der Herr Archivarius imstande, Sie zum Fenster hinauszuwerfen, denn es ist ein zorniger Mann." – Der Student Anselmus war voll inniger Freude über den Antrag des Registrators Heerbrand; denn nicht allein, daß er sauber schrieb und mit der Feder zeichnete, so war es auch seine wahre Passion, mit mühsamem kalligraphischen Aufwande abzuschreiben; er dankte daher seinen Gönnern in den verbindlichsten Ausdrücken und versprach die morgende Mittagsstunde nicht zu versäumen. In der Nacht sah der Student Anselmus nichts als blanke Speziestaler und hörte ihren lieblichen Klang. – Wer mag das dem Armen verargen, der um so manche Hoffnung durch ein launisches Mißgeschick betrogen, jeden Heller zu Rate halten und manchem Genuß, den jugendliche Lebenslust foderte, entsagen mußte. Schon am frühen Morgen suchte er seine Bleistifte, seine Rabenfedern, seine chinesische Tusche zusammen; denn besser, dachte er, kann der Archivarius keine Materialien erfinden. Vor allen Dingen musterte und ordnete er seine kalligraphischen Meisterstücke und seine Zeichnungen, um sie dem Archivarius, zum Beweis seiner Fähigkeit, das Verlangte zu erfüllen, aufzuweisen. Alles ging glücklich vonstatten, ein besonderer Glücksstern schien über ihn zu walten, die Halsbinde saß gleich beim ersten Umknüpfen, wie sie sollte, keine Naht platzte, keine Masche zerriß in den schwarzseidenen Strümpfen, der Hut fiel nicht noch einmal in den Staub, als er schon sauber abgebürstet. – Kurz! – Punkt halb zwölf Uhr stand der Student Anselmus in seinem hechtgrauen Frack und seinen schwarzatlasnen Unterkleidern, eine Rolle Schönschriften und Federzeichnungen in der Tasche, schon auf der Schloßgasse in Conradis Laden und trank – eins

– zwei Gläschen des besten Magenlikörs, denn hier, dachte er, indem er auf die annoch leere Tasche schlug, werden bald Speziestaler erklingen. Unerachtet des weiten Weges bis in die einsame Straße, in der sich das uralte Haus des Archivarius Lindhorst befand, war der Student Anselmus doch vor zwölf Uhr an der Haustür. Da stand er nun und schaute den großen schönen bronzenen Türklopfer an; aber als er nun auf den letzten die Luft mit mächtigem Klange durchbebenden Schlag der Turmuhr an der Kreuzkirche den Türklopfer ergreifen wollte, da verzog sich das metallene Gesicht im ekelhaften Spiel blauglühender Lichtblicke zum grinsenden Lächeln. Ach! es war ja das Äpfelweib vom Schwarzen Tor! Die spitzigen Zähne klapperten in dem schlaffen Maule zusammen, und in dem Klappern schnarrte es: „Du Narre – Narre – Narre – warte, warte! warum warst hinausgerannt! Narre!" – Entsetzt taumelte der Student Anselmus zurück, er wollte den Türpfosten ergreifen, aber seine Hand erfaßte die Klingelschnur und zog sie an, da läutete es stärker und stärker in gellenden Mißtönen, und durch das ganze öde Haus rief und spottete der Widerhall: „Bald dein Fall ins Kristall!" – Den Studenten Anselmus ergriff ein Grausen, das im krampfhaften Fieberfrost durch alle Glieder bebte. Die Klingelschnur senkte sich hinab und wurde zur weißen durchsichtigen Riesenschlange, die umwand und drückte ihn, fester und fester ihr Gewinde schnürend, zusammen, daß die mürben zermalmten Glieder knackend zerbröckelten und sein Blut aus den Adern spritzte, eindringend in den durchsichtigen Leib der Schlange und ihn rot färbend. – „Töte mich, töte mich!" wollte er schreien in der entsetzlichen Angst, aber sein Geschrei war nur ein dumpfes Röcheln. – Die Schlange erhob ihr Haupt und legte die lange spitzige Zunge von glühendem Erz auf die Brust des Anselmus, da zerriß ein schneidender Schmerz jähling die Pulsader des Lebens, und es vergingen ihm die Gedanken. – Als er wieder zu sich selbst kam, lag er auf seinem dürftigen Bettlein, vor ihm stand aber der Konrektor Paulmann und sprach: „Was treiben Sie denn um des Himmels willen für tolles Zeug, lieber Herr Anselmus!"

Dritte Vigilie

Nachrichten von der Familie des Archivarius Lindhorst. – Veronikas blaue Augen. – Der Registrator Heerbrand.

„Der Geist schaute auf das Wasser, da bewegte es sich und brauste in schäumenden Wogen und stürzte sich donnernd in die Abgründe, die ihren schwarzen Rachen aufsperrten, es gierig zu verschlingen. Wie triumphierende Sieger hoben die Granitfelsen ihre zackicht gekrönten Häupter empor, das Tal schützend, bis es die Sonne in ihren mütterlichen Schoß nahm und, es umfassend, mit ihren Strahlen wie mit glühenden Armen pflegte und wärmte. Da erwachten tausend Keime, die unter dem öden Sande geschlummert, aus dem tiefen Schlafe und streckten ihre grüne Blättlein und Halme zum Angesicht der Mutter hinauf, und wie lächelnde Kinder in grüner Wiege ruhten in den Blüten und Knospen Blümlein, bis auch sie, von der Mutter geweckt, erwachten und sich schmückten mit den Lichtern, die die Mutter ihnen zur Freude auf tausendfache Weise bunt gefärbt. Aber in der Mitte des Tals war ein schwarzer Hügel, der hob sich auf und nieder wie die Brust des Menschen, wenn glühende Sehnsucht sie schwellt. – Aus den Abgründen rollten die Dünste empor, und sich zusammenballend in gewaltige Massen, strebten sie das Angesicht der Mutter feindlich zu verhüllen; die rief aber den Sturm herbei, der fuhr zerstäubend unter sie, und als der reine Strahl wieder den schwarzen Hügel berührte, da brach im Übermaß des Entzückens eine herrliche Feuerlilie hervor, die schönen Blätter wie holdselige Lippen öffnend, der Mutter süße Küsse zu empfangen. – Nun schritt ein glänzendes Leuchten in das Tal; es war der Jüngling Phosphorus, den sah die Feuerlilie und flehte, von heißer sehnsüchtiger Liebe befangen: ‚Sei doch mein ewiglich, du schöner Jüngling! denn ich liebe dich und muß vergehen, wenn du mich verlässest.' Da sprach der Jüngling Phosphorus: ‚Ich will dein sein, du schöne Blume, aber dann wirst du wie ein entartet Kind Vater und Mutter verlassen, du wirst deine Gespielen nicht mehr kennen, du wirst größer und mächtiger sein wollen als alles, was sich jetzt als deinesgleichen mit dir freut. Die Sehnsucht, die jetzt dein ganzes Wesen wohltätig erwärmt, wird, in hundert Strahlen zerspaltet, dich quälen und martern, denn der Sinn wird die Sinne gebären, und die höchste Wonne, die der Funke entzündet, den ich in dich hineinwerfe, ist der hoffnungslose Schmerz, in dem du untergehst, um aufs neue fremdartig emporzukeimen. – Dieser Funke ist der Gedanke!' – ‚Ach!' klagte die Lilie, ‚kann ich denn nicht in der Glut, wie sie jetzt in mir brennt, dein sein? Kann ich dich denn mehr lieben als jetzt, und kann ich dich denn schauen wie jetzt, wenn du mich vernichtest?' Da küßte sie der Jüngling Phosphorus, und wie vom Lichte durchstrahlt, loderte sie auf in Flammen, aus denen ein fremdes Wesen hervorbrach, das, schnell dem Tale entfliehend, im unendlichen Raume herumschwärmte, sich nicht kümmernd um die Gespielen der Jugend und um den geliebten Jüngling. Der klagte um die verlorne Geliebte, denn auch ihn brachte ja nur die unendliche Liebe zu der schönen Lilie in das einsame Tal, und die Granitfelsen neigten ihre Häupter teilnehmend vor dem Jammer des Jünglings. Aber einer öffnete seinen Schoß, und es kam ein schwarzer geflügelter Drache rauschend herausgeflattert und sprach: ‚Meine Brüder, die Metalle, schlafen da drinnen, aber ich bin stets munter und wach und will dir helfen.' Sich auf und nieder schwingend, erhaschte endlich der Drache das Wesen, das der Lilie entsprossen, trug es auf den Hügel und umschloß es mit seinem Fittich; da war es wieder die Lilie, aber der bleibende Gedanke zerriß ihr Innerstes, und die Liebe zu dem Jüngling Phosphorus war ein schneidender Jammer, vor dem, von giftigen Dünsten angehaucht, die Blümlein, die sonst sich ihres Blicks gefreut, verwelkten und starben. Der Jüngling Phosphorus legte eine glänzende Rüstung an, die in tausendfarbigen Strahlen spielte, und kämpfte mit dem Drachen, der mit seinem schwarzen Fittich an den Panzer schlug, daß er hell erklang; und von dem mächtigen Klange lebten die Blümlein wieder auf und umflatterten wie bunte Vögel den Drachen, dessen Kräfte schwanden und der besiegt sich in der Tiefe der Erde verbarg. Die Lilie war befreit, der Jüngling Phosphorus umschlang sie voll glühenden Verlangens himmlischer Liebe, und im hochjubelnden Hymnus huldigten ihr die Blumen, die Vögel, ja selbst die hohen Granitfelsen als Königin des Tals.“ – „Erlauben Sie, das ist orientalischer Schwulst, werter Herr Archivarius!“ sagte der Registrator Heerbrand, „und wir baten denn doch, Sie sollten, wie Sie sonst wohl zu tun pflegen, uns etwas aus Ihrem höchst merkwürdigen Leben, etwa von Ihren Reiseabenteuern, und zwar etwas Wahrhaftiges, erzählen.“ – „Nun, was denn“, erwiderte der Archivarius Lindhorst, „das, was ich soeben erzählt, ist das Wahrhaftigste, was ich euch auftischen kann, ihr Leute, und gehört in gewisser Art auch zu meinem Leben. Denn ich stamme eben aus jenem Tale her, und die Feuerlilie, die zuletzt als Königin herrschte, ist meine Urururgroßmutter, weshalb ich denn auch eigentlich ein Prinz bin.“ – Alle brachen in ein schallendes Gelächter aus. – „Ja, lacht nur recht herzlich“, fuhr der Archivarius Lindhorst fort, „euch mag wohl das, was ich freilich nur in ganz dürftigen Zügen erzählt habe, unsinnig und toll vorkommen, aber es ist dessenunerachtet nichts weniger als ungereimt oder auch nur allegorisch gemeint, sondern buchstäblich wahr. Hätte ich aber gewußt, daß euch die herrliche Liebesgeschichte, der auch ich meine Entstehung zu verdanken habe, so wenig gefallen würde, so hätte ich lieber manches Neue mitgeteilt, das mir mein Bruder beim gestrigen Besuch mitbrachte.“ – „Ei, wie das? Haben Sie denn einen Bruder, Herr Archivarius? – wo ist er denn – wo lebt er denn? Auch in königlichen Diensten, oder vielleicht ein privatisierender Gelehrter?“ – so fragte man von allen Seiten. – „Nein!“ erwiderte der Archivarius, ganz kalt und gelassen eine Prise nehmend, „er hat sich auf die schlechte Seite gelegt und ist unter die Drachen gegangen.“ – „Wie beliebten Sie doch zu sagen, wertester Archivarius“, nahm der Registrator Heerbrand das Wort, „unter die Drachen?“ – „Unter die Drachen?“ hallte es von allen Seiten wie ein Echo nach. – „Ja, unter die Drachen“, fuhr der Archivarius Lindhorst fort; „eigentlich war es Desperation. Sie wissen, meine Herren, daß mein Vater vor ganz kurzer Zeit starb, es sind nur höchstens dreihundertundfünfundachtzig Jahre her, weshalb ich auch noch Trauer trage, der hatte mir, dem Liebling, einen prächtigen Onyx vermacht, den durchaus mein Bruder haben wollte. Wir zankten uns bei der Leiche des Vaters darüber auf eine ungebührliche Weise, bis der Selige, der die Geduld verlor, aufsprang und den bösen Bruder die Treppe hinunterwarf. Das wurmte meinen Bruder, und er ging stehenden Fußes unter die Drachen. Jetzt hält er sich in einem Zypressenwalde dicht bei Tunis auf, dort hat er einen berühmten mystischen Karfunkel zu bewachen, dem ein Teufelskerl von Nekromant, der ein Sommerlogis in Lappland bezogen, nachstellt, weshalb er denn nur auf ein Viertelstündchen, wenn gerade der Nekromant im Garten seine Salamanderbeete besorgt, abkommen kann, um mir in der Geschwindigkeit zu erzählen, was es gutes Neues an den Quellen des Nils gibt." – Zum zweiten Male brachen die Anwesenden in ein schallendes Gelächter aus, aber dem Studenten Anselmus wurde ganz unheimlich zumute, und er konnte dem Archivarius Lindhorst kaum in die starren ernsten Augen sehen, ohne innerlich auf eine ihm selbst unbegreifliche Weise zu erbeben. Zumal hatte die rauhe, aber sonderbar metallartig tönende Stimme des Archivarius Lindhorst für ihn etwas geheimnisvoll Eindringendes, daß er Mark und Bein erzittern fühlte. Der eigentliche Zweck, weshalb ihn der Registrator Heerbrand mit in das Kaffeehaus genommen hatte, schien heute nicht erreichbar zu sein. Nach jenem Vorfall vor dem Hause des Archivarius Lindhorst war nämlich der Student Anselmus nicht dahin zu vermögen gewesen, den Besuch zum zweiten Male zu wagen; denn nach seiner innersten Überzeugung hatte nur der Zufall ihn, wo nicht vom Tode, doch von der Gefahr, wahnwitzig zu werden, befreit. Der Konrektor Paulmann war eben durch die Straße gegangen, als er ganz von Sinnen vor der Haustür lag und ein altes Weib, die ihren Kuchen- und Äpfelkorb beiseite gesetzt, um ihn beschäftigt war. Der Konrektor Paulmann hatte sogleich eine Portechaise herbeigerufen und ihn so nach Hause transportiert. „Man mag von mir denken, was man will", sagte der Student Anselmus, „man mag mich für einen Narren halten oder nicht – genug! – an dem Türklopfer grinste mir das vermaledeite

Gesicht der Hexe vom Schwarzen Tor entgegen; was nachher geschah, davon will ich lieber gar nicht reden, aber wäre ich aus meiner Ohnmacht erwacht und hätte das verwünschte Äpfelweib vor mir gesehen (denn niemand anders war doch das alte um mich beschäftigte Weib), mich hätte augenblicklich der Schlag gerührt, oder ich wäre wahnsinnig geworden." Alles Zureden, alle vernünftige Vorstellungen des Konrektors Paulmann und des Registrators Heerbrand fruchteten gar nichts, und selbst die blauäugige Veronika vermochte nicht, ihn aus einem gewissen tiefsinnigen Zustande zu reißen, in den er versunken. Man hielt ihn nun in der Tat für seelenkrank und sann auf Mittel, ihn zu zerstreuen, worauf der Registrator Heerbrand meinte, daß nichts dazu dienlicher sein könne als die Beschäftigung bei dem Archivarius Lindhorst, nämlich das Nachmalen der Manuskripte. Es kam nur darauf an, den Studenten Anselmus auf gute Art dem Archivarius Lindhorst bekannt zu machen, und da der Registrator Heerbrand wußte, daß dieser beinahe jeden Abend ein gewisses bekanntes Kaffeehaus besuchte, so lud er den Studenten Anselmus ein, jeden Abend so lange auf seine, des Registrators, Kosten in jenem Kaffeehause ein Glas Bier zu trinken und eine Pfeife zu rauchen, bis er auf diese oder jene Art mit dem Archivarius bekannt und mit ihm über das Geschäft des Abschreibens der Manuskripte einig worden, welches der Student Anselmus dankbarlichst annahm. „Sie verdienen Gottes Lohn, werter Registrator, wenn Sie den jungen Menschen zur Raison bringen", sagte der Konrektor Paulmann. „Gottes Lohn!" wiederholte Veronika, indem sie die Augen fromm zum Himmel erhub und lebhaft daran dachte, wie der Student Anselmus schon jetzt ein recht artiger junger Mann sei, auch ohne Raison! – Als der Archivarius Lindhorst eben mit Hut und Stock zur Tür hinausschreiten wollte, da ergriff der Registrator Heerbrand den Studenten Anselmus rasch bei der Hand, und mit ihm dem Archivarius den Weg vertretend, sprach er: „Geschätztester Herr Geheimer Archivarius, hier ist der Student Anselmus, der, ungemein geschickt im Schönschreiben und Zeichnen, Ihre seltenen Manuskripte kopieren will." –

„Das ist mir ganz ungemein lieb", erwiderte der Archivarius Lindhorst rasch, warf den dreieckigen soldatischen Hut auf den Kopf und eilte, den Registrator Heerbrand und den Studenten Anselmus beiseite schiebend, mit vielem Geräusch die Treppe hinab, so daß beide ganz verblüfft dastanden und die Stubentür anguckten, die er dicht vor ihnen zugeschlagen, daß die Angeln klirrten. „Das ist ja ein ganz wunderlicher alter Mann", sagte der Registrator Heerbrand. – „Wunderlicher alter Mann", stotterte der Student Anselmus nach, fühlend, wie ein Eisstrom ihm durch alle Adern fröstelte, daß er beinahe zur starren Bildsäule worden. Aber alle Gäste lachten und sagten: „Der Archivarius war heute einmal wieder in seiner besonderen Laune, morgen ist er gewiß sanftmütig und spricht kein Wort, sondern sieht in die Dampfwirbel seiner Pfeife oder liest Zeitungen, man muß sich daran gar nicht kehren." – „Das ist auch wahr", dachte der Student Anselmus, „wer wird sich an so etwas kehren! Hat der Archivarius nicht gesagt, es sei ihm ganz ungemein lieb, daß ich seine Manuskripte kopieren wolle? – und warum vertrat ihm auch der Registrator Heerbrand den Weg, als er gerade nach Hause gehen wollte? – Nein, nein, es ist ein lieber Mann im Grunde genommen, der Herr Geheime Archivarius Lindhorst, und liberal erstaunlich – nur kurios in absonderlichen Redensarten – allein was schadet das mir? – Morgen gehe ich hin Punkt zwölf Uhr, und setzten sich hundert bronzierte Äpfelweiber dagegen."

Vierte Vigilie

Melancholie des Studenten Anselmus. – Der smaragdene Spiegel. – Wie der Archivarius Lindhorst als Stoßgeier davonflog und der Student Anselmus niemandem begegnete.

Wohl darf ich geradezu dich selbst, günstiger Leser, fragen, ob du in deinem Leben nicht Stunden, ja Tage und Wochen hattest, in denen dir all dein gewöhnliches Tun und Treiben ein recht quälendes Mißbehagen erregte und in denen dir alles, was dir sonst recht wichtig und wert in Sinn und Gedanken zu tragen vorkam, nun läppisch und nichtswürdig erschien? Du wußtest dann selbst nicht, was du tun und wohin du dich wenden solltest; ein dunkles Gefühl, es müsse irgendwo und zu irgendeiner Zeit ein hoher, den Kreis alles irdischen Genusses überschreitender Wunsch erfüllt werden, den der Geist, wie ein strenggehaltenes furchtsames Kind, gar nicht auszusprechen wage, erhob deine Brust, und in dieser Sehnsucht nach dem unbekannten Etwas, das dich überall, wo du gingst und standest, wie ein duftiger Traum mit durchsichtigen, vor dem schärferen Blick zerfließenden Gestalten umschwebte, verstummtest du für alles, was dich hier umgab. Du schlichst mit trübem Blick umher wie ein hoffnungslos Liebender, und alles, was du die Menschen auf allerlei Weise im bunten Gewühl durcheinander treiben sahst, erregte dir keinen Schmerz und keine Freude, als gehörtest du nicht mehr dieser Welt an. Ist dir, günstiger Leser, jemals so zumute gewesen, so kennst du selbst aus eigner Erfahrung den Zustand, in dem sich der Student Anselmus befand. Überhaupt wünschte ich, es wäre mir schon jetzt gelungen, dir, geneigter Leser, den Studenten Anselmus recht lebhaft vor Augen zu bringen. Denn in der Tat, ich habe in den Nachtwachen, die ich dazu verwende, seine höchst sonderbare Geschichte aufzuschreiben, noch so viel Wunderliches, das wie eine spukhafte Erscheinung das alltägliche Leben ganz gewöhnlicher Menschen ins Blaue hinausrückte, zu erzählen, daß mir bange ist, du werdest am Ende weder an den Studenten Anselmus noch an den Archivarius Lindhorst glauben, ja wohl gar einige ungerechte Zweifel gegen den Konrektor Paulmann und den Registrator Heerbrand hegen, unerachtet wenigstens die letztgenannten achtbaren Männer noch jetzt in Dresden umherwandeln. Versuche es, geneigter Leser, in dem feenhaften Reiche voll herrlicher Wunder, die die höchste Wonne sowie das tiefste Entsetzen in gewaltigen Schlägen hervorrufen, ja, wo die ernste Göttin ihren Schleier lüftet, daß wir ihr Antlitz zu schauen wähnen – aber ein Lächeln schimmert oft aus dem ernsten Blick, und das ist der neckhafte Scherz, der in allerlei verwirrendem Zauber mit uns spielt, so wie die Mutter oft mit ihren liebsten Kindern tändelt – ja! in diesem Reiche, das uns der Geist so oft, wenigstens im Traume, aufschließt, versuche es, geneigter Leser, die bekannten Gestalten, wie sie täglich, wie man zu sagen pflegt im gemeinen Leben, um dich herwandeln, wiederzuerkennen. Du wirst dann glauben, daß dir jenes herrliche Reich viel näher liege, als du sonst wohl meintest, welches ich nun eben recht herzlich wünsche und dir in der seltsamen Geschichte des Studenten Anselmus anzudeuten strebe. – Also, wie gesagt, der Student Anselmus geriet seit jenem Abende, als er den Archivarius Lindhorst gesehen, in ein träumerisches Hinbrüten, das ihn für jede äußere Berührung des gewöhnlichen Lebens unempfindlich machte. Er fühlte, wie ein unbekanntes Etwas in seinem Innersten sich regte und ihm jenen wonnevollen Schmerz verursachte, der eben die Sehnsucht ist, welche dem Menschen ein anderes, höheres Sein verheißt. Am liebsten war es ihm, wenn er allein durch Wiesen und Wälder schweifen und, wie losgelöst von allem, was ihn an sein dürftiges Leben fesselte, nur im Anschauen der mannigfachen Bilder, die aus seinem Innern stiegen, sich gleichsam selbst wiederfinden konnte. So kam es denn, daß er einst, von einem weiten Spaziergange heimkehrend, bei jenem merkwürdigen Holunderbusch vorüberschritt, unter dem er damals, wie von Feerei befangen, so viel Seltsames sah; er fühlte sich wunderbarlich von dem grünen heimatlichen Rasenfleck angezogen, aber kaum hatte er sich daselbst niedergelassen, als alles, was er damals wie in einer himmlischen Verzückung geschaut und das wie von einer fremden Gewalt aus seiner Seele verdrängt worden, ihm wieder in den lebhaftesten Farben vorschwebte, als sähe er es zum zweitenmal. Ja, noch deutlicher als damals war es ihm, daß die holdseligen blauen Augen der goldgrünen Schlange angehörten, die in der Mitte des Holunderbaums sich emporwand, und daß in den Windungen des schlanken Leibes all die herrlichen Kristallglockentöne hervorblitzen mußten, die ihn mit Wonne und Entzücken erfüllten. So wie damals am Himmelfahrtstage umfaßte er den Holunderbaum und rief in die Zweige und Blätter hinein: „Ach, nur noch einmal schlängle und schlinge und winde dich, du holdes grünes Schlänglein, in den Zweigen, daß ich dich schauen mag. – Nur noch einmal blicke mich an mit deinen holdseligen Augen! Ach, ich liebe dich ja und muß in Trauer und Schmerz vergehen, wenn du nicht wiederkehrst!" Alles blieb jedoch stumm und still, und wie damals rauschte der Holunderbaum nur ganz unvernehmlich mit seinen Zweigen und Blättern. Aber dem Studenten Anselmus war es, als wisse er nun, was sich in seinem Innern so rege und bewege, ja was seine Brust so im Schmerz einer unendlichen Sehnsucht zerreiße. „Ist es denn etwas anderes", sprach er, „als daß ich dich so ganz mit voller Seele bis zum Tode liebe, du herrliches goldenes Schlänglein, ja daß ich ohne dich nicht zu leben vermag und vergehen muß in hoffnungsloser Not, wenn ich dich nicht wiedersehe, dich nicht habe wie die Geliebte meines Herzens – aber ich weiß es, du wirst mein, und dann alles, was herrliche Träume aus einer andern, höhern Welt mir verheißen, erfüllt sein." – Nun ging der Student Anselmus jeden Abend, wenn die Sonne nur noch in die Spitzen der Bäume ihr funkelndes Gold streute, unter den Holunderbaum und rief aus tiefer Brust mit ganz kläglichen Tönen in die Blätter und Zweige hinein nach der holden Geliebten, dem goldgrünen Schlänglein. Als er dieses wieder einmal nach gewöhnlicher Weise trieb, stand plötzlich ein langer hagerer Mann, in einen weiten lichtgrauen Überrock gehüllt, vor ihm und rief, indem er ihn mit seinen großen feurigen Augen anblitzte: „Hei, hei – was klagt und winselt denn da? – Hei, hei, das ist ja Herr Anselmus, der meine Manuskripte kopieren will." Der Student Anselmus erschrak nicht wenig vor der gewaltigen Stimme, denn es war ja dieselbe, die damals am Himmelfahrtstage gerufen: „Hei, hei! was ist das für ein Gemunkel und Geflüster etc." Er konnte vor Staunen und Schreck kein Wort herausbringen. – „Nun, was ist Ihnen denn, Herr Anselmus", fuhr der Archivarius Lindhorst fort (niemand anders war der Mann im weißgrauen Überrock), „was wollen Sie von dem Holunderbaum, und warum sind Sie denn nicht zu mir gekommen, um Ihre Arbeit anzufangen?" – Wirklich hatte der Student Anselmus es noch nicht über sich vermocht, den Archivarius

Lindhorst wieder in seinem Hause aufzusuchen, unerachtet er sich jeden Abend ganz dazu ermutigt, in diesem Augenblick aber, als er seine schönen Träume, und noch dazu durch dieselbe feindselige Stimme, die schon damals ihm die Geliebte geraubt, zerrissen sah, erfaßte ihn eine Art Verzweiflung, und er brach ungestüm los: „Sie mögen mich nun für wahnsinnig halten oder nicht, Herr Archivarius! das gilt mir ganz gleich, aber hier auf diesem Baume erblickte ich am Himmelfahrtstage die goldgrüne Schlange – ach! die ewig Geliebte meiner Seele, und sie sprach zu mir in herrlichen Kristalltönen, aber Sie – Sie! Herr Archivarius, schrien und riefen so erschrecklich übers Wasser her." – „Wie das, mein Gönner!" unterbrach ihn der Archivarius Lindhorst, indem er ganz sonderbar lächelnd eine Prise nahm. – Der Student Anselmus fühlte, wie seine Brust sich erleichterte, als es ihm nur gelungen, von jenem wunderbaren Abenteuer anzufangen, und es war ihm, als sei es schon ganz recht, daß er den Archivarius geradezu beschuldigt, er sei es gewesen, der so aus der Ferne gedonnert. Er nahm sich zusammen, sprechend: „Nun, so will ich denn alles erzählen, was mir an dem Himmelfahrtsabende Verhängnisvolles begegnet, und dann mögen Sie reden und tun und überhaupt denken über mich, was Sie wollen." – Er erzählte nun wirklich die ganze wunderliche Begebenheit von dem unglücklichen Tritt in den Äpfelkorb an bis zum Entfliehen der drei goldgrünen Schlangen übers Wasser, und wie ihn nun die Menschen für betrunken oder wahnsinnig gehalten: „Das alles", schloß der Student Anselmus, „habe ich wirklich gesehen, und tief in der Brust ertönen noch im hellen Nachklang die lieblichen Stimmen, die zu mir sprachen; es war keinesweges ein Traum, und soll ich nicht vor Liebe und Sehnsucht sterben, so muß ich an die goldgrünen Schlangen glauben, unerachtet ich an Ihrem Lächeln, werter Herr Archivarius, wahrnehme, daß Sie ebendiese Schlangen nur für ein Erzeugnis meiner erhitzten, überspannten Einbildungskraft halten." – „Mitnichten", erwiderte der Archivarius in der größten Ruhe und Gelassenheit, „die goldgrünen Schlangen, die Sie, Herr Anselmus, in dem Holunderbusch gesehen, waren nun eben meine drei Töchter, und daß Sie sich in die blauen Augen der jüngsten, Serpentina genannt, gar sehr verliebt, das ist nun wohl klar. Ich wußte es übrigens schon am Himmelfahrtstage, und da mir zu Hause, am Arbeitstisch sitzend, des Gemunkels und Geklingels zuviel wurde, rief ich den losen Dirnen zu, daß es Zeit sei, nach Hause zu eilen, denn die Sonne ging schon unter, und sie hatten sich genug mit Singen und Strahlentrinken erlustigt." – Dem Studenten Anselmus war es, als würde ihm nur etwas mit deutlichen Worten gesagt, was er längst geahnet, und ob er gleich zu bemerken glaubte, daß sich Holunderbusch, Mauer und Rasenboden und alle Gegenstände ringsumher leise zu drehen anfingen, so raffte er sich doch zusammen und wollte etwas reden, aber der Archivarius ließ ihn nicht zu Worte kommen, sondern zog schnell den Handschuh von der linken Hand herunter, und indem er den in wunderbaren Funken und Flammen blitzenden Stein eines Ringes dem Studenten vor die Augen hielt, sprach er: „Schauen Sie her, werter Herr Anselmus, Sie können darüber, was Sie erblicken, eine Freude haben." Der Student Anselmus schaute hin, und, o Wunder! der Stein warf wie aus einem brennenden Fokus Strahlen ringsumher, und die Strahlen verspannen sich zum hellen leuchtenden Kristallspiegel, in dem in mancherlei Windungen, bald einander fliehend, bald sich ineinanderschlingend, die drei goldgrünen Schlänglein tanzten und hüpften. Und wenn die schlanken, in tausend Funken blitzenden Leiber sich berührten, da erklangen herrliche Akkorde wie Kristallglocken, und die mittelste streckte wie voll Sehnsucht und Verlangen das Köpfchen zum Spiegel heraus, und die dunkelblauen Augen sprachen: „Kennst du mich denn – glaubst du denn an mich, Anselmus? – nur in dem Glauben ist die Liebe – kannst du denn lieben?" – „O Serpentina, Serpentina!" schrie der Student Anselmus in wahnsinnigem Entzükken, aber der Archivarius Lindhorst hauchte schnell auf den Spiegel, da fuhren in elektrischem Geknister die Strahlen in den Fokus zurück, und an der Hand blitzte nur wieder ein kleiner Smaragd, über den der Archivarius den Handschuh zog. „Haben Sie die goldnen Schlänglein gesehen, Herr Anselmus?" fragte der

Archivarius Lindhorst. „Ach Gott, ja!“ erwiderte der Student, „und die holde liebliche Serpentina.“ – „Still“, fuhr der Archivarius Lindhorst fort, „genug für heute, übrigens können Sie ja, wenn Sie sich entschließen wollen, bei mir zu arbeiten, meine Töchter oft genug sehen, oder vielmehr, ich will Ihnen dies wahrhaftige Vergnügen verschaffen, wenn Sie sich bei der Arbeit recht brav halten, das heißt: mit der größten Genauigkeit und Reinheit jedes Zeichen kopieren. Aber Sie kommen ja gar nicht zu mir, unerachtet mir der Registrator Heerbrand versicherte, Sie würden sich nächstens einfinden, und ich deshalb mehrere Tage vergebens gewartet.“ – Sowie der Archivarius Lindhorst den Namen Heerbrand nannte, war es dem Studenten Anselmus erst wieder, als stehe er wirklich mit beiden Füßen auf der Erde und er wäre wirklich der Student Anselmus und der vor ihm stehende Mann der Archivarius Lindhorst. Der gleichgültige Ton, in dem dieser sprach, hatte im grellen Kontrast mit den wunderbaren Erscheinungen, die er wie ein wahrhafter Nekromant hervorrief, etwas Grauenhaftes, das durch den stechenden Blick der funkelnden Augen, die aus den knöchernen Höhlen des magern, runzlichten Gesichts wie aus einem Gehäuse hervorstrahlten, noch erhöht wurde, und den Studenten ergriff mit Macht dasselbe unheimliche Gefühl, welches sich seiner schon auf dem Kaffeehause bemeisterte, als der Archivarius so viel Abenteuerliches erzählte. Nur mit Mühe faßte er sich, und als der Archivarius nochmals fragte: „Nun, warum sind Sie denn nicht zu mir gekommen?“, da erhielt er es über sich, alles zu erzählen, was ihm an der Haustür begegnet. „Lieber Herr Anselmus“, sagte der Archivarius, als der Student seine Erzählung geendet, „lieber Herr Anselmus, ich kenne wohl das Äpfelweib, von der Sie zu sprechen belieben: es ist eine fatale Kreatur, die mir allerhand Possen spielt, und daß sie sich hat bronzieren lassen, um als Türklopfer die mir angenehmen Besuche zu verscheuchen, das ist in der Tat sehr arg und nicht zu leiden. Wollten Sie doch, werter Herr Anselmus, wenn Sie morgen um zwölf Uhr zu mir kommen und wieder etwas von dem Angrinsen und Anschnarren vermerken, ihr gefälligst was weniges von diesem Liquor auf die Nase tröpfeln, dann wird sich sogleich alles geben. Und nun adieu! lieber Herr Anselmus, ich gehe etwas rasch, deshalb will ich Ihnen nicht zumuten, mit mir nach der Stadt zurückzukehren. – Adieu! auf Wiedersehen, morgen um zwölf Uhr." – Der Archivarius hatte dem Studenten Anselmus ein kleines Fläschchen mit einem goldgelben Liquor gegeben, und nun schritt er rasch von dannen, so, daß er in der tiefen Dämmerung, die unterdessen eingebrochen, mehr in das Tal hinabzuschweben als zu gehen schien. Schon war er in der Nähe des Koselschen Gartens, da setzte sich der Wind in den weiten Überrock und trieb die Schöße auseinander, daß sie wie ein Paar große Flügel in den Lüften flatterten und es dem Studenten Anselmus, der verwunderungsvoll dem Archivarius nachsah, vorkam, als breite ein großer Vogel die Fittiche aus zum raschen Fluge. – Wie der Student nun so in die Dämmerung hineinstarrte, da erhob sich mit krächzendem Geschrei ein weißgrauer Geier hoch in die Lüfte, und er merkte nun wohl, daß das weiße Geflatter, was er noch immer für den davonschreitenden Archivarius gehalten, schon eben der Geier gewesen sein müsse, unerachtet er nicht begreifen konnte, wo denn der Archivarius mit einemmal hingeschwunden. „Er kann aber auch selbst in Person davongeflogen sein, der Herr Archivarius Lindhorst", sprach der Student Anselmus zu sich selbst, „denn ich sehe und fühle nun wohl, daß alle die fremden Gestalten aus einer fernen wundervollen Welt, die ich sonst nur in ganz besondern merkwürdigen Träumen schaute, jetzt in mein waches reges Leben geschritten sind und ihr Spiel mit mir treiben. – Dem sei aber, wie ihm wolle! Du lebst und glühst in meiner Brust, holde, liebliche Serpentina, nur du kannst die unendliche Sehnsucht stillen, die mein Innerstes zerreißt. – Ach, wann werde ich in dein holdseliges Auge blicken – liebe, liebe Serpentina!" – – So rief der Student Anselmus ganz laut. – „Das ist ein schnöder, unchristlicher Name", murmelte eine Baßstimme neben ihm, die einem heimkehrenden Spaziergänger gehörte. Der Student Anselmus, zu rechter Zeit erinnert, wo er war, eilte raschen Schrittes von dannen, indem er bei sich selbst dachte: „Wäre es nicht ein rechtes Unglück, wenn mir jetzt der Konrektor Paulmann oder der Registrator Heerbrand begegnete?" – Aber er begegnete keinem von beiden.

Fünfte Vigilie

Die Frau Hofrätin Anselmus. – Cicero de Officiis. – Meerkatzen und anderes Gesindel. – Die alte Liese. – Das Aequinoctium.

„Mit dem Anselmus ist nun einmal in der Welt nichts anzufangen", sagte der Konrektor Paulmann; „alle meine guten Lehren, alle meine Ermahnungen sind fruchtlos, er will sich ja zu gar nichts applizieren, unerachtet er die besten Schulstudia besitzt, die denn doch die Grundlage von allem sind." Aber der Registrator Heerbrand erwiderte, schlau und geheimnisvoll lächelnd: „Lassen Sie dem Anselmus doch nur Raum und Zeit, wertester Konrektor! das ist ein kurioses Subjekt, aber es steckt viel in ihm, und wenn ich sage: viel, so heißt das: ein Geheimer Sekretär oder wohl gar ein Hofrat." – „Hof" – fing der Konrektor im größten Erstaunen an, das Wort blieb ihm stecken. – „Still, still", fuhr der Registrator Heerbrand fort, „ich weiß, was ich weiß! – Schon seit zwei Tagen sitzt er bei dem Archivarius Lindhorst und kopiert, und der Archivarius sagte gestern abend auf dem Kaffeehause zu mir: ‚Sie haben mir einen wackern Mann empfohlen, Verehrter! – aus dem wird was', und nun bedenken Sie des Archivarii Konnexionen – still – still – sprechen wir uns übers Jahr!" – Mit diesen Worten ging der Registrator im fortwährenden schlauen Lächeln zur Tür hinaus und ließ den vor Erstaunen und Neugierde verstummten Konrektor im Stuhle festgebannt sitzen. Aber auf Veronika hatte das Gespräch einen ganz eignen Eindruck gemacht. „Habe ich's denn nicht schon immer gewußt", dachte sie, „daß der Herr Anselmus ein recht gescheiter, liebenswürdiger junger Mann ist, aus dem noch was Großes wird? Wenn ich nur wüßte, ob er mir wirklich gut ist? – Aber hat er mir nicht jenen Abend, als wir über die Elbe fuhren, zweimal die Hand gedrückt? hat er mich nicht im Duett angesehen mit solchen ganz sonderbaren Blicken, die bis ins Herz drangen? Ja, ja! er ist mir wirklich gut – und ich" – Veronika überließ sich ganz, wie junge Mädchen wohl pflegen, den süßen Träumen von einer heitern Zukunft. Sie war Frau Hofrätin, bewohnte ein schönes Logis in der Schloßgasse oder auf dem Neumarkt oder auf der Moritzstraße – der moderne Hut, der neue türkische Shawl stand ihr vortrefflich – sie frühstückte im eleganten Negligé im Erker, der Köchin die nötigen Befehle für den Tag erteilend. „Aber daß Sie mir die Schüssel nicht verdirbt, es ist des Herrn Hofrats Leibessen!" – Vorübergehende Elegants schielen herauf, sie hört deutlich: „Es ist doch eine göttliche Frau, die Hofrätin, wie ihr das Spitzenhäubchen so allerliebst steht!" – Die Geheime Rätin Ypsilon schickt den Bedienten und läßt fragen, ob es der Frau Hofrätin gefällig wäre, heute ins Linkische Bad zu fahren. – „Viel Empfehlungen, es täte mir unendlich leid, ich sei schon engagiert zum Tee bei der Präsidentin Tz." – Da kommt der Hofrat Anselmus, der schon früh in Geschäften ausgegangen, zurück; er ist nach der letzten Mode gekleidet; „wahrhaftig schon zehn", ruft er, indem er die goldene Uhr repetieren läßt und der jungen Frau einen Kuß gibt. „Wie geht's, liebes Weibchen, weißt du auch, was ich für dich habe?" fährt er schäkernd fort und zieht ein Paar herrliche, nach der neuesten Art gefaßte Ohrringe aus der Westentasche, die er ihr statt der sonst getragenen gewöhnlichen einhängt. „Ach, die schönen, niedlichen Ohrringe", ruft Veronika ganz laut und springt, die Arbeit wegwerfend, vom Stuhl auf, um in dem Spiegel die Ohrringe wirklich zu beschauen. „Nun, was soll denn das sein", sagte der Konrektor Paulmann, der, eben in Cicero de Officiis vertieft, beinahe das Buch fallen lassen, „man hat ja Anfälle wie der Anselmus." Aber da trat der Student Anselmus, der wider seine Gewohnheit sich mehrere Tage nicht sehen lassen, ins Zimmer, zu Veronikas Schreck und Erstaunen, denn in der Tat war er in seinem ganzen Wesen verändert. Mit einer gewissen Bestimmtheit, die ihm sonst gar nicht eigen, sprach er von ganz andern Tendenzen seines Lebens, die ihm klar worden, von den herrlichen Aussichten, die sich ihm geöffnet, die mancher aber gar nicht zu schauen vermöchte. Der Konrektor Paulmann wurde, der geheimnisvollen Rede des Registrators Heerbrand gedenkend, noch mehr betroffen und konnte kaum eine Silbe hervorbringen, als der Student Anselmus, nachdem er einige Worte von dringender Arbeit bei dem Archivarius Lindhorst fallenlassen und der Veronika mit eleganter Gewandtheit die Hand geküßt, schon die Treppe hinunter, auf und von dannen war. „Das war ja schon der Hofrat“, murmelte Veronika in sich hinein, „und er hat mir die Hand geküßt, ohne dabei auszugleiten oder mir auf den Fuß zu treten, wie sonst! – er hat mir einen recht zärtlichen Blick zugeworfen – er ist mir wohl in der Tat gut.“ – Veronika überließ sich aufs neue jener Träumerei, indessen war es, als träte immer eine feindselige Gestalt unter die lieblichen Erscheinungen, wie sie aus dem künftigen häuslichen Leben als Frau Hofrätin hervorgingen, und die Gestalt lachte recht höhnisch und sprach: „Das ist ja alles recht dummes, ordinäres Zeug und noch dazu erlogen, denn der Anselmus wird nimmermehr Hofrat und dein Mann; er liebt dich ja nicht, unerachtet du blaue Augen hast und einen schlanken Wuchs und eine feine Hand.“ – Da goß sich ein Eisstrom durch Veronikas Innres, und ein tiefes Entsetzen vernichtete die Behaglichkeit, mit der sie sich nur noch erst im Spitzenhäubchen und den eleganten Ohrringen gesehen. – Die Tränen wären ihr beinahe aus den Augen gestürzt, und sie sprach laut: „Ach, es ist ja wahr, er liebt mich nicht, und ich werde nimmermehr Frau Hofrätin!“ – „Romanenstreiche, Romanenstreiche“, schrie der Konrektor Paulmann, nahm Hut und Stock und eilte zornig von dannen! – „Das fehlte noch“, seufzte Veronika und ärgerte sich recht über die zwölfjährige Schwester, welche, teilnehmungslos an ihrem Rahmen sitzend, fortgestickt hatte. Unterdessen war es beinahe drei Uhr geworden und nun gerade Zeit, das Zimmer aufzuräumen und den Kaffeetisch zu ordnen; denn die Mademoiselle Osters hatten sich bei der Freundin ansagen lassen. Aber hinter jedem Schränkchen, das Veronika wegrückte, hinter den Notenbüchern, die sie vom Klavier, hinter jeder Tasse, hinter der Kaffeekanne, die sie aus dem Schrank nahm, sprang jene Gestalt wie ein Alräunchen hervor und lachte höhnisch und schlug mit den kleinen Spinnenfingern Schnippchen und schrie: „Er wird doch nicht dein Mann, er wird doch nicht dein Mann!" Und dann, wenn sie alles stehn- und liegenließ und in die Mitte des Zimmers flüchtete, sah es mit langer Nase riesengroß hinter dem Ofen hervor und knurrte und schnurrte: „Er wird doch nicht dein Mann!" – „Hörst du denn nichts, siehst du denn nichts, Schwester?" rief Veronika, die vor Furcht und Zittern gar nichts mehr anrühren mochte. Fränzchen stand ganz ernsthaft und ruhig von ihrem Stickrahmen auf und sagte: „Was ist dir denn heute, Schwester? Du wirfst ja alles durcheinander, daß es klippert und klappert, ich muß dir nur helfen." Aber da traten schon die muntern Mädchen in vollem Lachen herein, und in dem Augenblick wurde nun auch Veronika gewahr, daß sie den Ofenaufsatz für eine Gestalt und das Knarren der übel verschlossenen Ofentür für die feindseligen Worte gehalten hatte. Von einem inneren Entsetzen gewaltsam ergriffen, konnte sie sich aber nicht so schnell erholen, daß die Freundinnen nicht ihre ungewöhnliche Spannung, die selbst ihre Blässe, ihr verstörtes Gesicht verriet, hätten bemerken sollen. Als sie, schnell abbrechend von all dem Lustigen, das sie eben erzählen wollten, in die Freundin drangen, was ihr denn um des Himmels willen widerfahren, mußte Veronika eingestehen, wie sie sich ganz besondern Gedanken hingegeben und plötzlich am hellen Tage von einer sonderbaren Gespensterfurcht, die ihr sonst gar nicht eigen, übermannt worden. Nun erzählte sie so lebhaft, wie aus allen Winkeln des Zimmers ein kleines graues Männchen sie geneckt und gehöhnt habe, daß die Mad. Osters sich schüchtern nach allen Seiten umsahen und ihnen bald gar unheimlich und grausig zumute wurde. Da trat Fränzchen mit dem dampfenden Kaffee herein, und alle drei, sich schnell besinnend, lachten über ihre eigne Albernheit. Angelika, so hieß die älteste Oster, war mit einem Offizier versprochen, der bei der Armee stand und von dem die Nachrichten so lange ausgeblieben, daß man an seinem Tode oder wenigstens an seiner schweren Verwundung kaum zweifeln konnte. Dies hatte Angelika in die tiefste Betrübnis gestürzt, aber heute war sie fröhlich bis zur Ausgelassenheit, worüber Veronika sich nicht wenig wunderte und es ihr unverhohlen äußerte. „Liebes Mädchen“, sagte Angelika, „glaubst du denn nicht, daß ich meinen Viktor immerdar im Herzen, in Sinn und Gedanken trage? aber ebendeshalb bin ich so heiter! – ach Gott – so glücklich, so selig in meinem ganzen Gemüte! denn mein Viktor ist wohl, und ich sehe ihn in weniger Zeit als Rittmeister, geschmückt mit den Ehrenzeichen, die ihm seine unbegrenzte Tapferkeit erwarben, wieder. Eine starke, aber durchaus nicht gefährliche Verwundung des rechten Arms, und zwar durch den Säbelhieb eines feindlichen Husaren, verhindert ihn zu schreiben, und der schnelle Wechsel seines Aufenthalts, da er durchaus sein Regiment nicht verlassen will, macht es auch noch immer unmöglich, mir Nachricht zu geben, aber heute abend erhält er die bestimmte Weisung, sich erst ganz heilen zu lassen. Er reiset morgen ab, um herzukommen, und indem er in den Wagen steigen will, erfährt er seine Ernennung zum Rittmeister.“ – „Aber, liebe Angelika“, fiel Veronika ein, „das weißt du jetzt schon alles?“ – „Lache mich nicht aus, liebe Freundin“, fuhr Angelika fort, „aber du wirst es nicht, denn könnte nicht dir zur Strafe gleich das kleine graue Männchen dort hinter dem Spiegel hervorgucken? – Genug, ich kann mich von dem Glauben an gewisse geheimnisvolle Dinge nicht losmachen, weil sie oft genug ganz sichtbarlich und handgreiflich, möcht ich sagen, in mein Leben getreten. Vorzüglich kommt es mir denn nun gar nicht einmal so wunderbar und unglaublich vor als manchen andern, daß es Leute geben kann, denen eine gewisse Sehergabe eigen, die sie durch ihnen bekannte untrügliche Mittel in Bewegung zu setzen wissen. Es ist hier am Orte eine alte Frau, die diese Gabe ganz besonders besitzt. Nicht so wie andere ihres Gelichters prophezeit sie aus Karten, gegossenem Blei oder aus dem Kaffeesatze, sondern nach gewissen Vorbereitungen, an denen die fragende Person teilnimmt, erscheint in einem hellpolierten Metallspiegel ein wunderliches Gemisch von allerlei Figuren und Gestalten, welche die Alte deutet und aus ihnen die Antwort auf die Frage schöpft. Ich war gestern abend bei ihr und erhielt jene Nachrichten von meinem Viktor, an deren Wahrheit ich nicht einen Augenblick zweifle." – Angelikas Erzählung warf einen Funken in Veronikas Gemüt, der schnell den Gedanken entzündete, die Alte über den Anselmus und über ihre Hoffnungen zu befragen. Sie erfuhr, daß die Alte Frau Rauerin hieße, in einer entlegenen Straße vor dem Seetor wohne, durchaus nur dienstags, mittwochs und freitags von sieben Uhr abends, dann aber die ganze Nacht hindurch bis zum Sonnenaufgang zu treffen sei und es gern sähe, wenn man allein komme. – Es war eben Mittwoch, und Veronika beschloß, unter dem Vorwande, die Osters nach Hause zu begleiten, die Alte aufzusuchen, welches sie denn auch in der Tat ausführte. Kaum hatte sie nämlich von den Freundinnen, die in der Neustadt wohnten, vor der Elbbrücke Abschied genommen, als sie geflügelten Schrittes vor das Seetor eilte und sich in der beschriebenen abgelegenen engen Straße befand, an deren Ende sie das kleine rote Häuschen erblickte, in welchem die Frau Rauerin wohnen sollte. Sie konnte sich eines gewissen unheimlichen Gefühls, ja eines innern Erbebens nicht erwehren, als sie vor der Haustür stand. Endlich raffte sie sich, des innern Widerstrebens unerachtet, zusammen und zog an der Klingel, worauf sich die Tür öffnete und sie durch den finstern Gang nach der Treppe tappte, die zum obern Stock führte, wie es Angelika beschrieben. „Wohnt hier nicht die Frau Rauerin?" rief sie in den öden Hausflur hinein, als sich niemand zeigte; da erscholl statt der Antwort ein langes klares Miau, und ein großer schwarzer Kater schritt mit hochgekrümmtem Rücken, den Schweif in Wellenringeln hin und her drehend, gravitätisch vor ihr her bis an die Stubentür, die auf ein zweites Miau geöffnet wurde. „Ach, sieh da, Töchterchen, bist schon hier? komm herein – herein!" So rief die heraustretende Gestalt, deren Anblick Veronika an den Boden festbannte. Ein langes, hagres, in schwarze Lumpen gehülltes Weib! – indem sie sprach, wackelte das hervorragende spitze Kinn, verzog sich das zahnlose Maul, von der knöchernen Habichtsnase beschattet, zum grinsenden Lächeln, und leuchtende Katzenaugen flackerten Funken werfend durch die große

Brille. Aus dem bunten, um den Kopf gewickelten Tuche starrten schwarze borstige Haare hervor, aber zum Gräßlichen erhoben das ekle Antlitz zwei große Brandflecke, die sich von der linken Backe über die Nase wegzogen. – Veronikas Atem stockte, und der Schrei, der der gepreßten Brust Luft machen sollte, wurde zum tiefen Seufzer, als der Hexe Knochenhand sie ergriff und in das Zimmer hineinzog. Drinnen regte und bewegte sich alles, es war ein Sinne verwirrendes Quieken und Miauen und Gekrächze und Gepiepe durcheinander. Die Alte schlug mit der Faust auf den Tisch und schrie: „Still da, ihr Gesindel!“ Und die Meerkatzen kletterten winselnd auf das hohe Himmelbett, und die Meerschweinchen liefen unter den Ofen, und der Rabe flatterte auf den runden Spiegel; nur der schwarze Kater, als gingen ihn die Scheltworte nichts an, blieb ruhig auf dem großen Polsterstuhle sitzen, auf den er gleich nach dem Eintritt gesprungen. – Sowie es still wurde, ermutigte sich Veronika; es war ihr nicht so unheimlich als draußen auf dem Flur, ja selbst das Weib schien ihr nicht mehr so scheußlich. Jetzt erst blickte sie im Zimmer umher! – Allerhand häßliche ausgestopfte Tiere hingen von der Decke herab, unbekanntes seltsames Geräte lag durcheinander auf dem Boden, und in dem Kamin brannte ein blaues sparsames Feuer, das nur dann und wann in gelben Funken emporknisterte; aber dann rauschte es von oben herab, und ekelhafte Fledermäuse wie mit verzerrten lachenden Menschengesichtern schwangen sich hin und her, und zuweilen leckte die Flamme herauf an der rußigen Mauer, und dann erklangen schneidende, heulende Jammertöne, daß Veronika von Angst und Grausen ergriffen wurde. „Mit Verlaub, Mamsellchen“, sagte die Alte schmunzelnd, erfaßte einen großen Wedel und besprengte, nachdem sie ihn in einen kupfernen Kessel getaucht, den Kamin. Da erlosch das Feuer, und wie von dickem Rauch erfüllt, wurde es stockfinster in der Stube; aber bald trat die Alte, die in ein Kämmerchen gegangen, mit einem angezündeten Lichte wieder herein, und Veronika erblickte nichts mehr von den Tieren, von den Gerätschaften, es war eine gewöhnliche, ärmlich ausstaffierte Stube. Die Alte trat ihr näher und sagte mit schnarrender Stimme: „Ich weiß wohl, was du bei mir willst, mein Töchterchen; was gilt es, du möchtest erfahren, ob du den Anselmus heiraten wirst, wenn er Hofrat worden." – Veronika erstarrte vor Staunen und Schrecken, aber die Alte fuhr fort: „Du hast mir ja schon alles gesagt zu Hause beim Papa, als die Kaffeekanne vor dir stand, ich war ja die Kaffeekanne, hast du mich denn nicht gekannt? Töchterchen, höre! Laß ab, laß ab von dem Anselmus, das ist ein garstiger Mensch, der hat meinen Söhnlein ins Gesicht getreten, meinen lieben Söhnlein, den Äpfelchen mit den roten Backen, die, wenn sie die Leute gekauft haben, ihnen wieder aus den Taschen in meinen Korb zurückrollen. Er hält's mit dem Alten, er hat mir vorgestern den verdammten Auripigment ins Gesicht gegossen, daß ich beinahe darüber erblindet. Du kannst noch die Brandflecken sehen, Töchterchen! Laß ab von ihm, laß ab! – Er liebt dich nicht, denn er liebt die goldgrüne Schlange, er wird niemals Hofrat werden, weil er sich bei den Salamandern anstellen lassen, und er will die grüne Schlange heiraten, laß ab von ihm, laß ab!" – Veronika, die eigentlich ein festes, standhaftes Gemüt hatte und mädchenhaften Schreck bald zu überwinden wußte, trat einen Schritt zurück und sprach mit ernsthaftem gefaßten Ton: „Alte! ich habe von Eurer Gabe, in die Zukunft zu blicken, gehört und wollte darum, vielleicht zu neugierig und voreilig, von Euch wissen, ob wohl Anselmus, den ich liebe und hochschätze, jemals mein werden würde. Wollt Ihr mich daher, statt meinen Wunsch zu erfüllen, mit Eurem tollen, unsinnigen Geschwätze necken, so tut Ihr unrecht, denn ich habe nur gewollt, was Ihr andern, wie ich weiß, gewährtet. Da Ihr, wie es scheint, meine innigsten Gedanken wisset, so wäre es Euch vielleicht ein leichtes gewesen, mir manches zu enthüllen, was mich jetzt quält und ängstigt, aber nach Euern albernen Verleumdungen des guten Anselmus mag ich von Euch weiter nichts erfahren. Gute Nacht!" – Veronika wollte davoneilen, da fiel die Alte weinend und jammernd auf die Knie nieder und rief, das Mädchen am Kleide festhaltend: „Veronikchen, kennst du denn die alte Liese nicht mehr, die dich so oft auf den Armen getragen und gepflegt und gehätschelt?" Veronika traute kaum ihren Augen; denn sie erkannte ihre, freilich nur durch hohes Alter und vorzüglich durch die Brandflecke entstellte ehemalige Wärterin, die vor mehreren Jahren aus des Konrektor Paulmanns Hause verschwand. Die Alte sah auch nun ganz anders aus, sie hatte statt des häßlichen buntgefleckten Tuchs eine ehrbare Haube und statt der schwarzen Lumpen eine großblumichte Jacke an, wie sie sonst wohl gekleidet gegangen. Sie stand vom Boden auf und fuhr, Veronika in ihre Arme nehmend, fort: „Es mag dir alles, was ich dir gesagt, wohl recht toll vorkommen, aber es ist leider dem so. Der Anselmus hat mir viel zuleide getan, doch wider seinen Willen; er ist dem Archivarius Lindhorst in die Hände gefallen, und der will ihn mit seiner Tochter verheiraten. Der Archivarius ist mein größter Feind, und ich könnte dir allerlei Dinge von ihm sagen, die würdest du aber nicht verstehen oder dich doch sehr entsetzen. Er ist der weise Mann, aber ich bin die weise Frau – es mag darum sein! – Ich merke nun wohl, daß du den Anselmus recht liebhast, und ich will dir mit allen Kräften beistehen, daß du recht glücklich werden und fein ins Ehebette kommen sollst, wie du es wünschest." – „Aber sage Sie mir um des Himmels willen, Liese!" – fiel Veronika ein – „Still, Kind – still!" unterbrach sie die Alte, „ich weiß, was du sagen willst, ich bin das worden, was ich bin, weil ich es werden mußte, ich konnte nicht anders. Nun also! – ich kenne das Mittel, das den Anselmus von der törichten Liebe zur grünen Schlange heilt und ihn als den liebenswürdigsten Hofrat in deine Arme führt; aber du mußt helfen." – „Sage es nur geradeheraus, Liese! ich will ja alles tun, denn ich liebe den Anselmus sehr!" lispelte Veronika kaum hörbar. – „Ich kenne dich", fuhr die Alte fort, „als ein beherztes Kind, vergebens habe ich dich mit dem Wauwau zum Schlaf treiben wollen, denn gerade alsdann öffnetest du die Augen, um den Wauwau zu sehen; du gingst ohne Licht in die hinterste Stube und erschrecktest oft in des Vaters Pudermantel des Nachbars Kinder. Nun also! – ist's dir Ernst, durch meine Kunst den Archivarius Lindhorst und die grüne Schlange zu überwinden, ist's dir Ernst, den Anselmus als Hofrat deinen

Mann zu nennen, so schleiche dich in der künftigen Tagundnachtgleiche nachts um eilf Uhr aus des Vaters Hause und komme zu mir; ich werde dann mit dir auf den Kreuzweg gehen, der unfern das Feld durchschneidet, wir bereiten das Nötige, und alles Wunderliche, was du vielleicht erblicken wirst, soll dich nicht anfechten. Und nun, Töchterchen, gute Nacht, der Papa wartet schon mit der Suppe.“ – Veronika eilte von dannen, fest stand bei ihr der Entschluß, die Nacht des Aequinoctiums nicht zu versäumen, „denn“, dachte sie, „die Liese hat recht, der Anselmus ist verstrickt in wunderliche Bande, aber ich erlöse ihn daraus und nenne ihn mein immerdar und ewiglich, mein ist und bleibt er, der Hofrat Anselmus“.

Sechste Vigilie

Der Garten des Archivarius Lindhorst nebst einigen Spottvögeln. – Der goldne Topf. – Die englische Kursivschrift. – Schnöde Hahnenfüße. – Der Geisterfürst.

„Es kann aber auch sein“, sprach der Student Anselmus zu sich selbst, „daß der superfeine starke Magenlikör, den ich bei dem Monsieur Conradi etwas begierig genossen, alle die tollen Phantasmata geschaffen, die mich vor der Haustür des Archivarius Lindhorst ängsteten. Deshalb bleibe ich heute ganz nüchtern und will nun wohl allem weitern Ungemach, das mir begegnen könnte, Trotz bieten.“ – So wie damals, als er sich zum ersten Besuch bei dem Archivarius Lindhorst rüstete, steckte er seine Federzeichnungen und kalligraphischen Kunstwerke, seine Tuschstangen, seine wohlgespitzten Rabenfedern ein, und schon wollte er zur Tür hinausschreiten, als ihm das Fläschchen mit dem gelben Liquor in die Augen fiel, das er von dem Archivarius Lindhorst erhalten. Da gingen ihm wieder all die seltsamen Abenteuer, welche er erlebt, mit glühenden Farben durch den Sinn, und ein namenloses Gefühl von Wonne und Schmerz durchschnitt seine Brust. Unwillkürlich rief er mit recht kläglicher Stimme aus: „Ach, gehe ich denn nicht zum Archivarius, nur um dich zu sehen, du holde, liebliche Serpentina?" – Es war ihm in dem Augenblick so, als könne Serpentinas Liebe der Preis einer mühevollen gefährlichen Arbeit sein, die er unternehmen müßte, und diese Arbeit sei keine andere als das Kopieren der Lindhorstischen Manuskripte. – Daß ihm schon bei dem Eintritt ins Haus oder vielmehr noch vor demselben allerlei Wunderliches begegnen könne, wie neulich, davon war er überzeugt. Er dachte nicht mehr an Conradis Magenwasser, sondern steckte schnell den Liquor in die Westentasche, um ganz nach des Archivarius Vorschrift zu verfahren, wenn das bronzierte Äpfelweib sich unterstehen sollte, ihn anzugrinsen. – Erhob sich denn nicht auch wirklich gleich die spitze Nase, funkelten nicht die Katzenaugen aus dem Türdrücker, als er ihn auf den Schlag zwölf Uhr ergreifen wollte? – Da spritzte er, ohne sich weiter zu bedenken, den Liquor in das fatale Gesicht hinein, und es glättete und plättete sich augenblicklich aus zum glänzenden kugelrunden Türklopfer. – Die Tür ging auf, die Glocken läuteten gar lieblich durch das ganze Haus: klingling – Jüngling – flink – flink – spring – spring – klingling. – Er stieg getrost die schöne breite Treppe hinauf und weidete sich an dem Duft des seltenen Räucherwerks, der durch das Haus floß. Ungewiß blieb er auf dem Flur stehen, denn er wußte nicht, an welche der vielen schönen Türen er wohl pochen sollte; da trat der Archivarius Lindhorst in einem weiten damastnen Schlafrock heraus und rief: „Nun, es freut mich, Herr Anselmus, daß Sie endlich Wort halten, kommen Sie mir nur nach, denn ich muß Sie ja doch wohl gleich ins Laboratorium führen." Damit schritt er schnell den langen Flur hinauf und öffnete eine kleine Seitentür, die in einen Korridor führte. Anselmus schritt getrost hinter dem Archivarius her; sie kamen aus dem Korridor in einen Saal oder vielmehr in ein herrliches Gewächshaus, denn von beiden Seiten bis an die Decke hinauf standen allerlei seltene wunderbare Blumen, ja große Bäume mit sonderbar gestalteten Blättern und Blüten. Ein magisches blendendes Licht verbreitete sich überall, ohne daß man bemerken konnte, wo es herkam, da durchaus kein Fenster zu sehen war. Sowie der Student Anselmus in die Büsche und Blumen hineinblickte, schienen lange Gänge sich in weiter Ferne auszudehnen. – Im tiefen Dunkel dicker Zypressenstauden schimmerten Marmorbecken, aus denen sich wunderliche Figuren erhoben, Kristallenstrahlen hervorspritzend, die plätschernd niederfielen in leuchtende Lilienkelche; seltsame Stimmen rauschten und säuselten durch den Wald der wunderbaren Gewächse, und herrliche Düfte strömten auf und nieder. Der Archivarius war verschwunden, und Anselmus erblickte nur einen riesenhaften Busch glühender Feuerlilien vor sich. Von dem Anblick, von den süßen Düften des Feengartens berauscht, blieb Anselmus festgezaubert stehen. Da fing es überall an zu kickern und zu lachen, und feine Stimmchen neckten und höhnten: „Herr Studiosus, Herr Studiosus! wo kommen Sie denn her? warum haben Sie sich denn so schön geputzt, Herr Anselmus? – Wollen Sie eins mit uns plappern, wie die Großmutter das Ei mit dem Steiß zerdrückte und der Junker einen Klecks auf die Sonntagsweste bekam? Können Sie die neue Arie schon auswendig, die Sie vom Papa Starmatz gelernt, Herr Anselmus? – Sie sehen recht possierlich aus in der gläsernen Perücke und den postpapiernen Stülpstiefeln!" – So rief und kickerte und neckte es aus allen Winkeln hervor – ja dicht neben dem Studenten, der nun erst wahrnahm, wie allerlei bunte Vögel ihn umflatterten und ihn so in vollem Gelächter aushöhnten. – In dem Augenblick schritt der Feuerlilienbusch auf ihn zu, und er sah, daß es der Archivarius Lindhorst war, dessen blumichter, in Gelb und Rot glänzender Schlafrock ihn nur getäuscht hatte. „Verzeihen Sie, werter Herr Anselmus", sagte der Archivarius, „daß ich Sie stehenließ, aber vorübergehend sah ich nur nach meinem schönen Cactus, der diese Nacht seine Blüten aufschließen wird – aber wie gefällt Ihnen denn mein kleiner Hausgarten?" – „Ach Gott, über alle Maßen schön ist es hier, geschätztester Herr Archivarius", erwiderte der Student, „aber die bunten Vögel mokieren sich über meine Wenigkeit gar sehr!" – „Was ist denn das für ein Gewäsche?" rief der Archivarius zornig in die Büsche hinein. Da flatterte ein großer grauer Papagei hervor, und, sich neben dem Archivarius auf einen

Myrtenast setzend und ihn ungemein ernsthaft und gravitätisch durch eine Brille, die auf dem krummen Schnabel saß, anblikkend, schnarrte er: „Nehmen Sie es nicht übel, Herr Archivarius, meine mutwilligen Buben sind einmal wieder recht ausgelassen, aber der Herr Studiosus sind selbst daran schuld, denn" – „Still da, still da!" unterbrach der Archivarius den Alten, „ich kenne die Schelme, aber Er sollte sie besser in Zucht halten, mein Freund! – gehen wir weiter, Herr Anselmus!" – Noch durch manches fremdartig aufgeputzte Gemach schritt der Archivarius, so, daß der Student ihm kaum folgen und einen Blick auf all die glänzenden, sonderbar geformten Mobilien und andere unbekannte Sachen werfen konnte, womit alles überfüllt war. Endlich traten sie in ein großes Gemach, in dem der Archivarius, den Blick in die Höhe gerichtet, stehenblieb und Anselmus Zeit gewann, sich an dem herrlichen Anblick, den der einfache Schmuck dieses Saals gewährte, zu weiden. Aus den azurblauen Wänden traten die goldbronzenen Stämme hoher Palmbäume hervor, welche ihre kolossalen, wie funkelnde Smaragden glänzenden Blätter oben zur Decke wölbten; in der Mitte des Zimmers ruhte auf drei aus dunkler Bronze gegossenen ägyptischen Löwen einer Porphyrplatte, auf welcher ein einfacher goldener Topf stand, von dem, als er ihn erblickte, Anselmus nun gar nicht mehr die Augen wegwenden konnte. Es war, als spielten in tausend schimmernden Reflexen allerlei Gestalten auf dem strahlend polierten Golde – manchmal sah er sich selbst mit sehnsüchtig ausgebreiteten Armen – ach! neben dem Holunderbusch – Serpentina schlängelte sich auf und nieder, ihn anblickend mit den holdseligen Augen. Anselmus war außer sich vor wahnsinnigem Entzücken. „Serpentina – Serpentina!" schrie er laut auf, da wandte sich der Archivarius Lindhorst schnell um und sprach: „Was meinen Sie, werter Herr Anselmus? – Ich glaube, Sie belieben meine Tochter zu rufen, die ist aber ganz auf der andern Seite meines Hauses in ihrem Zimmer und hat soeben Klavierstunde, kommen Sie nur weiter." Anselmus folgte beinahe besinnungslos dem davonschreitenden Archivarius, er sah und hörte nichts mehr, bis ihn der Archivarius heftig bei der Hand ergriff und sprach: „Nun sind wir an Ort und Stelle!“ Anselmus erwachte wie aus einem Traum und bemerkte nun, daß er sich in einem hohen, rings mit Bücherschränken umstellten Zimmer befand, welches sich in keiner Art von gewöhnlichen Bibliothek- und Studierzimmern unterschied. In der Mitte stand ein großer Arbeitstisch und ein gepolsterter Lehnstuhl vor demselben. „Dieses“, sagte der Archivarius Lindhorst, „ist vorderhand Ihr Arbeitszimmer, ob Sie künftig auch in dem andern blauen Bibliotheksaal, in dem Sie so plötzlich meiner Tochter Namen riefen, arbeiten werden, weiß ich noch nicht; – aber nun wünschte ich mich erst von Ihrer Fähigkeit, die Ihnen zugedachte Arbeit wirklich meinem Wunsch und Bedürfnis gemäß auszuführen, zu überzeugen.“ Der Student Anselmus ermutigte sich nun ganz und gar und zog nicht ohne innere Selbstzufriedenheit und in der Überzeugung, den Archivarius durch sein ungewöhnliches Talent höchlich zu erfreuen, seine Zeichnungen und Schreibereien aus der Tasche. Der Archivarius hatte kaum das erste Blatt, eine Handschrift in der elegantesten englischen Schreibmanier, erblickt, als er recht sonderbar lächelte und mit dem Kopfe schüttelte. Das wiederholte er bei jedem folgenden Blatte, so daß dem Studenten Anselmus das Blut in den Kopf stieg und er, als das Lächeln zuletzt recht höhnisch und verächtlich wurde, in vollem Unmute losbrach: „Der Herr Archivarius scheinen mit meinen geringen Talenten nicht ganz zufrieden?“ – „Lieber Herr Anselmus“, sagte der Archivarius Lindhorst, „Sie haben für die Kunst des Schönschreibens wirklich treffliche Anlagen, aber vorderhand, sehe ich wohl, muß ich mehr auf Ihren Fleiß, auf Ihren guten Willen rechnen als auf Ihre Fertigkeit. Es mag auch wohl an den schlechten Materialien liegen, die Sie verwandt.“ – Der Student Anselmus sprach viel von seiner sonst anerkannten Kunstfertigkeit, von chinesischer Tusche und ganz auserlesenen Rabenfedern. Da reichte ihm der Archivarius Lindhorst das englische Blatt hin und sprach: „Urteilen Sie selbst!“ – Anselmus wurde wie vom Blitz getroffen, als ihm seine Handschrift so höchst miserabel vorkam. Da war keine Ründe in den Zügen, kein Druck richtig, kein Verhältnis der großen und kleinen Buchstaben, ja! schülermäßige schnöde Hahnenfüße verdarben oft die sonst ziemlich geratene Zeile. „Und dann“, fuhr der Archivarius Lindhorst fort, „ist Ihre Tusche auch nicht haltbar.“ Er tunkte den Finger in ein mit Wasser gefülltes Glas, und indem er nur leicht auf die Buchstaben tupfte, war alles spurlos verschwunden. Dem Studenten Anselmus war es, als schnüre ein Ungetüm ihm die Kehle zusammen – er konnte kein Wort herausbringen. So stand er da, das unglückliche Blatt in der Hand, aber der Archivarius Lindhorst lachte laut auf und sagte: „Lassen Sie sich das nicht anfechten, wertester Herr Anselmus; was Sie bisher nicht vollbringen konnten, wird hier bei mir vielleicht besser sich fügen; ohnedies finden Sie ein besseres Material, als Ihnen sonst wohl zu Gebote stand! – Fangen Sie nur getrost an!“ – Der Archivarius Lindhorst holte erst eine flüssige schwarze Masse, die einen ganz eigentümlichen Geruch verbreitete, sonderbar gefärbte, scharf zugespitzte Federn und ein Blatt von besonderer Weiße und Glätte, dann aber ein arabisches Manuskript aus einem verschlossenen Schranke herbei, und sowie Anselmus sich zur Arbeit gesetzt, verließ er das Zimmer. Der Student Anselmus hatte schon öfters arabische Schrift kopiert, die erste Aufgabe schien ihm daher nicht so schwer zu lösen. „Wie die Hahnenfüße in meine schöne englische Kursivschrift gekommen, mag Gott und der Archivarius Lindhorst wissen“, sprach er, „aber daß sie nicht von *meiner* Hand sind, darauf will ich sterben.“ – Mit jedem Worte, das nun wohlgelungen auf dem Pergamente stand, wuchs sein Mut und mit ihm seine Geschicklichkeit. In der Tat schrieb es sich mit den Federn auch ganz herrlich, und die geheimnisvolle Tinte floß rabenschwarz und gefügig auf das blendend weiße Pergament. Als er nun so emsig und mit angestrengter Aufmerksamkeit arbeitete, wurde es ihm immer heimlicher in dem einsamen Zimmer, und er hatte sich schon ganz in das Geschäft, welches er glücklich zu vollenden hoffte, geschickt, als auf den Schlag drei Uhr ihn der Archivarius in das Nebenzimmer zu dem wohlbereiteten Mittagsmahl rief. Bei Tische war der Archivarius Lindhorst bei ganz besonderer heiterer Laune; er erkundigte sich nach des Studenten Anselmus Freunden, dem Konrektor Paulmann und dem Registrator Heerbrand, und wußte vorzüglich von dem letztern recht viel Ergötzliches zu erzählen. Der gute alte Rheinwein schmeckte dem Anselmus gar sehr und machte ihn gesprächiger, als er wohl sonst zu sein pflegte. Auf den Schlag vier Uhr stand er auf, um an seine Arbeit zu gehen, und diese Pünktlichkeit schien dem Archivarius Lindhorst wohl zu gefallen. War ihm schon vor dem Essen das Kopieren der arabischen Zeichen geglückt, so ging die Arbeit jetzt noch viel besser vonstatten, ja er konnte selbst die Schnelle und Leichtigkeit nicht begreifen, womit er die krausen Züge der fremden Schrift nachzumalen vermochte. – Aber es war, als flüstre aus dem innersten Gemüte eine Stimme in vernehmlichen Worten: „Ach! könntest du denn das vollbringen, wenn du *sie* nicht in Sinn und Gedanken trügest, wenn du nicht an *sie*, an ihre Liebe glaubtest?" – Da wehte es wie in leisen, leisen, lispelnden Kristallklängen durch das Zimmer: „Ich bin dir nahe – nahe – nahe! – ich helfe dir – sei mutig – sei standhaft, lieber Anselmus! – ich mühe mich mit dir, damit du mein werdest!" Und sowie er voll innern Entzückens die Töne vernahm, wurden ihm immer verständlicher die unbekannten Zeichen – er durfte kaum mehr hineinblicken in das Original – ja es war, als stünden schon wie in blasser Schrift die Zeichen auf dem Pergament und er dürfe sie nur mit geübter Hand schwarz überziehen. So arbeitete er fort, von lieblichen tröstenden Klängen wie vom süßen zarten Hauch umflossen, bis die Glocke sechs Uhr schlug und der Archivarius Lindhorst in das Zimmer trat. Er ging sonderbar lächelnd an den Tisch, Anselmus stand schweigend auf, der Archivarius sah ihn noch immer so wie in höhnendem Spott lächelnd an, kaum hatte er aber in die Abschrift geblickt, als das Lächeln in dem tiefen feierlichen Ernst unterging, zu dem sich alle Muskeln des Gesichts verzogen. – Bald schien er nicht mehr derselbe. Die Augen, welche sonst funkelndes Feuer strahlten, blickten jetzt mit unbeschreiblicher Milde den Anselmus an, eine sanfte Röte färbte die bleichen Wangen, und statt der Ironie, die sonst den Mund zusammenpreßte, schienen die weichgeformten anmutigen Lippen sich zu öffnen zur weisheitsvollen, ins Gemüt dringenden Rede. – Die ganze Gestalt war höher, würdevoller; der weite Schlafrock legte sich wie ein Königsmantel in breiten Falten um Brust und Schultern, und durch die weißen Löckchen, welche an der hohen offenen Stirn lagen, schlang sich ein schmaler goldner Reif. „Junger Mensch“, fing der Archivarius an im feierlichen Ton, „junger Mensch, ich habe, noch ehe du es ahnetest, all die geheimen Beziehungen erkannt, die dich an mein Liebstes, Heiligstes fesseln! – Serpentina liebt dich, und ein seltsames Geschick, dessen verhängnisvollen Faden feindliche Mächte spannen, ist erfüllt, wenn sie dein wird und wenn du als notwendige Mitgift den goldnen Topf erhältst, der ihr Eigentum ist. Aber nur dem Kampfe entsprießt dein Glück im höheren Leben. Feindliche Prinzipe fallen dich an, und nur die innere Kraft, mit der du den Anfechtungen widerstehst, kann dich retten von Schmach und Verderben. Indem du hier arbeitest, überstehst du deine Lehrzeit; Glauben und Erkenntnis führen dich zum nahen Ziele, wenn du festhältst an dem, was du beginnen mußtest. Trage sie recht getreulich im Gemüte, *sie*, die dich liebt, und du wirst die herrlichen Wunder des goldnen Topfs schauen und glücklich sein immerdar. – Gehab dich wohl! der Archivarius Lindhorst erwartet dich morgen um zwölf Uhr in deinem Kabinett! – Gehab dich wohl!“ – Der Archivarius schob den Studenten Anselmus sanft zur Tür hinaus, die er dann verschloß, und er befand sich in dem Zimmer, in welchem er gespeiset, dessen einzige Tür auf den Flur führte. Ganz betäubt von den wunderbaren Erscheinungen, blieb er vor der Haustür stehen, da wurde über ihm ein Fenster geöffnet, er schaute hinauf, es war der Archivarius Lindhorst; ganz der Alte im weißgrauen Rocke, wie er ihn sonst gesehen. – Er rief ihm zu: „Ei, werter Herr Anselmus, worüber sinnen Sie denn so, was gilt's, das Arabische geht Ihnen nicht aus dem Kopf? Grüßen Sie doch den Herrn Konrektor Paulmann, wenn Sie etwa zu ihm gehen, und kommen Sie morgen Punkt zwölf Uhr wieder. Das Honorar für heute steckt bereits in Ihrer rechten Westentasche.“ – Der Student Anselmus fand wirklich den blanken Speziestaler in der bezeichneten Tasche, aber er freute sich gar nicht darüber. – „Was aus dem allen werden wird, weiß ich nicht", sprach er zu sich selbst – „umfängt mich aber auch nur ein toller Wahn und Spuk, so lebt und webt doch in meinem Innern die liebliche Serpentina, und ich will, ehe ich von ihr lasse, lieber untergehen ganz und gar, denn ich weiß doch, daß der Gedanke in mir ewig ist, und kein feindliches Prinzip kann ihn vernichten; aber ist der Gedanke denn was anders als Serpentinas Liebe?"

Siebente Vigilie

Wie der Konrektor Paulmann die Pfeife ausklopfte und zu Bette ging. – Rembrandt und Höllenbreughel. – Der Zauberspiegel und des Doktors Eckstein Rezept gegen eine unbekannte Krankheit.

Endlich klopfte der Konrektor Paulmann die Pfeife aus, sprechend: „Nun ist es doch wohl Zeit, sich zur Ruhe zu begeben." – „Jawohl", erwiderte die durch des Vaters längeres Aufbleiben beängstete Veronika, denn es schlug längst zehn Uhr. Kaum war nun der Konrektor in sein Studier- und Schlafzimmer gegangen, kaum hatten Fränzchens schwerere Atemzüge kundgetan, daß sie wirklich fest eingeschlafen, als Veronika, die sich zum Schein auch ins Bett gelegt, leise, leise wieder aufstand, sich anzog, den Mantel umwarf und zum Hause hinausschlüpfte. – Seit dem Augenblick, als Veronika die alte Liese verlassen, stand ihr unaufhörlich der Anselmus vor Augen, und sie wußte selbst nicht, welch eine fremde Stimme im Innern ihr immer und ewig wiederholte, daß sein Widerstreben von einer ihr feindlichen Person herrühre, die ihn in Banden halte, welche Veronika durch geheimnisvolle Mittel der magischen Kunst zerreißen könne. Ihr Vertrauen auf die alte Liese wuchs mit jedem Tage, und selbst der Eindruck des Unheimlichen, Grausigen stumpfte sich ab, so daß alles Wunderliche, Seltsame ihres Verhältnisses mit der Alten ihr nur im Schimmer des Ungewöhnlichen, Romanhaften erschien, wovon sie eben recht angezogen wurde. Deshalb stand auch der Vorsatz bei ihr fest, selbst mit Gefahr, vermißt zu werden und in tausend Unannehmlichkeiten zu geraten, das Abenteuer der Tagundnachtgleiche zu bestehen. Endlich war nun die verhängnisvolle Nacht des Aequinoctiums, in der ihr die alte Liese Hilfe und Trost verheißen, eingetreten, und Veronika, mit dem Gedanken der nächtlichen Wanderung längst vertraut geworden, fühlte sich ganz ermutigt. Pfeilschnell flog sie durch die einsamen Straßen, des Sturms nicht achtend, der durch die Lüfte brauste und ihr die dicken Regentropfen ins Gesicht warf. – Mit dumpfem dröhnenden Klange schlug die Glocke des Kreuzturms eilf Uhr, als Veronika ganz durchnäßt vor dem Hause der Alten stand. „Ei, Liebchen, Liebchen, schon da! – nun warte, warte!“ rief es von oben herab – und gleich darauf stand auch die Alte, mit einem Korbe beladen und von ihrem Kater begleitet, vor der Tür. „So wollen wir denn gehen und tun und treiben, was ziemlich ist und gedeiht in der Nacht, die dem Werke günstig“, dies sprechend, ergriff die Alte mit kalter Hand die zitternde Veronika, welcher sie den schweren Korb zu tragen gab, während sie selbst einen Kessel, Dreifuß und Spaten auspackte. Als sie ins Freie kamen, regnete es nicht mehr, aber der Sturm war stärker geworden; tausendstimmig heulte es in den Lüften. Ein entsetzlicher herzzerschneidender Jammer tönte herab aus den schwarzen Wolken, die sich in schneller Flucht zusammenballten und alles einhüllten in dicke Finsternis. Aber die Alte schritt rasch fort, mit gellender Stimme rufend: „Leuchte – leuchte, mein Junge!“ Da schlängelten und kreuzten sich blaue Blitze vor ihnen her, und Veronika wurde inne, daß der Kater, knisternde Funken sprühend und leuchtend, vor ihnen herumsprang, und dessen ängstliches grausiges Zetergeschrei sie vernahm, wenn der Sturm nur einen Augenblick schwieg. – Ihr wollte der Atem vergehen, es war, als griffen eiskalte Krallen in ihr Inneres, aber gewaltsam raffte sie sich zusammen, und sich fester an die Alte klammernd, sprach sie: „Nun muß alles vollbracht werden, und es mag geschehen, was da will!“ – „Recht so, mein Töchterchen!“ erwiderte die Alte, „bleibe fein standhaft, und ich schenke dir was Schönes und den Anselmus obendrein!“ Endlich stand die Alte still und sprach: „Nun sind wir an Ort und Stelle!“ Sie grub ein Loch in die Erde, schüttete Kohlen hinein und stellte den Dreifuß darüber, auf den sie den Kessel setzte. Alles dieses begleitete sie mit seltsamen Gebärden, während der Kater sie umkreiste. Aus seinem Schweif sprühten Funken, die einen Feuerreif bildeten. Bald fingen die Kohlen an zu glühen, und endlich schlugen blaue Flammen unter dem Dreifuß hervor. Veronika mußte Mantel und Schleier ablegen und sich bei der Alten niederkauern, die ihre Hände ergriff und fest drückte, mit den funkelnden Augen das Mädchen anstarrend. Nun fingen die sonderbaren Massen – waren es Blumen – Metalle – Kräuter – Tiere, man konnte es nicht unterscheiden –, die die Alte aus dem Korbe genommen und in den Kessel geworfen, an zu sieden und zu brausen. Die Alte ließ Veronika los, sie ergriff einen eisernen Löffel, mit dem sie in die glühende Masse hineinfuhr und darin rührte, während Veronika auf ihr Geheiß festen Blickes in den Kessel hineinschauen und ihre Gedanken auf den Anselmus richten mußte. Nun warf die Alte aufs neue blinkende Metalle und auch eine Haarlocke, die sich Veronika vom Kopfwirbel geschnitten, sowie einen kleinen Ring, den sie lange getragen, in den Kessel, indem sie unverständliche, durch die Nacht grausig gellende Töne ausstieß und der Kater im unaufhörlichen Rennen winselte und ächzte. – – Ich wollte, daß du, günstiger Leser, am dreiundzwanzigsten September auf der Reise nach Dresden begriffen gewesen wärest; vergebens suchte man, als der späte Abend hereinbrach, dich auf der letzten Station aufzuhalten; der freundliche Wirt stellte dir vor, es stürme und regne doch gar zu sehr, und überhaupt sei es auch nicht geheuer, in der Aequinoctialnacht so ins Dunkle hineinzufahren, aber du achtetest dessen nicht, indem du ganz richtig annahmst: ich zahle dem Postillion einen ganzen Taler Trinkgeld und bin spätestens um ein Uhr in Dresden, wo mich im „Goldnen Engel“ oder im „Helm“ oder in der „Stadt Naumburg“ ein gut zugerichtetes Abendessen und ein weiches Bett erwartet. Wie du nun so in der Finsternis daherfährst, siehst du plötzlich in der Ferne ein ganz seltsames flackerndes Leuchten.

Näher gekommen, erblickst du einen Feuerreif, in dessen Mitte bei einem Kessel, aus dem dicker Qualm und blitzende rote Strahlen und Funken emporschießen, zwei Gestalten sitzen. Gerade durch das Feuer geht der Weg, aber die Pferde prusten und stampfen und bäumen sich – der Postillion flucht und betet – und peitscht auf die Pferde hinein – sie gehen nicht von der Stelle. – Unwillkürlich springst du aus dem Wagen und rennst einige Schritte vorwärts. Nun siehst du deutlich das schlanke holde Mädchen, die im weißen dünnen Nachtgewande bei dem Kessel kniet. Der Sturm hat die Flechten aufgelöst, und das lange kastanienbraune Haar flattert frei in den Lüften. Ganz im blendenden Feuer der unter dem Dreifuß emporflackernden Flammen steht das engelschöne Gesicht, aber in dem Entsetzen, das seinen Eisstrom darübergoß, ist es erstarrt zur Totenbleiche, und in dem stieren Blick, in den hinaufgezogenen Augenbrauen, in dem Munde, der sich vergebens dem Schrei der Todesangst öffnet, welcher sich nicht entwinden kann der von namenloser Folter gepreßten Brust, siehst du ihr Grausen, ihr Entsetzen; die kleinen Händchen hält sie krampfhaft zusammengefaltet in die Höhe, als riefe sie betend die Schutzengel herbei, sie zu schirmen vor den Ungetümen der Hölle, die, dem mächtigen Zauber gehorchend, nun gleich erscheinen werden! – So kniet sie da, unbeweglich wie ein Marmorbild. Ihr gegenüber sitzt auf dem Boden niedergekauert ein langes, hageres, kupfergelbes Weib mit spitzer Habichtsnase und funkelnden Katzenaugen; aus dem schwarzen Mantel, den sie umgeworfen, starren die nackten knöchernen Arme hervor, und, rührend in dem Höllensud, lacht und ruft sie mit krächzender Stimme durch den brausenden tosenden Sturm. – Ich glaube wohl, daß dir, günstiger Leser, kenntest du auch sonst keine Furcht und Scheu, sich doch bei dem Anblick dieses Rembrandtschen oder Höllenbreughelschen Gemäldes, das nun ins Leben getreten, vor Grausen die Haare auf dem Kopfe gesträubt hätten. Aber dein Blick konnte nicht loskommen von dem im höllischen Treiben befangenen Mädchen, und der elektrische Schlag, der durch alle deine Fibern und Nerven zitterte, entzündete mit der Schnelligkeit des Blitzes in dir den mutigen Gedanken, Trotz zu bieten den geheimnisvollen Mächten des Feuerkreises; in ihm ging dein Grausen unter, ja der Gedanke selbst keimte auf in diesem Grausen und Entsetzen als dessen Erzeugnis. Es war dir, als seist du selbst der Schutzengel einer, zu denen das zum Tode geängstigte Mädchen flehte, ja als müßtest du nur gleich dein Taschenpistol hervorziehen und die Alte ohne weiteres totschießen! Aber, indem du das lebhaft dachtest, schriest du laut auf: „Heda!“ oder „Was gibt es dorten“ oder „Was treibt ihr da!“ – Der Postillion stieß schmetternd in sein Horn, die Alte kugelte um in ihren Sud hinein, und alles war mit einemmal verschwunden in dickem Qualm. – Ob du das Mädchen, das du nun mit recht innigem Verlangen in der Finsternis suchtest, gefunden hättest, mag ich nicht behaupten, aber den Spuk des alten Weibes hattest du zerstört und den Bann des magischen Kreises, in den sich Veronika leichtsinnig begeben, gelöset. – Weder du, günstiger Leser, noch sonst jemand fuhr oder ging aber am dreiundzwanzigsten September in der stürmischen, den Hexenkünsten günstigen Nacht des Weges, und Veronika mußte ausharren am Kessel in tödlicher Angst, bis das Werk der Vollendung nahe. – Sie vernahm wohl, wie es um sie her heulte und brauste, wie allerlei widrige Stimmen durcheinander blökten und schnatterten, aber sie schlug die Augen nicht auf, denn sie fühlte, wie der Anblick des Gräßlichen, des Entsetzlichen, von dem sie umgeben, sie in unheilbaren zerstörenden Wahnsinn stürzen könne. Die Alte hatte aufgehört, im Kessel zu rühren, immer schwächer und schwächer wurde der Qualm, und zuletzt brannte nur eine leichte Spiritusflamme im Boden des Kessels. Da rief die Alte: „Veronika, mein Kind! mein Liebchen! schau hinein in den Grund! – was siehst du denn – was siehst du denn?“ – Aber Veronika vermochte nicht zu antworten, unerachtet es ihr schien, als drehten sich allerlei verworrene Figuren im Kessel durcheinander; immer deutlicher und deutlicher gingen Gestalten hervor, und mit einemmal trat, sie freundlich anblickend und die Hand ihr reichend, der Student Anselmus aus der Tiefe des Kessels. Da rief sie laut: „Ach, der Anselmus! – der Anselmus!“ – Rasch öffnete die Alte den am

Kessel befindlichen Hahn, und glühendes Metall strömte zischend und prasselnd in eine kleine Form, die sie danebengestellt. Nun sprang das Weib auf und kreischte, mit wilder, gräßlicher Gebärde sich herumschwingend: „Vollendet ist das Werk – Dank dir, mein Junge! – hast Wache gehalten – Hui – Hui – er kommt! – beiß ihn tot – beiß ihn tot!“ Aber da brauste es mächtig durch die Lüfte, es war, als rausche ein ungeheurer Adler herab, mit den Fittichen um sich schlagend, und es rief mit entsetzlicher Stimme: „Hei, hei! – ihr Gesindel! nun ist's aus – nun ist's aus – fort zu Haus!“ Die Alte stürzte heulend nieder, aber der Veronika vergingen Sinn' und Gedanken. – Als sie wieder zu sich selbst kam, war es heller Tag geworden, sie lag in ihrem Bette, und Fränzchen stand mit einer Tasse dampfenden Tees vor ihr, sprechend: „Aber sage mir nur, Schwester, was dir ist, da stehe ich nun schon eine Stunde oder länger vor dir, und du liegst wie in der Fieberhitze besinnungslos da und stöhnst und ächzest, daß uns angst und bange wird. Der Vater ist deinetwegen heute nicht in die Klasse gegangen und wird gleich mit dem Herrn Doktor hereinkommen.“ – Veronika nahm schweigend den Tee; indem sie ihn hinunterschlürfte, traten ihr die gräßlichen Bilder der Nacht lebhaft vor Augen. „So war denn wohl alles nur ein ängstlicher Traum, der mich gequält hat? – Aber ich bin doch gestern abend wirklich zur Alten gegangen, es war ja der dreiundzwanzigste September? – Doch bin ich wohl schon gestern recht krank geworden und habe mir das alles nur eingebildet, und nichts hat mich krank gemacht als das ewige Denken an den Anselmus und an die wunderliche alte Frau, die sich für die Liese ausgab und mich wohl nur damit geneckt hat.“ Fränzchen, die hinausgegangen, trat wieder herein mit Veronikas ganz durchnäßtem Mantel in der Hand. „Sieh nur, Schwester“, sagte sie, „wie es deinem Mantel ergangen ist; da hat der Sturm in der Nacht das Fenster aufgerissen und den Stuhl, auf dem der Mantel lag, umgeworfen; da hat es nun wohl hineingeregnet, denn der Mantel ist ganz naß.“ – Das fiel der Veronika schwer aufs Herz, denn sie merkte nun wohl, daß nicht ein Traum sie gequält, sondern daß sie wirklich bei der Alten gewesen. Da ergriff sie Angst und Grausen, und ein Fieberfrost zitterte durch alle Glieder. Im krampfhaften Erbeben zog sie die Bettdecke fest über sich; aber da fühlte sie, daß etwas Hartes ihre Brust drückte, und als sie mit der Hand danach faßte, schien es ein Medaillon zu sein; sie zog es hervor, als Fränzchen mit dem Mantel fortgegangen, und es war ein kleiner runder, hell polierter Metallspiegel. „Das ist ein Geschenk der Alten", rief sie lebhaft, und es war, als schössen feurige Strahlen aus dem Spiegel, die in ihr Innerstes drangen und es wohltuend erwärmten. Der Fieberfrost war vorüber, und es durchströmte sie ein unbeschreibliches Gefühl von Behaglichkeit und Wohlsein. – An den Anselmus mußte sie denken, und als sie immer fester und fester den Gedanken auf ihn richtete, da lächelte er ihr freundlich aus dem Spiegel entgegen wie ein lebhaftes Miniaturporträt. Aber bald war es ihr, als sähe sie nicht mehr das Bild – nein! – sondern den Studenten Anselmus selbst leibhaftig. Er saß in einem hohen, seltsam ausstaffierten Zimmer und schrieb emsig. Veronika wollte zu ihm hintreten, ihn auf die Schulter klopfen und sprechen: „Herr Anselmus, schauen Sie doch um sich, ich bin ja da!" Aber das ging durchaus nicht an, denn es war, als umgäbe ihn ein leuchtender Feuerstrom, und wenn Veronika recht genau hinsah, waren es doch nur große Bücher mit vergoldetem Schnitt. Aber endlich gelang es der Veronika, den Anselmus ins Auge zu fassen; da war es, als müsse er im Anschauen sich erst auf sie besinnen, doch endlich lächelte er und sprach: „Ach! – sind Sie es, liebe Mademoiselle Paulmann! Aber warum belieben Sie sich denn zuweilen als ein Schlänglein zu gebärden?" Veronika mußte über diese seltsamen Worte laut auflachen; darüber erwachte sie wie aus einem tiefen Traume, und sie verbarg schnell den kleinen Spiegel, als die Tür aufging und der Konrektor Paulmann mit dem Doktor Eckstein ins Zimmer kam. Der Doktor Eckstein ging sogleich ans Bett, faßte, lange in tiefem Nachdenken versunken, Veronikas Puls und sagte dann: „Ei! – Ei!" Hierauf schrieb er ein Rezept, faßte noch einmal den Puls, sagte wiederum: „Ei! Ei!" und verließ die Patientin. Aus diesen Äußerungen des Doktors Eckstein konnte aber der Konrektor Paulmann nicht recht deutlich entnehmen, was der Veronika denn wohl eigentlich fehlen möge.

Achte Vigilie

Die Bibliothek der Palmbäume. – Schicksale eines unglücklichen Salamanders. – Wie die schwarze Feder eine Runkelrübe liebkosete und der Registrator Heerbrand sich sehr betrank.

Der Student Anselmus hatte nun schon mehrere Tage bei dem Archivarius Lindhorst gearbeitet; diese Arbeitsstunden waren für ihn die glücklichsten seines Lebens, denn immer von lieblichen Klängen, von Serpentinas tröstenden Worten umflossen, ja oft von einem vorübergleitenden Hauche leise berührt, durchströmte ihn eine nie gefühlte Behaglichkeit, die oft bis zur höchsten Wonne stieg. Jede Not, jede kleinliche Sorge seiner dürftigen Existenz war ihm aus Sinn und Gedanken entschwunden, und in dem neuen Leben, das ihm wie im hellen Sonnenglanze aufgegangen, begriff er alle Wunder einer höheren Welt, die ihn sonst mit Staunen, ja mit Grausen erfüllt hatten. Mit dem Abschreiben ging es sehr schnell, indem es ihn immer mehr dünkte, er schreibe nur längst gekannte Züge auf das Pergament hin und dürfe kaum nach dem Original sehen, um alles mit der größten Genauigkeit nachzumalen. – Außer der Tischzeit ließ sich der Archivarius Lindhorst nur dann und wann sehen, aber jedesmal erschien er genau in dem Augenblick, wenn Anselmus eben die letzten Zeichen einer Handschrift vollendet hatte, und gab ihm dann eine andere, verließ ihn aber gleich wieder schweigend, nachdem er nur mit einem schwarzen Stäbchen die Tinte umgerührt und die gebrauchten Federn mit neuen, schärfer gespitzten vertauscht hatte. Eines Tages, als Anselmus mit dem Glockenschlag Zwölf bereits die Treppe hinaufgestiegen, fand er die Tür, durch die er gewöhnlich hineingegangen, verschlossen, und der Archivarius Lindhorst erschien in seinem wunderlichen, wie mit glänzenden Blumen bestreuten

Schlafrock von der andern Seite. Er rief laut: „Heute kommen Sie nur hier herein, werter Anselmus, denn wir müssen in das Zimmer, wo Bhogovotgitas Meister unsrer warten.“ Er schritt durch den Korridor und führte Anselmus durch dieselben Gemächer und Säle wie das erstemal. – Der Student Anselmus erstaunte aufs neue über die wunderbare Herrlichkeit des Gartens, aber er sah nun deutlich, daß manche seltsame Blüten, die an den dunkeln Büschen hingen, eigentlich in glänzenden Farben prunkende Insekten waren, die mit den Flüglein auf und nieder schlugen und, durcheinander tanzend und wirbelnd, sich mit ihren Saugrüsseln zu liebkosen schienen. Dagegen waren wieder die rosenfarbnen und himmelblauen Vögel duftende Blumen, und der Geruch, den sie verbreiteten, stieg aus ihren Kelchen empor in leisen lieblichen Tönen, die sich mit dem Geplätscher der fernen Brunnen, mit dem Säuseln der hohen Stauden und Bäume zu geheimnisvollen Akkorden einer tiefklagenden Sehnsucht vermischten. Die Spottvögel, die ihn das erstemal so geneckt und gehöhnt, flatterten ihm wieder um den Kopf und schrien mit ihren feinen Stimmchen unaufhörlich: „Herr Studiosus, Herr Studiosus, eilen Sie nicht so – gucken Sie nicht so in die Wolken – Sie könnten auf die Nase fallen. – He, he! Herr Studiosus – nehmen Sie den Pudermantel um – Gevatter Schuhu soll Ihnen den Toupet frisieren.“ – So ging es fort in allerlei dummem Geschwätz, bis Anselmus den Garten verlassen. Der Archivarius Lindhorst trat endlich in das azurblaue Zimmer; der Porphyr mit dem goldnen Topf war verschwunden, statt dessen stand ein mit violettem Samt behangener Tisch, auf dem die dem Anselmus bekannten Schreibmaterialien befindlich, in der Mitte des Zimmers, und ein ebenso beschlagener Lehnstuhl stand vor demselben. „Lieber Herr Anselmus“, sagte der Archivarius Lindhorst, „Sie haben nun schon manches Manuskript schnell und richtig zu meiner großen Zufriedenheit kopiert; Sie haben sich mein Zutrauen erworben; das Wichtigste bleibt aber noch zu tun übrig, und das ist das Abschreiben oder vielmehr Nachmalen gewisser in besonderen Zeichen geschriebener Werke, die ich hier in diesem Zimmer aufbewahre und die nur an Ort und

Stelle kopiert werden können. – Sie werden daher künftig hier arbeiten, aber ich muß Ihnen die größte Vorsicht und Aufmerksamkeit empfehlen: ein falscher Strich oder, was der Himmel verhüten möge, ein Tintenfleck auf das Original gespritzt, stürzt Sie ins Unglück." – Anselmus bemerkte, daß aus den goldnen Stämmen der Palmbäume kleine smaragdgrüne Blätter herausragten; eins dieser Blätter erfaßte der Archivarius, und Anselmus wurde gewahr, daß das Blatt eigentlich in einer Pergamentrolle bestand, die der Archivarius aufwickelte und vor ihm auf den Tisch breitete. Anselmus wunderte sich nicht wenig über die seltsam verschlungenen Zeichen, und bei dem Anblick der vielen Pünktchen, Striche und Züge und Schnörkel, die bald Pflanzen, bald Moose, bald Tiergestalten darzustellen schienen, wollte ihm beinahe der Mut sinken, alles so genau nachmalen zu können. Er geriet darüber in tiefe Gedanken. „Mut gefaßt, junger Mensch!" rief der Archivarius, „hast du bewährten Glauben und wahre Liebe, so hilft dir Serpentina!" Seine Stimme tönte wie klingendes Metall, und als Anselmus in jähem Schreck aufblickte, stand der Archivarius Lindhorst in der königlichen Gestalt vor ihm, wie er ihm bei dem ersten Besuch im Bibliothekzimmer erschienen. Es war dem Anselmus, als müsse er, von Ehrfurcht durchdrungen, auf die Knie sinken, aber da stieg der Archivarius Lindhorst an dem Stamm eines Palmbaums in die Höhe und verschwand in den smaragdenen Blättern. – Der Student Anselmus begriff, daß der Geisterfürst mit ihm gesprochen und nun in sein Studierzimmer hinaufgestiegen, um vielleicht mit den Strahlen, die einige Planeten als Gesandte zu ihm geschickt, Rücksprache zu halten, was nun mit ihm und der holden Serpentina geschehen solle. – „Auch kann es sein", dachte er ferner, „daß ihn Neues von den Quellen des Nils erwartet oder daß ein Magus aus Lappland ihn besucht – mir geziemt es nun, emsig an die Arbeit zu gehen." – Und damit fing er an, die fremden Zeichen der Pergamentrolle zu studieren. – Die wunderbare Musik des Gartens tönte zu ihm herüber und umgab ihn mit süßen lieblichen Düften, auch hörte er wohl die Spottvögel kickern, doch verstand er ihre Worte nicht, was ihm auch recht lieb war. Zuweilen war es auch, als rauschten die smaragdenen Blätter der Palmbäume und als strahlten dann die holden Kristallklänge, welche Anselmus an jenem verhängnisvollen Himmelfahrtstage unter dem Holunderbusch hörte, durch das Zimmer. Der Student Anselmus, wunderbar gestärkt durch dies Tönen und Leuchten, richtete immer fester und fester Sinn und Gedanken auf die Überschrift der Pergamentrolle, und bald fühlte er wie aus dem Innersten heraus, daß die Zeichen nichts anders bedeuten könnten als die Worte: Von der Vermählung des Salamanders mit der grünen Schlange. – Da ertönte ein starker Dreiklang heller Kristallglocken. – „Anselmus, lieber Anselmus", wehte es ihm zu aus den Blättern, und, o Wunder! an dem Stamm des Palmbaums schlängelte sich die grüne Schlange herab. – „Serpentina! holde Serpentina!" rief Anselmus wie im Wahnsinn des höchsten Entzückens, denn sowie er schärfer hinblickte, da war es ja ein liebliches herrliches Mädchen, die mit den dunkelblauen Augen, wie sie in seinem Innern lebten, voll unaussprechlicher Sehnsucht ihn anschauend, ihm entgegenschwebte. Die Blätter schienen sich herabzulassen und auszudehnen, überall sproßten Stacheln aus den Stämmen, aber Serpentina wand und schlängelte sich geschickt durch, indem sie ihr flatterndes, wie in schillernden Farben glänzendes Gewand nach sich zog, so daß es, sich dem schlanken Körper anschmiegend, nirgends hängenblieb an den hervorragenden Spitzen und Stacheln der Palmbäume. Sie setzte sich neben dem Anselmus auf denselben Stuhl, ihn mit dem Arm umschlingend und an sich drückend, so daß er den Hauch, der von ihren Lippen strömte, die elektrische Wärme ihres Körpers fühlte. „Lieber Anselmus", fing Serpentina an, „nun bist du bald ganz mein, durch deinen Glauben, durch deine Liebe erringst du mich, und ich bringe dir den goldnen Topf, der uns beide beglückt immerdar." – „O du holde, liebe Serpentina", sagte Anselmus, „wenn ich nur dich habe, was kümmert mich sonst alles übrige; wenn du nur mein bist, so will ich gern untergehen in all dem Wunderbaren und Seltsamen, was mich befängt seit dem Augenblick, als ich dich sah." – „Ich weiß wohl", fuhr Serpentina fort, „daß das Unbekannte und Wunderbare, womit mein Vater oft nur zum Spiel seiner Laune dich umfangen, Grausen und Entsetzen in dir erregt hat, aber jetzt soll es, wie ich hoffe, nicht wieder geschehen, denn ich bin in diesem Augenblick nur da, um dir, mein lieber Anselmus, alles und jedes aus tiefem Gemüte, aus tiefer Seele haarklein zu erzählen, was dir zu wissen nötig, um meinen Vater ganz zu kennen und überhaupt recht deutlich einzusehen, was es mit ihm und mit mir für eine Bewandtnis hat." – Dem Anselmus war es, als sei er von der holden, lieblichen Gestalt so ganz und gar umschlungen und umwunden, daß er sich nur mit ihr regen und bewegen könne, und als sei es nur der Schlag ihres Pulses, der durch seine Fibern und Nerven zittere; er horchte auf jedes ihrer Worte, das bis in sein Innerstes hinein erklang und wie ein leuchtender Strahl die Wonne des Himmels in ihm entzündete. Er hatte den Arm um ihren schlanker als schlanken Leib gelegt, aber der schillernde, glänzende Stoff ihres Gewandes war so glatt, so schlüpfrig, daß es ihm schien, als könne sie, sich ihm schnell entwindend, unaufhaltsam entschlüpfen, und er erbebte bei dem Gedanken. „Ach, verlaß mich nicht, holde Serpentina", rief er unwillkürlich aus, „nur du bist mein Leben!" – „Nicht eher heute", sagte Serpentina, „als bis ich alles erzählt habe, was du in deiner Liebe zu mir begreifen kannst. – Wisse also, Geliebter, daß mein Vater aus dem wunderbaren Geschlecht der Salamander abstammt und daß ich mein Dasein seiner Liebe zur grünen Schlange verdanke. In uralter Zeit herrschte in dem Wunderlande Atlantis der mächtige Geisterfürst Phosphorus, dem die Elementargeister dienten. Einst ging der Salamander, den er vor allen liebte (es war mein Vater), in dem prächtigen Garten, den des Phosphorus Mutter mit ihren schönsten Gaben auf das herrlichste geschmückt hatte, umher und hörte, wie eine hohe Lilie in leisen Tönen sang: ‚Drücke fest die Äuglein zu, bis, mein Geliebter, der Morgenwind dich weckt.' Er trat hinzu; von seinem glühenden Hauch berührt, erschloß die Lilie ihre Blätter, und er erblickte der Lilie Tochter, die grüne Schlange, welche in dem Kelch schlummerte. Da wurde der Salamander von heißer Liebe zu der schönen Schlange ergriffen, und er raubte sie der Lilie, deren Düfte in namenloser Klage vergebens im ganzen Garten nach der geliebten Tochter riefen. Denn der Salamander hatte sie in das Schloß des Phosphorus getragen und bat ihn: ‚Vermähle mich mit der Geliebten, denn sie soll mein eigen sein immerdar.' – ‚Törichter, was verlangst du!' sprach der Geisterfürst, ‚wisse, daß einst die Lilie meine Geliebte war und mit mir herrschte, aber der Funke, den ich in sie warf, drohte sie zu vernichten, und nur der Sieg über den schwarzen Drachen, den jetzt die Erdgeister in Ketten gebunden halten, erhielt die Lilie, daß ihre Blätter stark genug blieben, den Funken in sich zu schließen und zu bewahren. Aber wenn du die grüne Schlange umarmst, wird deine Glut den Körper verzehren und ein neues Wesen, schnell emporkeimend, sich dir entschwingen.' Der Salamander achtete der Warnung des Geisterfürsten nicht; voll glühenden Verlangens schloß er die grüne Schlange in seine Arme, sie zerfiel in Asche, und ein geflügeltes Wesen, aus der Asche geboren, rauschte fort durch die Lüfte. Da ergriff den Salamander der Wahnsinn der Verzweiflung, und er rannte, Feuer und Flammen sprühend, durch den Garten und verheerte ihn in wilder Wut, daß die schönsten Blumen und Blüten verbrannt niedersanken und ihr Jammer die Luft erfüllte. Der hocherzürnte Geisterfürst erfaßte im Grimm den Salamander und sprach: ‚Ausgeraset hat dein Feuer – erloschen sind deine Flammen, erblindet deine Strahlen – sinke hinab zu den Erdgeistern, die mögen dich necken und höhnen und gefangenhalten, bis der Feuerstoff sich wieder entzündet und mit dir als einem neuen Wesen aus der Erde emporstrahlt.' Der arme Salamander sank erloschen hinab, aber da trat der alte mürrische Erdgeist, der des Phosphorus Gärtner war, hinzu und sprach: ‚Herr! wer sollte mehr über den Salamander klagen als ich! – Habe ich nicht all die schönen Blumen, die er verbrannt, mit meinen schönsten Metallen geputzt, habe ich nicht ihre Keime wacker gehegt und gepflegt und an ihnen manche schöne Farbe verschwendet? – und doch nehme ich mich des armen Salamanders an, den nur die Liebe, von der du selbst schon oft, o Herr, befangen, zur

Verzweiflung getrieben, in der er den Garten verwüstet. – Erlasse ihm die zu harte Strafe!' – ‚Sein Feuer ist für jetzt erloschen', sprach der Geisterfürst, ‚in der unglücklichen Zeit, wenn die Sprache der Natur dem entarteten Geschlecht der Menschen nicht mehr verständlich sein, wenn die Elementargeister, in ihre Regionen gebannt, nur aus weiter Ferne in dumpfen Anklängen zu dem Menschen sprechen werden, wenn, dem harmonischen Kreise entrückt, nur ein unendliches Sehnen ihm die dunkle Kunde von dem wundervollen Reiche geben wird, das er sonst bewohnen durfte, als noch Glaube und Liebe in seinem Gemüte wohnten – in dieser unglücklichen Zeit entzündet sich der Feuerstoff des Salamanders aufs neue, doch nur zum Menschen keimt er empor und muß, ganz eingehend in das dürftige Leben, dessen Bedrängnisse ertragen. Aber nicht allein die Erinnerung an seinen Urzustand soll ihm bleiben, sondern er lebt auch wieder auf in der heiligen Harmonie mit der ganzen Natur, er versteht ihre Wunder, und die Macht der verbrüderten Geister steht ihm zu Gebote. In einem Lilienbusch findet er dann die grüne Schlange wieder, und die Frucht seiner Vermählung mit ihr sind drei Töchter, die den Menschen in der Gestalt der Mutter erscheinen. Zur Frühlingszeit sollen sie sich in den dunklen Holunderbusch hängen und ihre lieblichen Kristallstimmen ertönen lassen. Findet sich dann in der dürftigen armseligen Zeit der innern Verstocktheit ein Jüngling, der ihren Gesang vernimmt, ja, blickt ihn eine der Schlänglein mit ihren holdseligen Augen an, entzündet der Blick in ihm die Ahnung des fernen wundervollen Landes, zu dem er sich mutig emporschwingen kann, wenn er die Bürde des Gemeinen abgeworfen, keimt mit der Liebe zur Schlange in ihm der Glaube an die Wunder der Natur, ja an seine eigne Existenz in diesen Wundern glutvoll und lebendig auf, so wird die Schlange sein. Aber nicht eher, bis drei Jünglinge dieser Art erfunden und mit den drei Töchtern vermählt werden, darf der Salamander seine lästige Bürde abwerfen und zu seinen Brüdern gehen.' – ‚Erlaube, Herr', sagte der Erdgeist, ‚daß ich diesen drei Töchtern ein Geschenk mache, das ihr Leben mit dem gefundenen Gemahl verherrlicht. Jede erhält von mir einen Topf vom schönsten Metall, das ich besitze, den poliere ich mit Strahlen, die ich dem Diamant entnommen; in seinem Glanze soll sich unser wundervolles Reich, wie es jetzt im Einklang mit der ganzen Natur besteht, in blendendem herrlichen Widerschein abspiegeln, aus seinem Innern aber in dem Augenblick der Vermählung eine Feuerlilie entsprießen, deren ewige Blüte den bewährt befundenen Jüngling süß duftend umfängt. Bald wird er dann ihre Sprache, die Wunder unseres Reichs verstehen und selbst mit der Geliebten in Atlantis wohnen.' – Du weißt nun wohl, lieber Anselmus, daß mein Vater ebender Salamander ist, von dem ich dir erzählt. Er mußte, seiner höheren Natur unerachtet, sich den kleinlichsten Bedrängnissen des gemeinen Lebens unterwerfen, und daher kommt wohl oft die schadenfrohe Laune, mit der er manche neckt. Er hat mir oft gesagt, daß für die innere Geistesbeschaffenheit, wie sie der Geisterfürst Phosphorus damals als Bedingnis der Vermählung mit mir und meinen Schwestern aufgestellt, man jetzt einen Ausdruck habe, der aber nur zu oft unschicklicherweise gemißbraucht werde; man nenne das nämlich ein kindliches poetisches Gemüt. – Oft finde man dieses Gemüt bei Jünglingen, die der hohen Einfachheit ihrer Sitten wegen, und weil es ihnen ganz an der sogenannten Weltbildung fehle, von dem Pöbel verspottet würden. Ach, lieber Anselmus! – Du verstandest ja unter dem Holunderbusch meinen Gesang – meinen Blick – du liebst die grüne Schlange, du glaubst an mich und willst mein sein immerdar! – Die schöne Lilie wird emporblühen aus dem goldnen Topf, und wir werden vereint glücklich und selig in Atlantis wohnen! – Aber nicht verhehlen kann ich dir, daß im gräßlichen Kampf mit den Salamandern und Erdgeistern sich der schwarze Drache loswand und durch die Lüfte davonbrauste. Phosphorus hält ihn zwar wieder in Banden, aber aus den schwarzen Federn, die im Kampfe auf die Erde stäubten, keimten feindliche Geister empor, die überall den Salamandern und Erdgeistern widerstreben. Jenes Weib, das dir so feindlich ist, lieber Anselmus, und die, wie mein Vater recht gut weiß, nach dem Besitz des goldnen Topfes strebt, hat ihr

Dasein der Liebe einer solchen aus dem Fittich des Drachen herabgestäubten Feder zu einer Runkelrübe zu verdanken. Sie erkennt ihren Ursprung und ihre Gewalt, denn in dem Stöhnen, in den Zuckungen des gefangenen Drachen werden ihr die Geheimnisse mancher wundervollen Konstellation offenbar, und sie bietet alle Mittel auf, von außen hinein ins Innere zu wirken, wogegen sie mein Vater mit den Blitzen, die aus dem Innern des Salamanders hervorschießen, bekämpft. Alle die feindlichen Prinzipe, die in schädlichen Kräutern und giftigen Tieren wohnen, sammelt sie und erregt, sie mischend in günstiger Konstellation, manchen bösen Spuk, der des Menschen Sinne mit Grauen und Entsetzen befängt und ihn der Macht jener Dämonen, die der Drache, im Kampfe unterliegend, erzeugte, unterwirft. Nimm dich vor der Alten in acht, lieber Anselmus, sie ist dir feind, weil dein kindlich frommes Gemüt schon manchen ihrer bösen Zauber vernichtet. – Halte treu – treu – an mir, bald bist du am Ziel!" – „O meine – meine Serpentina!" rief der Student Anselmus, „wie sollte ich denn nur von dir lassen können, wie sollte ich dich nicht lieben ewiglich!" – Ein Kuß brannte auf seinem Munde, er erwachte wie aus einem tiefen Traume, Serpentina war verschwunden, es schlug sechs Uhr, da fiel es ihm schwer aufs Herz, daß er nicht das mindeste kopiert habe; er blickte voll Besorgnis, was der Archivarius wohl sagen werde, auf das Blatt, und, o Wunder! Die Kopie des geheimnisvollen Manuskripts war glücklich beendigt, und er glaubte, schärfer die Züge betrachtend, Serpentinas Erzählung von ihrem Vater, dem Liebling des Geisterfürsten Phosphorus im Wunderlande Atlantis, abgeschrieben zu haben. Jetzt trat der Archivarius Lindhorst in seinem weißgrauen Überrock, den Hut auf dem Kopfe, den Stock in der Hand, herein; er sah in das von dem Anselmus beschriebene Pergament, nahm eine große Prise und sagte lächelnd: „Das dacht ich wohl! – Nun! hier ist der Speziestaler, Herr Anselmus, jetzt wollen wir noch nach dem Linkeschen Bade gehen – nur mir nach!" – Der Archivarius schritt rasch durch den Garten, in dem ein solcher Lärm von Singen, Pfeifen, Sprechen durcheinander war, daß der Student

Anselmus ganz betäubt wurde und dem Himmel dankte, als er sich auf der Straße befand. Kaum waren sie einige Schritte gegangen, als sie dem Registrator Heerbrand begegneten, der freundlich sich anschloß. Vor dem Tore stopften sie die mitgenommenen Pfeifen; der Registrator Heerbrand beklagte, kein Feuerzeug bei sich zu tragen, da rief der Archivarius Lindhorst ganz unwillig: „Was Feuerzeug! – hier ist Feuer, so viel Sie wollen!" Und damit schnippte er mit den Fingern, aus denen große Funken strömten, die die Pfeifen schnell anzündeten. „Sehen Sie das chemische Kunststückchen", sagte der Registrator Heerbrand, aber der Student Anselmus dachte nicht ohne inneres Erbeben an den Salamander. – Im Linkeschen Bade trank der Registrator Heerbrand so viel starkes Doppelbier, daß er, sonst ein gutmütiger stiller Mann, anfing, in einem quäkenden Tenor Burschenlieder zu singen, jeden hitzig fragte, ob er sein Freund sei oder nicht, und endlich von dem Studenten Anselmus zu Hause gebracht werden mußte, als der Archivarius Lindhorst schon längst auf und davon war.

Neunte Vigilie

Wie der Student Anselmus zu einiger Vernunft gelangte. – Die Punschgesellschaft. – Wie der Student Anselmus den Konrektor Paulmann für einen Schuhu hielt und dieser sich darob sehr erzürnte. – Der Tintenklecks und seine Folgen.

Alles das Seltsame und Wundervolle, welches dem Studenten Anselmus täglich begegnet war, hatte ihn ganz dem gewöhnlichen Leben entrückt. Er sah keinen seiner Freunde mehr und harrte jeden Morgen mit Ungeduld auf die zwölfte Stunde, die ihm sein Paradies aufschloß. Und doch, indem sein ganzes Gemüt der holden Serpentina und den Wundern des Feenreichs bei dem Archivarius Lindhorst zugewandt war, mußte er zuweilen unwillkürlich an Veronika denken, ja manchmal schien es ihm, als träte sie zu ihm hin und gestehe errötend, wie herzlich sie ihn liebe und wie sie danach trachte, ihn den Phantomen, von denen er nur geneckt und verhöhnt werde, zu entreißen. Zuweilen war es, als risse eine fremde plötzlich auf ihn einbrechende Macht ihn unwiderstehlich hin zur vergessenen Veronika, und er müsse ihr folgen, wohin sie nur wolle, als sei er festgekettet an das Mädchen. Gerade in der Nacht darauf, als er Serpentina zum erstenmal in der Gestalt einer wunderbar holdseligen Jungfrau geschaut, als ihm das wunderbare Geheimnis der Vermählung des Salamanders mit der grünen Schlange offenbar worden, trat ihm Veronika lebhafter vor Augen als jemals. – Ja! – erst als er erwachte, wurde er deutlich gewahr, daß er nur geträumt habe, da er überzeugt gewesen, Veronika sei wirklich bei ihm und klage mit dem Ausdruck eines tiefen Schmerzes, der sein Innerstes durchdrang, daß er ihre innige Liebe den phantastischen Erscheinungen, die nur seine innere Zerrüttung hervorrufe, aufopfern und noch darüber in Unglück und Verderben geraten werde. Veronika war liebenswürdiger, als er sie je gesehen; er konnte sie kaum aus den Gedanken bringen, und dieser Zustand verursachte ihm eine Qual, der er bei einem Morgenspaziergang zu entrinnen hoffte. Eine geheime magische Gewalt zog ihn vor das Pirnaer Tor, und eben wollte er in eine Nebenstraße einbiegen, als der Konrektor Paulmann, hinter ihm herkommend, laut rief: „Ei, ei! – wertester Herr Anselmus! – Amice! – Amice! wo um des Himmels willen stecken Sie denn, Sie lassen sich ja gar nicht mehr sehen – wissen Sie wohl, daß sich Veronika recht sehnt, wieder einmal eins mit Ihnen zu singen? – Nun kommen Sie nur, Sie wollten ja doch zu mir!" Der Student Anselmus ging notgedrungen mit dem Konrektor. Als sie in das Haus traten, kam ihnen Veronika sehr sauber und sorgfältig gekleidet entgegen, so daß der Konrektor Paulmann voll Erstaunen fragte: „Nun, warum so geputzt, hat man denn Besuch erwartet? – aber hier bringe ich den Herrn Anselmus!" – Als der Student Anselmus sittig und artig der Veronika die Hand küßte, fühlte er einen leisen Druck, der wie ein Glutstrom durch alle Fibern und Nerven zuckte. Veronika war die Heiterkeit, die Anmut selbst, und als Paulmann nach seinem Studierzimmer gegangen, wußte sie durch allerhand Neckerei und Schalkheit den Anselmus so hinaufzuschrauben, daß er alle Blödigkeit vergaß und sich zuletzt mit dem ausgelassenen Mädchen im Zimmer herumjagte. Da kam ihm aber wieder einmal der Dämon des Ungeschicks über den Hals, er stieß an den Tisch, und Veronikas niedliches Nähkästchen fiel herab. Anselmus hob es auf, der Deckel war aufgesprungen, und es blinkte ihm ein kleiner runder Metallspiegel entgegen, in den er mit ganz eigner Lust hineinschaute. Veronika schlich sich leise hinter ihn, legte die Hand auf seinen Arm und schaute, sich fest an ihn schmiegend, ihm über die Schulter auch in den Spiegel. Da war es dem Anselmus, als beginne ein Kampf in seinem Innern – Gedanken – Bilder – blitzten hervor und vergingen wieder – der Archivarius Lindhorst – Serpentina – die grüne Schlange – endlich wurde es ruhiger, und alles Verworrene fügte und gestaltete sich zum deutlichen Bewußtsein. Ihm wurde es nun klar, daß er nur beständig an Veronika gedacht, ja daß die Gestalt, welche ihm gestern in dem blauen Zimmer erschienen, auch eben Veronika gewesen und daß die phantastische Sage von der Vermählung des Salamanders mit der grünen Schlange ja nur von ihm geschrieben, keineswegs ihm aber erzählt worden sei. Er wunderte sich selbst über seine Träumereien und schrieb sie lediglich seinem durch die Liebe zu Veronika exaltierten Seelenzustande sowie der Arbeit bei dem Archivarius Lindhorst zu, in dessen Zimmern es noch überdem so sonderbar betäubend dufte. Er mußte herzlich über die tolle Einbildung lachen, in eine kleine Schlange verliebt zu sein und einen wohlbestallten geheimen Archivarius für einen Salamander zu halten. „Ja ja! – es ist Veronika!" rief er laut, aber indem er den Kopf umwandte, schaute er gerade in Veronikas blaue Augen hinein, in denen Liebe und Sehnsucht strahlten. Ein dumpfes Ach! entfloh ihren Lippen, die in dem Augenblick auf den seinigen brannten. „O ich Glücklicher", seufzte der entzückte Student, „was ich gestern nur träumte, wird mir heute wirklich und in der Tat zuteil." – „Und willst du mich denn wirklich heiraten, wenn du Hofrat worden?" fragte Veronika. „Allerdings!" antwortete der Student Anselmus; indem knarrte die Tür, und der Konrektor

Paulmann trat mit den Worten herein: „Nun, wertester Herr Anselmus, lasse ich Sie heute nicht fort, Sie nehmen vorlieb bei mir mit einer Suppe, und nachher bereitet uns Veronika einen köstlichen Kaffee, den wir mit dem Registrator Heerbrand, welcher herzukommen versprochen, genießen." – „Ach, bester Herr Konrektor", erwiderte der Student Anselmus, „wissen Sie denn nicht, daß ich zum Archivarius Lindhorst muß, des Abschreibens wegen?" – „Schauen Sie, Amice!" sagte der Konrektor Paulmann, indem er ihm die Taschenuhr hinhielt, welche auf halb eins wies. Der Student Anselmus sah nun wohl ein, daß es viel zu spät sei, zu dem Archivarius Lindhorst zu wandern, und fügte sich den Wünschen des Konrektors um so lieber, als er nun die Veronika den ganzen Tag über schauen und wohl manchen verstohlnen Blick, manchen zärtlichen Händedruck zu erhalten, ja wohl gar einen Kuß zu erobern hoffte. So hoch verstiegen sich jetzt die Wünsche des Studenten Anselmus, und es wurde ihm immer behaglicher zumute, je mehr er sich überzeugte, daß er bald von all den phantastischen Einbildungen befreit sein werde, die ihn wirklich ganz und gar zum wahnwitzigen Narren hätten machen können. Der Registrator Heerbrand fand sich wirklich nach Tische ein, und als der Kaffee genossen und die Dämmerung bereits eingebrochen, gab er schmunzelnd und fröhlich die Hände reibend zu verstehen, er trage etwas mit sich, was, durch Veronikas schöne Hände gemischt und in gehörige Form gebracht, gleichsam foliiert und rubriziert, ihnen allen an dem kühlen Oktoberabende erfreulich sein werde. „So rücken Sie denn nur heraus mit dem geheimnisvollen Wesen, das Sie bei sich tragen, geschätztester Registrator", rief der Konrektor Paulmann; aber der Registrator Heerbrand griff in die tiefe Tasche seines Matins und brachte in drei Reprisen eine Flasche Arrak, Zitronen und Zucker zum Vorschein. Kaum war eine halbe Stunde vergangen, so dampfte ein köstlicher Punsch auf Paulmanns Tische. Veronika kredenzte das Getränk, und es gab allerlei gemütliche muntre Gespräche unter den Freunden. Aber sowie dem Studenten Anselmus der Geist des Getränks zu Kopfe stieg, kamen auch alle Bilder des Wunderbaren, Seltsamen, was er in kurzer Zeit erlebt, wieder zurück. – Er sah den Archivarius Lindhorst in seinem damastnen Schlafrock, der wie Phosphor erglänzte – er sah das azurblaue Zimmer, die goldnen Palmbäume, ja, es wurde ihm wieder so zumute, als müsse er doch an die Serpentina glauben – es brauste, es gärte in seinem Innern. Veronika reichte ihm ein Glas Punsch, und indem er es faßte, berührte er leise ihre Hand. – „Serpentina! Veronika!" seufzte er in sich hinein. Er versank in tiefe Träume, aber der Registrator Heerbrand rief ganz laut: „Ein wunderlicher alter Mann, aus dem niemand klug wird, bleibt er doch, der Archivarius Lindhorst. – Nun, er soll leben! Stoßen Sie an, Herr Anselmus!" – Da fuhr der Student Anselmus auf aus seinen Träumen und sagte, indem er mit dem Registrator Heerbrand anstieß: „Das kommt daher, verehrungswürdiger Herr Registrator, weil der Herr Archivarius Lindhorst eigentlich ein Salamander ist, der den Garten des Geisterfürsten Phosphorus im Zorn verwüstete, weil ihm die grüne Schlange davongeflogen." – „Wie – was?" fragte der Konrektor Paulmann. „Ja", fuhr der Student Anselmus fort, „deshalb muß er nun königlicher Archivarius sein und hier in Dresden mit seinen drei Töchtern wirtschaften, die aber weiter nichts sind als kleine goldgrüne Schlänglein, die sich in Holunderbüschen sonnen, verführerisch singen und die jungen Leute verlocken wie die Sirenen." – „Herr Anselmus – Herr Anselmus", rief der Konrektor Paulmann, „rappelt's Ihnen im Kopfe? – was um des Himmels willen schwatzen Sie für ungewaschenes Zeug?" – „Er hat recht", fiel der Registrator Heerbrand ein, „der Kerl, der Archivarius, ist ein verfluchter Salamander, der mit den Fingern feurige Schnippchen schlägt, die einem Löcher in den Überrock brennen wie glühender Schwamm. – Ja, ja, du hast recht, Brüderchen Anselmus, und wer es nicht glaubt, ist mein Feind!" Und damit schlug der Registrator Heerbrand mit der Faust auf den Tisch, daß die Gläser klirrten. „Registrator! – sind Sie rasend?" schrie der erboste Konrektor. – „Herr Studiosus – Herr Studiosus, was richten Sie denn nun wieder an?" – „Ach!" sagte der Student, „Sie sind auch weiter nichts als ein Vogel – ein Schuhu, der die

Toupets frisiert, Herr Konrektor!" – „Was? – ich ein Vogel – ein Schuhu – ein Friseur?" schrie der Konrektor voller Zorn – „Herr, Sie sind toll – toll!" – „Aber die Alte kommt ihm über den Hals", rief der Registrator Heerbrand. „Ja, die Alte ist mächtig", fiel der Student Anselmus ein, „unerachtet sie nur von niederer Herkunft, denn ihr Papa ist nichts als ein lumpichter Flederwisch und ihre Mama eine schnöde Runkelrübe, aber ihre meiste Kraft verdankt sie allerlei feindlichen Kreaturen – giftigen Canaillen, von denen sie umgeben." – „Das ist eine abscheuliche Verleumdung", rief Veronika mit zornglühenden Augen, „die alte Liese ist eine weise Frau und der schwarze Kater keine feindliche Kreatur, sondern ein gebildeter junger Mann von feinen Sitten und ihr Cousin germain." – „Kann *der* Salamander fressen, ohne sich den Bart zu versengen und elendiglich daraufzugehen?" sagte der Registrator Heerbrand. „Nein, nein!" schrie der Student Anselmus, „nun und nimmermehr wird er das können; und die grüne Schlange liebt mich, denn ich bin ein kindliches Gemüt und habe Serpentinas Augen geschaut." – „Die wird der Kater auskratzen", rief Veronika. „Salamander – Salamander bezwingt sie alle – alle", brüllte der Konrektor Paulmann in höchster Wut; – „aber bin ich in einem Tollhause? bin ich selbst toll? – was schwatze ich denn für wahnwitziges Zeug? – ja ich bin auch toll – auch toll!" – Damit sprang der Konrektor Paulmann auf, riß sich die Perücke vom Kopfe und schleuderte sie gegen die Stubendecke, daß die gequetschten Locken ächzten und, im gänzlichen Verderben aufgelöst, den Puder weit umherstäubten. Da ergriffen der Student Anselmus und der Registrator Heerbrand die Punschterrine, die Gläser und warfen sie jubelnd und jauchzend an die Stubendecke, daß die Scherben klirrend und klingend umhersprangen. „Vivat Salamander – pereat – pereat die Alte – zerbrecht den Metallspiegel, hackt dem Kater die Augen aus! – Vöglein – Vöglein aus den Lüften – Eheu – Eheu – Evoe – Salamander!" – So schrien und brüllten die drei wie Besessene durcheinander. Laut weinend sprang Fränzchen davon, aber Veronika lag winselnd vor Jammer und Schmerz auf dem Sofa.

Da ging die Tür auf, alles war plötzlich still, und es trat ein kleiner Mann in einem grauen Mäntelchen herein. Sein Gesicht hatte etwas seltsam Gravitätisches, und vorzüglich zeichnete sich die krummgebogene Nase, auf der eine große Brille saß, vor allen jemals gesehenen aus. Auch trug er solch eine besondere Perücke, daß sie eher eine Federmütze zu sein schien. „Ei, schönen guten Abend", schnarrte das possierliche Männlein, „hier finde ich ja wohl den Studiosum Herrn Anselmus? Gehorsamste Empfehlung vom Herrn Archivarius Lindhorst, und er habe heute vergebens auf den Herrn Anselmus gewartet, aber morgen lasse er schönstens bitten, ja nicht die gewohnte Stunde zu versäumen." Damit schritt er wieder zur Tür hinaus, und alle sahen nun wohl, daß das gravitätische Männlein eigentlich ein grauer Papagei war. Der Konrektor Paulmann und der Registrator Heerbrand schlugen eine Lache auf, die durch das Zimmer dröhnte, und dazwischen winselte und ächzte Veronika wie von namenlosem Jammer zerrissen, aber den Studenten Anselmus durchzuckte der Wahnsinn des innern Entsetzens, und er rannte bewußtlos zur Tür hinaus durch die Straßen. Mechanisch fand er seine Wohnung, sein Stübchen. Bald darauf trat Veronika friedlich und freundlich zu ihm und fragte, warum er sie denn im Rausch so geängstigt habe, und er möge sich nur vor neuen Einbildungen hüten, wenn er bei dem Archivarius Lindhorst arbeite. „Gute Nacht, gute Nacht, mein lieber Freund", lispelte leise Veronika und hauchte einen Kuß auf seine Lippen. Er wollte sie mit seinen Armen umfangen, aber die Traumgestalt war verschwunden, und er erwachte heiter und gestärkt. Nun mußte er selbst recht herzlich über die Wirkungen des Punsches lachen, aber indem er an Veronika dachte, fühlte er sich recht von einem behaglichen Gefühl durchdrungen. „Ihr allein", sprach er zu sich selbst, „habe ich es zu verdanken, daß ich von meinen albernen Grillen zurückgekommen bin. – Wahrhaftig, mir ging es nicht besser als jenem, welcher glaubte, er sei von Glas, oder dem, der die Stube nicht verließ, aus Furcht, von den Hühnern gefressen zu werden, weil er sich einbildete, ein Gerstenkorn zu sein. Aber sowie ich Hofrat worden, heirate ich ohne weiteres die Mademoiselle Paulmann und bin glücklich." – Als er nun mittags durch den Garten des Archivarius Lindhorst ging, konnte er sich nicht genug wundern, wie ihm das alles sonst so seltsam und wundervoll habe vorkommen können. Er sah nichts als gewöhnliche Scherbenpflanzen, allerlei Geranien, Myrtenstöcke u. dgl. Statt der glänzenden bunten Vögel, die ihn sonst geneckt, flatterten nur einige Sperlinge hin und her, die ein unverständliches unangenehmes Geschrei erhoben, als sie den Anselmus gewahr wurden. Das blaue Zimmer kam ihm auch ganz anders vor, und er begriff nicht, wie ihm das grelle Blau und die unnatürlichen goldnen Stämme der Palmbäume mit den unförmlichen blinkenden Blättern nur einen Augenblick hatten gefallen können. – Der Archivarius sah ihn mit einem ganz eignen ironischen Lächeln an und fragte: „Nun, wie hat Ihnen gestern der Punsch geschmeckt, werter Anselmus?" – „Ach, gewiß hat Ihnen der Papagei", erwiderte der Student Anselmus ganz beschämt, aber er stockte, denn er dachte nun wieder daran, daß auch die Erscheinung des Papageis wohl nur Blendwerk der befangenen Sinne gewesen. „Ei, ich war ja selbst in der Gesellschaft", fiel der Archivarius Lindhorst ein, „haben Sie mich denn nicht gesehen? Aber bei dem tollen Unwesen, das ihr triebt, wäre ich beinahe hart beschädigt worden; denn ich saß eben in dem Augenblick noch in der Terrine, als der Registrator danach griff, um sie gegen die Decke zu schleudern, und mußte mich schnell in des Konrektors Pfeifenkopf retirieren. Nun adieu, Herr Anselmus! – sein Sie fleißig, auch für den gestrigen versäumten Tag zahle ich den Speziestaler, da Sie bisher so wacker gearbeitet." – „Wie kann der Archivarius nur solch tolles Zeug faseln", sagte der Student Anselmus zu sich selbst und setzte sich an den Tisch, um die Kopie des Manuskripts zu beginnen, das der Archivarius wie gewöhnlich vor ihm ausgebreitet. Aber er sah auf der Pergamentrolle so viele sonderbare krause Züge und Schnörkel durcheinander, die, ohne dem Auge einen einzigen Ruhepunkt zu geben, den Blick verwirrten, daß es ihm beinahe unmöglich schien, das alles genau nachzumalen. Ja, bei dem Überblick des Ganzen schien das Pergament nur ein bunt geaderter Marmor oder ein mit Moosen durchsprenkelter Stein. – Er wollte dessenunerachtet das Mögliche versuchen und tunkte getrost die Feder ein, aber die Tinte wollte durchaus nicht fließen, er spritzte die Feder ungeduldig aus, und – o Himmel! ein großer Klecks fiel auf das ausgebreitete Original. Zischend und brausend fuhr ein blauer Blitz aus dem Fleck und schlängelte sich krachend durch das Zimmer bis zur Decke hinauf. Da quoll ein dicker Dampf aus den Wänden, die Blätter fingen an zu rauschen, wie vom Sturme geschüttelt, und aus ihnen schossen blinkende Basilisken im flackernden Feuer herab, den Dampf entzündend, daß die Flammenmassen prasselnd sich um den Anselmus wälzten. Die goldnen Stämme der Palmbäume wurden zu Riesenschlangen, die ihre gräßlichen Häupter in schneidendem Metallklange zusammenstießen und mit den geschuppten Leibern den Anselmus umwanden. „Wahnsinniger! erleide nun die Strafe dafür, was du im frechen Frevel tatest!" – So rief die fürchterliche Stimme des gekrönten Salamanders, der über den Schlangen wie ein blendender Strahl in den Flammen erschien, und nun sprühten ihre aufgesperrten Rachen Feuerkatarakte auf den Anselmus, und es war, als verdichteten sich die Feuerströme um seinen Körper und würden zur festen eiskalten Masse. Aber indem des Anselmus Glieder, enger und enger sich zusammenziehend, erstarrten, vergingen ihm die Gedanken. Als er wieder zu sich selbst kam, konnte er sich nicht regen und bewegen, er war wie von einem glänzenden Schein umgeben, an dem er sich, wollte er nur die Hand erheben oder sonst sich rühren, stieß. – Ach! er saß in einer wohlverstopften Kristallflasche auf einem Repositorium im Bibliothekzimmer des Archivarius Lindhorst.

Zehnte Vigilie

Die Leiden des Studenten Anselmus in der gläsernen Flasche. – Glückliches Leben der Kreuzschüler und Praktikanten. – Die Schlacht im Bibliothekzimmer des Archivarius Lindhorst. – Sieg des Salamanders und Befreiung des Studenten Anselmus.

Mit Recht darf ich zweifeln, daß du, günstiger Leser, jemals in einer gläsernen Flasche verschlossen gewesen sein solltest, es sei denn, daß ein lebendiger neckhafter Traum dich einmal mit solchem feeischen Unwesen befangen hätte. War das der Fall, so wirst du das Elend des armen Studenten Anselmus recht lebhaft fühlen; hast du aber auch dergleichen nie geträumt, so schließt dich deine rege Phantasie mir und dem Anselmus zu Gefallen wohl auf einige Augenblicke in das Kristall ein. – Du bist von blendendem Glanze dicht umflossen, alle Gegenstände ringsumher erscheinen dir von strahlenden Regenbogenfarben erleuchtet und umgeben – alles zittert und wankt und dröhnt im Schimmer – du schwimmst regungs- und bewegungslos wie in einem festgefrorenen Äther, der dich einpreßt, so daß der Geist vergebens dem toten Körper gebietet. Immer gewichtiger und gewichtiger drückt die zentnerschwere Last deine Brust – immer mehr und mehr zehrt jeder Atemzug die Lüftchen weg, die im engen Raum noch auf und nieder wallten – deine Pulsadern schwellen auf, und von gräßlicher Angst durchschnitten, zuckt jeder Nerv im Todeskampfe blutend. – Habe Mitleid, günstiger Leser, mit dem Studenten Anselmus, den diese namenlose Marter in seinem gläsernen Gefängnisse ergriff; aber er fühlte wohl, daß der Tod ihn nicht erlösen könne, denn erwachte er nicht aus der tiefen Ohnmacht, in die er im Übermaß seiner Qual versunken, als die Morgensonne in das Zimmer hell und freundlich hineinschien, und fing seine Marter nicht von neuem an? – Er konnte kein Glied regen, aber seine Gedanken schlugen an das Glas, ihn im mißtönenden Klange betäubend, und er vernahm statt der Worte, die der Geist sonst aus dem Innern gesprochen, nur das dumpfe Brausen des Wahnsinns. – Da schrie er auf in Verzweiflung: „O Serpentina – Serpentina, rette mich von dieser Höllenqual!" Und es war, als umwehten ihn leise Seufzer, die legten sich um die Flasche wie grüne durchsichtige Holunderblätter, das Tönen hörte auf, der blendende verwirrende Schein war verschwunden, und er atmete freier. „Bin ich denn nicht an meinem Elende lediglich selbst schuld, ach! habe ich nicht gegen dich selbst, holde, geliebte Serpentina, gefrevelt? – habe ich nicht schnöde Zweifel gegen dich gehegt? habe ich nicht den Glauben verloren und mit ihm alles, alles, was mich hoch beglücken sollte? – Ach, du wirst nun wohl nimmer mein werden, für mich ist der goldne Topf verloren, ich darf seine Wunder nimmermehr schauen. Ach, nur ein einziges Mal möcht ich dich sehen, deine holde süße Stimme hören, liebliche Serpentina!" – So klagte der Student Anselmus, von tiefem schneidendem Schmerz ergriffen, da sagte jemand dicht neben ihm: „Ich weiß gar nicht, was Sie wollen, Herr Studiosus, warum lamentieren Sie so über alle Maßen?" – Der Student Anselmus wurde gewahr, daß neben ihm auf demselben Repositorium noch fünf Flaschen standen, in welchen er drei Kreuzschüler und zwei Praktikanten erblickte. – „Ach, meine Herren und Gefährten im Unglück", rief er aus, „wie ist es Ihnen denn möglich, so gelassen, ja so vergnügt zu sein, wie ich es an Ihren heitern Mienen bemerke? – Sie sitzen ja doch ebensogut eingesperrt in gläsernen Flaschen als ich und können sich nicht regen und bewegen, ja nicht einmal was Vernünftiges denken, ohne daß ein Mordlärm entsteht mit Klingen und Schallen und ohne daß es Ihnen im Kopfe ganz schrecklich saust und braust. Aber Sie glauben gewiß nicht an den Salamander und an die grüne Schlange." – „Sie faseln wohl, mein Herr Studiosus", erwiderte ein Kreuzschüler, „nie haben wir uns besser befunden als jetzt, denn die Speziestaler, welche wir von dem tollen Archivarius erhalten für allerlei konfuse Abschriften, tun uns wohl; wir dürfen jetzt keine italienische Chöre mehr auswendig lernen, wir gehen jetzt alle Tage zu Josephs oder sonst in andere Kneipen, lassen uns das Doppelbier wohlschmecken, sehen auch wohl einem hübschen Mädchen in die Augen, singen wie wirkliche Studenten ‚gaudeamus igitur' und sind seelenvergnügt." – „Die

Herren haben ganz recht", fiel ein Praktikant ein, „auch ich bin mit Speziestalern reichlich versehen, wie hier mein teurer Kollege nebenan, und spaziere fleißig auf den Weinberg, statt bei der leidigen Aktenschreiberei zwischen vier Wänden zu sitzen." – „Aber meine besten, wertesten Herren!" sagte der Student Anselmus, „spüren Sie es denn nicht, daß Sie alle samt und sonders in gläsernen Flaschen sitzen und sich nicht regen und bewegen, viel weniger umherspazieren können?" – Da schlugen die Kreuzschüler und die Praktikanten eine helle Lache auf und schrien: „Der Studiosus ist toll, er bildet sich ein, in einer gläsernen Flasche zu sitzen, und steht auf der Elbbrücke und sieht gerade hinein ins Wasser. Gehen wir nur weiter!" – „Ach", seufzte der Student, „die schauten niemals die holde Serpentina, sie wissen nicht, was Freiheit und Leben in Glauben und Liebe ist, deshalb spüren sie nicht den Druck des Gefängnisses, in das sie der Salamander bannte ihrer Torheit, ihres gemeinen Sinnes wegen, aber ich Unglücklicher werde vergehen in Schmach und Elend, wenn sie, die ich so unaussprechlich liebe, mich nicht rettet." – Da wehte und säuselte Serpentinas Stimme durch das Zimmer: „Anselmus! – glaube, liebe, hoffe!" – Und jeder Laut strahlte in das Gefängnis des Anselmus hinein, und das Kristall mußte seiner Gewalt weichen und sich ausdehnen, daß die Brust des Gefangenen sich regen und erheben konnte! – Immer mehr verringerte sich die Qual seines Zustandes, und er merkte wohl, daß ihn Serpentina noch liebe und daß nur *sie* es sei, die ihm den Aufenthalt in dem Kristall erträglich mache. Er bekümmerte sich nicht mehr um seine leichtsinnigen Unglücksgefährten, sondern richtete Sinn und Gedanken nur auf die holde Serpentina. – Aber plötzlich entstand von der andern Seite her ein dumpfes widriges Gemurmel. Er konnte bald deutlich bemerken, daß dies Gemurmel von einer alten Kaffeekanne mit halbzerbrochenem Deckel herrührte, die ihm gegenüber auf einem kleinen Schrank hingestellt war. Sowie er schärfer hinschaute, entwickelten sich immer mehr die garstigen Züge eines alten verschrumpften Weibergesichts, und bald stand das Äpfelweib vom Schwarzen Tor vor dem Repositorium. Die grinsete und lachte ihn an und rief mit gellender Stimme: „Ei, ei, Kindchen! – mußt du nun ausharren? – Ins Kristall nun dein Fall! – hab ich dir's nicht längst vorausgesagt?" – „Höhne und spotte nur, du verdammtes Hexenweib", sagte der Student Anselmus, „du bist schuld an allem, aber der Salamander wird dich treffen, du schnöde Runkelrübe!" – „Hoho!" erwiderte die Alte, „nur nicht so stolz! Du hast meinen Söhnlein ins Gesicht getreten, du hast mir die Nase verbrannt, aber doch bin ich dir gut, du Schelm, weil du sonst ein artiger Mensch warst, und mein Töchterchen ist dir auch gut. Aus dem Kristall kommst du aber nun einmal nicht, wenn ich dir nicht helfe; hinauflangen zu dir kann ich nicht, aber meine Frau Gevatterin, die Ratte, welche gleich über dir auf dem Boden wohnt, die soll das Brett entzweinagen, auf dem du stehst, dann purzelst du hinunter, und ich fange dich auf in der Schürze, damit du dir die Nase nicht zerschlägst, sondern fein dein glattes Gesichtlein erhältst, und ich trage dich flugs zur Mamsell Veronika, die mußt du heiraten, wenn du Hofrat worden." – „Laß ab von mir, Satansgeburt", schrie der Student Anselmus voller Grimm, „nur deine höllischen Künste haben mich zu dem Frevel gereizt, den ich nun abbüßen muß. – Aber geduldig ertrage ich alles, denn nur hier kann ich sein, wo die holde Serpentina mich mit Liebe und Trost umfängt! – Hör es, Alte, und verzweifle! Trotz biete ich deiner Macht, ich liebe ewiglich nur Serpentina – ich will nie Hofrat werden – nie die Veronika schauen, die mich durch dich zum Bösen verlockt! – Kann die grüne Schlange nicht mein werden, so will ich untergehen in Sehnsucht und Schmerz! – Hebe dich weg – hebe dich weg – du schnöder Wechselbalg!" – Da lachte die Alte auf, daß es im Zimmer gellte, und rief: „So sitze denn und verderbe, aber nun ist's Zeit, ans Werk zu gehen, denn mein Geschäft hier ist noch von anderer Art." – Sie warf den schwarzen Mantel ab und stand da in ekelhafter Nacktheit, dann fuhr sie in Kreisen umher, und große Folianten stürzten herab, aus denen riß sie Pergamentblätter, und diese im künstlichen Gefüge schnell zusammenheftend und auf den Leib ziehend, war sie bald wie in einen seltsamen bunten Schuppenharnisch gekleidet. Feuersprühend sprang der schwarze Kater aus dem Tintenfasse, das auf dem Schreibtische stand, und heulte der Alten entgegen, die laut aufjubelte und mit ihm durch die Tür verschwand. Anselmus merkte, daß sie nach dem blauen Zimmer gegangen, und bald hörte er es in der Ferne zischen und brausen, die Vögel im Garten schrien, der Papagei schnarrte: „Rette – rette – Raub – Raub!“ – In dem Augenblick kam die Alte ins Zimmer zurückgesprungen, den goldnen Topf auf dem Arm tragend und mit gräßlicher Gebärde wild durch die Lüfte schreiend: „Glück auf! – Glück auf! – Söhnlein – töte die grüne Schlange! auf, Söhnlein, auf!“ – Es war dem Anselmus, als höre er ein tiefes Stöhnen, als höre er Serpentinas Stimme. Da ergriff ihn Entsetzen und Verzweiflung. – Er raffte alle seine Kraft zusammen, er stieß mit Gewalt, als sollten Nerven und Adern zerspringen, gegen das Kristall – ein schneidender Klang fuhr durch das Zimmer, und der Archivarius stand in der Tür in seinem glänzenden damastnen Schlafrock: „Hei, hei! Gesindel, toller Spuk – Hexenwerk – hieher – heisa!“ So schrie er. Da richteten sich die schwarzen Haare der Alten wie Borsten empor, ihre glutroten Augen erglänzten von höllischem Feuer, und die spitzigen Zähne des weiten Rachens zusammenbeißend, zischte sie: „Frisch – frisch raus – zisch aus, zisch aus“, und lachte und meckerte höhnend und spottend und drückte den goldnen Topf fest an sich und warf daraus Fäuste voll glänzender Erde auf den Archivarius, aber sowie die Erde den Schlafrock berührte, wurden Blumen daraus, die herabfielen. Da flackerten und flammten die Lilien des Schlafrocks empor, und der Archivarius schleuderte die in knisterndem Feuer brennenden Lilien auf die Hexe, die vor Schmerz heulte; aber indem sie in die Höhe sprang und den pergamentnen Harnisch schüttelte, verlöschten die Lilien und zerfielen in Asche. „Frisch darauf, mein Junge!“ kreischte die Alte, da fuhr der Kater auf in die Luft und brauste fort nach der Tür über den Archivarius, aber der graue Papagei flatterte ihm entgegen und faßte ihn mit dem krummen Schnabel im Genick, daß rotes feuriges Blut ihm aus dem Halse stürzte, und Serpentinas Stimme rief: „Gerettet! – gerettet!“ – Die Alte sprang voller

Wut und Verzweiflung auf den Archivarius los, sie warf den Topf hinter sich und wollte, die langen Finger der dürren Fäuste emporspreizend, den Archivarius umkrallen, aber dieser riß schnell den Schlafrock herunter und schleuderte ihn der Alten entgegen. Da zischten und sprühten und brausten blaue knisternde Flammen aus den Pergamentblättern, und die Alte wälzte sich im heulenden Jammer und trachtete immer mehr aus dem Topfe zu greifen, immer mehr Pergamentblätter aus den Büchern zu erhaschen, um die lodernden Flammen zu ersticken, und wenn es ihr gelang, Erde oder Pergamentblätter auf sich zu stürzen, verlöschte das Feuer. Aber nun fuhren wie aus dem Innern des Archivarius flackernde zischende Strahlen auf die Alte. „Hei, hei! drauf und dran – Sieg dem Salamander!" dröhnte die Stimme des Archivarius durch das Zimmer, und hundert Blitze schlängelten sich in feurigen Kreisen um die kreischende Alte. Sausend und brausend fuhren in wütendem Kampfe Kater und Papagei umher, aber endlich schlug der Papagei mit den starken Fittichen den Kater zu Boden, und mit den Krallen ihn durchspießend und festhaltend, daß er in der Todesnot gräßlich heulte und ächzte, hackte er ihm mit dem scharfen Schnabel die glühenden Augen aus, daß der brennende Gischt herausspritzte. – Dicker Qualm strömte da empor, wo die Alte, zur Erde niedergestürzt, unter dem Schlafrock gelegen, ihr Geheul, ihr entsetzliches schneidendes Jammergeschrei verhallte in weiter Ferne. Der Rauch, der sich mit durchdringendem Gestank verbreitet, verdampfte, der Archivarius hob den Schlafrock auf, und unter demselben lag eine garstige Runkelrübe. „Verehrter Herr Archivarius, hier bringe ich den überwundenen Feind", sprach der Papagei, indem er dem Archivarius Lindhorst ein schwarzes Haar im Schnabel darreichte. „Sehr gut, mein Lieber", antwortete der Archivarius, „hier liegt auch meine überwundene Feindin, besorgen Sie gütigst nunmehr das übrige; noch heute erhalten Sie als ein kleines Douceur sechs Kokusnüsse und eine neue Brille, da, wie ich sehe, der Kater Ihnen die Gläser schändlich zerbrochen." – „Lebenslang der Ihrige, verehrungswürdiger Freund und Gönner!" versetzte der Papagei sehr vergnügt, nahm die Runkelrübe in den Schnabel und flatterte damit zum Fenster hinaus, das ihm der Archivarius Lindhorst geöffnet. Dieser ergriff den goldnen Topf und rief stark: „Serpentina, Serpentina!“ – Aber wie nun der Student Anselmus, hoch erfreut über den Untergang des schnöden Weibes, das ihn ins Verderben gestürzt, den Archivarius anblickte, da war es wieder die hohe majestätische Gestalt des Geisterfürsten, die mit unbeschreiblicher Anmut und Würde zu ihm hinaufschaute. – „Anselmus“, sprach der Geisterfürst, „nicht du, sondern nur ein feindliches Prinzip, das zerstörend in dein Inneres zu dringen und dich mit dir selbst zu entzweien trachtete, war schuld an deinem Unglauben. – Du hast deine Treue bewährt, sei frei und glücklich.“ Ein Blitz zuckte durch das Innere des Anselmus, der herrliche Dreiklang der Kristallglocken ertönte stärker und mächtiger, als er ihn je vernommen – seine Fibern und Nerven erbebten – aber immer mehr anschwellend, dröhnte der Akkord durch das Zimmer, das Glas, welches den Anselmus umschlossen, zersprang, und er stürzte in die Arme der holden, lieblichen Serpentina.

Eilfte Vigilie

Des Konrektors Paulmann Unwille über die in seiner Familie ausgebrochene Tollheit. – Wie der Registrator Heerbrand Hofrat worden und im stärksten Froste in Schuhen und seidenen Strümpfen einherging. – Veronikas Geständnisse. – Verlobung bei der dampfenden Suppenschüssel.

„Aber sagen Sie mir nur, wertester Registrator, wie uns gestern der vermaledeite Punsch so in den Kopf steigen und zu allerlei Allotriis treiben konnte?“ – Dies sprach der Konrektor Paulmann, indem er am andern Morgen in das Zimmer trat, das noch voll zerbrochener Scherben lag und in dessen Mitte die unglückliche Perücke, in ihre ursprüngliche Bestandteile aufgelöset, im Punsche umherschwamm. Als der Student Anselmus zur Tür hinausgerannt war, kreuzten und wackelten der Konrektor Paulmann und der Registrator Heerbrand durch das Zimmer, schreiend wie Besessene und mit den Köpfen aneinanderrennend, bis Fränzchen den schwindlichten Papa mit vieler Mühe ins Bett brachte und der Registrator in höchster Ermattung aufs Sofa sank, welches Veronika, ins Schlafzimmer flüchtend, verlassen. Der Registrator Heerbrand hatte sein blaues Schnupftuch um den Kopf gewickelt, sah ganz blaß und melancholisch aus und stöhnte: „Ach, werter Konrektor, nicht der Punsch, den Mamsell Veronika köstlich bereitet, nein! – sondern lediglich der verdammte Student ist an all dem Unwesen schuld. Merken Sie denn nicht, daß er schon längst mente captus ist? Aber wissen Sie denn nicht auch, daß der Wahnsinn ansteckt? – Ein Narr macht viele; verzeihen Sie, das ist ein altes Sprichwort; vorzüglich, wenn man ein Gläschen getrunken, da gerät man leicht in die Tollheit und manövriert unwillkürlich nach und bricht aus in die Exerzitia, die der verrückte Flügelmann vormacht. Glauben Sie denn, Konrektor, daß mir noch ganz schwindlig ist, wenn ich an den grauen Papagei denke?" – „Ach was", fiel der Konrektor ein, „Possen! – es war ja der alte kleine Famulus des Archivarii, der einen grauen Mantel umgenommen und den Studenten Anselmus suchte." – „Es kann sein", versetzte der Registrator Heerbrand, „aber ich muß gestehen, daß mir ganz miserabel zumute ist; die ganze Nacht über hat es so wunderlich georgelt und gepfiffen." – „Das war ich", erwiderte der Konrektor; „denn ich schnarche stark." – „Nun, mag das sein", fuhr der Registrator fort – „aber Konrektor, Konrektor! – nicht ohne Ursache hatte ich gestern dafür gesorgt, uns einige Fröhlichkeit zu bereiten – aber der Anselmus hat mir alles verdorben. – Sie wissen nicht – o Konrektor, Konrektor!" – Der Registrator Heerbrand sprang auf, riß das Tuch vom Kopfe, umarmte den Konrektor, drückte ihm feurig die Hand, rief noch einmal ganz herzbrechend: „O Konrektor, Konrektor!" und rannte, Hut und Stock ergreifend, schnell von dannen. „Der Anselmus soll mir nicht mehr über die Schwelle", sprach der Konrektor Paulmann zu sich selbst, „denn ich sehe nun wohl, daß er mit seinem verstockten innern Wahnsinn die besten Leute um ihr bißchen Vernunft bringt; der Registrator ist nun auch geliefert – ich habe mich bisher noch gehalten, aber der Teufel, der gestern im Rausch stark anklopfte, könnte doch wohl am Ende einbrechen und sein Spiel treiben. – Also apage, Satanas! – fort mit dem Anselmus!" – Veronika war ganz tiefsinnig geworden, sie sprach kein Wort, lächelte nur zuweilen ganz seltsam und war am liebsten allein. „Die hat der Anselmus auch auf der Seele", sagte der Konrektor voller Bosheit, „aber es ist gut, daß er sich gar nicht sehen läßt, ich weiß, daß er sich vor mir fürchtet – der Anselmus, deshalb kommt er gar nicht her." Das letzte sprach der Konrektor Paulmann ganz laut, da stürzten der Veronika, die eben gegenwärtig, die Tränen aus den Augen, und sie seufzte: „Ach, kann denn der Anselmus herkommen? der ist ja schon längst in die gläserne Flasche eingesperrt." – „Wie – Was?" rief der Konrektor Paulmann. „Ach Gott – ach Gott, auch sie faselt schon wie der Registrator, es wird bald zum Ausbruch kommen. – Ach du verdammter, abscheulicher Anselmus!" – Er rannte gleich fort zum Doktor Eckstein, der lächelte und sagte wieder: „Ei, ei!" – Er verschrieb aber nichts, sondern setzte dem wenigen, was er geäußert, noch weggehend hinzu: „Nervenzufälle! – wird sich geben von selbst – in die Luft führen – spazierenfahren – sich zerstreuen – Theater – ‚Sonntagskind' – ‚Schwestern von Prag' – wird sich geben!" – „So beredt war der Doktor selten", dachte der Konrektor Paulmann, „ordentlich geschwätzig." – Mehrere Tage und Wochen und Monate waren vergangen, der Anselmus war verschwunden, aber auch der Registrator Heerbrand ließ sich nicht sehen, bis am vierten Februar, da trat er in einem neuen modernen Kleide vom besten Tuch, in Schuhen und seidenen Strümpfen, des starken Frostes unerachtet, einen großen Strauß lebendiger Blumen in der Hand, mittags Punkt zwölf Uhr in das Zimmer des Konrektors Paulmann, der nicht wenig über seinen geputzten Freund erstaunte. Feierlich schritt der Registrator Heerbrand auf den Konrektor Paulmann los, umarmte ihn mit feinem Anstande und sprach dann: „Heute, an dem Namenstage Ihrer lieben verehrten Mamsell Tochter Veronika, will ich denn nun alles geradeheraus sagen, was mir längst auf dem Herzen gelegen! Damals, an dem unglücklichen Abend, als ich die Ingredienzen zu dem verderblichen Punsch in der Tasche meines Matins herbeitrug, hatte ich es im Sinn, eine freudige Nachricht Ihnen mitzuteilen und den glückseligen Tag in Fröhlichkeit zu feiern, schon damals hatte ich es erfahren, daß ich Hofrat worden, über welche Standeserhöhung ich jetzt das Patent cum nomine et sigillo principis erhalten und in der Tasche trage." – „Ach, ach! Herr Registr – Herr Hofrat Heerbrand, wollte ich sagen", stammelte der Konrektor. – „Aber Sie, verehrter Konrektor", fuhr der nunmehrige Hofrat Heerbrand fort, „Sie können erst mein Glück vollenden. Schon längst habe ich die Mamsell Veronika im stillen geliebt und kann mich manches freundlichen Blickes rühmen, den sie mir zugeworfen und der mir deutlich gezeigt, daß sie mir wohl nicht abhold sein dürfte. Kurz, verehrter Konrektor! – ich, der Hofrat Heerbrand, bitte um die Hand Ihrer liebenswürdigen Demoiselle Tochter Veronika, die ich, haben Sie nichts dagegen, in kurzer Zeit heimzuführen gedenke." – Der Konrektor Paulmann schlug voller Verwunderung die Hände zusammen und rief: „Ei – Ei – Ei – Herr Registr – Herr Hofrat, wollte ich sagen, wer hätte das gedacht! – Nun, wenn Veronika Sie in der Tat liebt, ich meinesteils habe nichts dagegen; vielleicht ist auch ihre jetzige Schwermut nur eine versteckte Verliebtheit in Sie, verehrter Hofrat! man kennt ja die Possen." – In dem Augenblick trat die Veronika herein, blaß und verstört, wie sie jetzt gewöhnlich war. Da schritt der Hofrat Heerbrand auf sie zu, erwähnte in wohlgesetzter Rede ihres Namenstages und überreichte ihr den duftenden Blumenstrauß nebst einem kleinen Päckchen, aus dem ihr, als sie es öffnete, ein Paar glänzende Ohrgehänge entgegenstrahlten. Eine schnelle fliegende Röte färbte ihre Wangen, die Augen blitzten lebhafter, und sie rief: „Ei, mein Gott! das sind ja dieselben Ohrgehänge, die ich schon vor mehreren Wochen trug und mich daran ergötzte!" – „Wie ist denn das möglich", fiel der Hofrat Heerbrand etwas bestürzt und empfindlich ein, „da ich dieses Geschmeide erst seit einer Stunde in der Schloßgasse für schmähliches Geld erkauft?" – Aber die Veronika hörte nicht darauf, sondern stand schon vor dem Spiegel, um die Wirkung des

Geschmeides, das sie bereits in die kleinen Öhrchen gehängt, zu erforschen. Der Konrektor Paulmann eröffnete ihr mit gravitätischer Miene und mit ernstem Ton die Standeserhöhung Freund Heerbrands und seinen Antrag. Veronika schaute den Hofrat mit durchdringendem Blick an und sprach: „Das wußte ich längst, daß Sie mich heiraten wollen. – Nun, es sei! – ich verspreche Ihnen Herz und Hand, aber ich muß Ihnen nur gleich – Ihnen beiden nämlich, dem Vater und dem Bräutigam, manches entdecken, was mir recht schwer in Sinn und Gedanken liegt – jetzt gleich, und sollte darüber die Suppe kalt werden, die, wie ich sehe, Fränzchen soeben auf den Tisch setzt." Ohne des Konrektors und des Hofrats Antwort abzuwarten, unerachtet ihnen sichtlich die Worte auf den Lippen schwebten, fuhr Veronika fort: „Sie können es mir glauben, bester Vater, daß ich den Anselmus recht von Herzen liebte, und als der Registrator Heerbrand, der nunmehr selbst Hofrat worden, versicherte, der Anselmus könne es wohl zu so etwas bringen, beschloß ich, *er* und kein anderer solle mein Mann werden. Da schien es aber, als wenn fremde feindliche Wesen ihn mir entreißen wollten, und ich nahm meine Zuflucht zu der alten Liese, die ehemals meine Wärterin war und jetzt eine weise Frau, eine große Zauberin ist. *Die* versprach mir, zu helfen und den Anselmus mir ganz in die Hände zu liefern. Wir gingen mitternachts in der Tagundnachtgleiche auf den Kreuzweg, sie beschwor die höllischen Geister, und mit Hilfe des schwarzen Katers brachten wir einen kleinen Metallspiegel zustande, in den ich, meine Gedanken auf den Anselmus richtend, nur blicken durfte, um ihn ganz in Sinn und Gedanken zu beherrschen. – Aber ich bereue jetzt herzlich, das alles getan zu haben, ich schwöre allen Satanskünsten ab. Der Salamander hat über die Alte gesiegt, ich hörte ihr Jammergeschrei, aber es war keine Hilfe möglich; sowie sie als Runkelrübe vom Papagei verzehrt worden, zerbrach mit schneidendem Klange mein Metallspiegel." Veronika holte die beiden Stücke des zerbrochenen Spiegels und eine Locke aus dem Nähkästchen, und beides dem Hofrat Heerbrand hinreichend, fuhr sie fort: „Hier nehmen Sie, geliebter Hofrat, die Stücke des

Spiegels, werfen Sie sie heute nacht um zwölf Uhr von der Elbbrücke, und zwar von da, wo das Kreuz steht, hinab in den Strom, der dort nicht zugefroren, die Locke aber bewahren Sie auf treuer Brust. Ich schwöre nochmals allen Satanskünsten ab und gönne dem Anselmus herzlich sein Glück, da er nunmehr mit der grünen Schlange verbunden, die viel schöner und reicher ist als ich. Ich will Sie, geliebter Hofrat, als eine rechtschaffene Frau lieben und verehren!" – „Ach Gott! – ach Gott", rief der Konrektor Paulmann voller Schmerz, „sie ist wahnsinnig, sie ist wahnsinnig – sie kann nimmermehr Frau Hofrätin werden – sie ist wahnsinnig!" – „Mitnichten", fiel der Hofrat Heerbrand ein, „ich weiß wohl, daß Mamsell Veronika einige Neigung für den vertrakten Anselmus gehegt, und es mag sein, daß sie vielleicht in einer gewissen Überspannung sich an die weise Frau gewendet, die, wie ich merke, wohl niemand anders sein kann als die Kartenlegerin und Kaffeegießerin vor dem Seetor – kurz, die alte Rauerin. Nun ist auch nicht zu leugnen, daß es wirklich wohl geheime Künste gibt, die auf den Menschen nur gar zu sehr ihren feindlichen Einfluß äußern, man lieset schon davon in den Alten, was aber Mamsell Veronika von dem Sieg des Salamanders und von der Verbindung des Anselmus mit der grünen Schlange gesprochen, ist wohl nur eine poetische Allegorie – gleichsam ein Gedicht, worin sie den gänzlichen Abschied von dem Studenten besungen." – „Halten Sie das, wofür Sie wollen, bester Hofrat!" fiel Veronika ein, „vielleicht für einen recht albernen Traum." – „Keinesweges tue ich das", versetzte der Hofrat Heerbrand, „denn ich weiß ja wohl, daß der Anselmus auch von geheimen Mächten befangen, die ihn zu allen möglichen tollen Streichen necken und treiben." Länger konnte der Konrektor Paulmann nicht an sich halten, er brach los: „Halt, um Gottes willen, halt! haben wir uns denn etwa wieder übernommen im verdammten Punsch, oder wirkt des Anselmi Wahnsinn auf uns? Herr Hofrat, was sprechen Sie denn auch wieder für Zeug? – Ich will indessen glauben, daß es die Liebe ist, die Euch in dem Gehirn spukt, das gibt sich aber bald in der Ehe, sonst wäre mir bange, daß auch *Sie* in einigen Wahnsinn verfallen, verehrungswürdiger Hofrat, und würde dann Sorge tragen wegen der Deszendenz, die das Malum der Eltern vererben könnte. – Nun, ich gebe meinen väterlichen Segen zu der fröhlichen Verbindung und erlaube, daß ihr euch als Braut und Bräutigam küsset." Dies geschah sofort, und es war, noch ehe die aufgetragene Suppe kalt worden, die förmliche Verlobung geschlossen. Wenige Wochen nachher saß die Frau Hofrätin Heerbrand wirklich, wie sie sich schon früher im Geiste erblickt, in dem Erker eines schönen Hauses auf dem Neumarkt und schaute lächelnd auf die Elegants hinab, die vorübergehend und hinauflorgnettierend sprachen: „Es ist doch eine göttliche Frau, die Hofrätin Heerbrand!" –

Zwölfte Vigilie

Nachricht von dem Rittergut, das der Anselmus als des Archivarius Lindhorst Schwiegersohn bezogen, und wie er dort mit der Serpentina lebt. – Beschluß.

Wie fühlte ich recht in der Tiefe des Gemüts die hohe Seligkeit des Studenten Anselmus, der, mit der holden Serpentina innigst verbunden, nun nach dem geheimnisvollen wunderbaren Reiche gezogen war, das er für die Heimat erkannte, nach der sich seine von seltsamen Ahnungen erfüllte Brust schon so lange gesehnt. Aber vergebens blieb alles Streben, dir, günstiger Leser, all die Herrlichkeiten, von denen der Anselmus umgeben, auch nur einigermaßen in Worten anzudeuten. Mit Widerwillen gewahrte ich die Mattigkeit jedes Ausdrucks. Ich fühlte mich befangen in den Armseligkeiten des kleinlichen Alltagslebens, ich erkrankte in quälendem Mißbehagen, ich schlich umher wie ein Träumender, kurz, ich geriet in jenen Zustand des Studenten Anselmus, den ich dir, günstiger Leser, in der vierten Vigilie beschrieben. Ich härmte mich recht ab, wenn ich die eilf Vigilien, die ich glücklich zustande brachte, durchlief und nun dachte, daß es mir wohl niemals vergönnt sein werde, die zwölfte als Schlußstein hinzuzufügen, denn sooft ich mich zur Nachtzeit hinsetzte, um das Werk zu vollenden, war es, als hielten mir recht tückische Geister (es mochten wohl Verwandte – vielleicht Cousins germains der getöteten Hexe sein) ein glänzend poliertes Metall vor, in dem ich mein Ich erblickte, blaß, übernächtigt und melancholisch wie der Registrator Heerbrand nach dem Punschrausch. – Da warf ich denn die Feder hin und eilte ins Bett, um wenigstens von dem glücklichen Anselmus und der holden Serpentina zu träumen. So hatte das schon mehrere Tage und Nächte gedauert, als ich endlich ganz unerwartet von dem Archivarius Lindhorst ein Billett erhielt, worin er mir folgendes schrieb:

Ew. Wohlgeboren haben, wie mir bekannt worden, die seltsamen Schicksale meines guten Schwiegersohnes, des vormaligen Studenten, jetzigen Dichters Anselmus, in eilf Vigilien beschrieben und quälen sich jetzt sehr ab, in der zwölften und letzten Vigilie einiges von seinem glücklichen Leben in Atlantis zu sagen, wohin er mit meiner Tochter auf das hübsche Rittergut, welches ich dort besitze, gezogen. Unerachtet ich nun nicht eben gern sehe, daß Sie mein eigentliches Wesen der Lesewelt kundgetan, da es mich vielleicht in meinem Dienst als Geh. Archivarius tausend Unannehmlichkeiten aussetzen, ja wohl gar im Kollegio die zu ventilierende Frage veranlassen wird, inwiefern wohl ein Salamander sich rechtlich und mit verbindenden Folgen als Staatsdiener eidlich verpflichten könne und inwiefern ihm überhaupt solide Geschäfte anzuvertrauen, da nach Gabalis und Swedenborg den Elementargeistern durchaus nicht zu trauen – unerachtet nun meine besten Freunde meine Umarmung scheuen werden, aus Furcht, ich könnte in plötzlichem Übermut was weniges blitzen und ihnen Frisur und Sonntagsfrack verderben – unerachtet alles dessen sage ich, will ich Ew. Wohlgeboren doch in der Vollendung des Werks behilflich sein, da darin viel Gutes von mir und von meiner lieben verheirateten Tochter (ich wollte, ich wäre die beiden übrigen auch schon los) enthalten. Wollen Sie daher die zwölfte Vigilie schreiben, so steigen Sie Ihre verdammten fünf Treppen hinunter, verlassen Sie Ihr Stübchen und kommen Sie zu mir. Im blauen Palmbaumzimmer, das Ihnen schon bekannt, finden Sie die gehörigen

Schreibmaterialien, und Sie können dann mit wenigen Worten den Lesern kundtun, was Sie geschaut, das wird Ihnen besser sein als eine weitläufige Beschreibung eines Lebens, das Sie ja doch nur von Hörensagen kennen. Mit Achtung

Ew. Wohlgeboren

ergebenster

der Salamander Lindhorst

p. t. Königl. Geh. Archivarius.

Dies freilich etwas rauhe, aber doch freundschaftliche Billett des Archivarius Lindhorst war mir höchst angenehm. Zwar schien es gewiß, daß der wunderliche Alte von der seltsamen Art, wie mir die Schicksale seines Schwiegersohns bekannt worden, die ich, zum Geheimnis verpflichtet, dir selbst, günstiger Leser, verschweigen mußte, wohl unterrichtet sei, aber er hatte das nicht so übel vermerkt, als ich wohl befürchten konnte. Er bot ja selbst hilfreiche Hand, mein Werk zu vollenden, und daraus konnte ich mit Recht schließen, wie er im Grunde genommen damit einverstanden sei, daß seine wunderliche Existenz in der Geisterwelt durch den Druck bekannt werde. „Es kann sein", dachte ich, „daß er selbst die Hoffnung daraus schöpft, desto eher seine beiden noch übrigen Töchter an den Mann zu bringen, denn vielleicht fällt doch ein Funke in dieses oder jenes Jünglings Brust, der die Sehnsucht nach der grünen Schlange entzündet, welche er dann in dem Holunderbusch am Himmelfahrtstage sucht und findet. Aus dem Unglück, das den Anselmus betroffen, als er in die gläserne Flasche gebannt wurde, wird er die Warnung entnehmen, sich vor jedem Zweifel, vor jedem Unglauben recht ernstlich zu hüten." Punkt eilf Uhr löschte ich meine Studierlampe aus und schlich zum Archivarius Lindhorst, der mich schon auf dem Flur erwartete. „Sind Sie da – Hochverehrter! – nun das ist mir lieb, daß Sie meine guten Absichten nicht verkennen – kommen Sie nur!" – Und damit führte er mich durch den von blendendem Glanze erfüllten Garten in das azurblaue Zimmer, in welchem ich den violetten Schreibtisch erblickte, an welchem der Anselmus gearbeitet. – Der Archivarius Lindhorst verschwand, erschien aber gleich wieder mit einem schönen goldnen Pokal in der Hand, aus dem eine blaue Flamme hoch emporknisterte. „Hier“, sprach er, „bringe ich Ihnen das Lieblingsgetränk Ihres Freundes, des Kapellmeisters Johannes Kreisler. – Es ist angezündeter Arrak, in den ich einigen Zucker geworfen. Nippen Sie was weniges davon, ich will gleich meinen Schlafrock abwerfen und zu meiner Lust und um, während Sie sitzen und schauen und schreiben, Ihrer werten Gesellschaft zu genießen, in dem Pokale auf und nieder steigen.“ – „Wie es Ihnen gefällig ist, verehrter Herr Archivarius“, versetzte ich, „aber wenn ich nun von dem Getränk genießen will, werden Sie nicht“ – „Tragen Sie keine Sorge, mein Bester“, rief der Archivarius, warf den Schlafrock schnell ab, stieg zu meinem nicht geringen Erstaunen in den Pokal und verschwand in den Flammen. – Ohne Scheu kostete ich, die Flamme leise weghauchend, von dem Getränk, es war köstlich!

Rühren sich nicht in sanftem Säuseln und Rauschen die smaragdenen Blätter der Palmbäume, wie vom Hauch des Morgenwindes geliebkost? – Erwacht aus dem Schlafe, heben und regen sie sich und flüstern geheimnisvoll von den Wundern, die wie aus weiter Ferne holdselige Harfentöne verkünden! – Das Azur löst sich von den Wänden und wallt wie duftiger Nebel auf und nieder, aber blendende Strahlen schießen durch den Duft, der sich wie in jauchzender kindischer Lust wirbelt und dreht und aufsteigt bis zur unermeßlichen Höhe, die sich über den Palmbäumen wölbt. – Aber immer blendender häuft sich Strahl auf Strahl, bis in hellem Sonnenglanze sich der unabsehbare Hain aufschließt, in dem ich den Anselmus erblicke. – Glühende Hyazinthen und Tulipanen und Rosen erheben ihre schönen Häupter, und ihre Düfte rufen in gar lieblichen Lauten dem Glücklichen zu: „Wandle, wandle unter uns, Geliebter, der du uns verstehst – unser Duft ist die Sehnsucht der Liebe – wir lieben dich und sind dein immerdar! – Die goldnen Strahlen brennen in glühenden Tönen: wir sind Feuer, von der Liebe entzündet. – Der Duft ist die Sehnsucht, aber Feuer das Verlangen, und wohnen wir nicht in deiner Brust? wir sind ja dein eigen!" Es rischeln und rauschen die dunklen Büsche – die hohen Bäume: „Komme zu uns! – Glücklicher – Geliebter! – Feuer ist das Verlangen, aber Hoffnung unser kühler Schatten! wir umsäuseln liebend dein Haupt, denn du verstehst uns, weil die Liebe in deiner Brust wohnet." Die Quellen und Bäche plätschern und sprudeln: „Geliebter, wandle nicht so schnell vorüber, schaue in unser Kristall – dein Bild wohnt in uns, das wir liebend bewahren, denn du hast uns verstanden!" – Im Jubelchor zwitschern und singen bunte Vögelein: „Höre uns, höre uns, wir sind die Freude, die Wonne, das Entzücken der Liebe!" – Aber sehnsuchtsvoll schaut Anselmus nach dem herrlichen Tempel, der sich in weiter Ferne erhebt. Die künstlichen Säulen scheinen Bäume und die Kapitäler und Gesimse Akanthusblätter, die in wundervollen Gewinden und Figuren herrliche Verzierungen bilden. Anselmus schreitet dem Tempel zu, er betrachtet mit innerer Wonne den bunten Marmor, die wunderbar bemoosten Stufen. „Ach nein", ruft er wie im Übermaß des Entzückens, „sie ist nicht mehr fern!" Da tritt in hoher Schönheit und Anmut Serpentina aus dem Innern des Tempels, sie trägt den goldnen Topf, aus dem eine herrliche Lilie entsprossen. Die namenlose Wonne der unendlichen Sehnsucht glüht in den holdseligen Augen, so blickt sie den Anselmus an, sprechend: „Ach, Geliebter! die Lilie hat ihren Kelch erschlossen – das Höchste ist erfüllt, gibt es denn eine Seligkeit, die der unsrigen gleicht?" Anselmus umschlingt sie mit der Inbrunst des glühendsten Verlangens – die Lilie brennt in flammenden Strahlen über seinem Haupte. Und lauter regen sich die Bäume und die Büsche, und heller und freudiger jauchzen die Quellen – die Vögel – allerlei bunte Insekten tanzen in den Luftwirbeln – ein frohes, freudiges, jubelndes Getümmel in der Luft – in den Wässern – auf der Erde feiert das Fest der Liebe! – Da zucken Blitze überall leuchtend durch die Büsche – Diamanten blicken wie funkelnde Augen aus der Erde! – hohe Springbäche strahlen aus den Quellen – seltsame Düfte wehen mit rauschendem Flügelschlag daher – es sind die Elementargeister, die der Lilie huldigen und des Anselmus Glück verkünden. – Da erhebt Anselmus das

Haupt wie vom Strahlenglanz der Verklärung umflossen. – Sind es Blicke? – sind es Worte? – ist es Gesang? – Vernehmlich klingt es: „Serpentina! – der Glaube an dich, die Liebe hat mir das Innerste der Natur erschlossen! – Du brachtest mir die Lilie, die aus dem Golde, aus der Urkraft der Erde, noch ehe Phosphorus den Gedanken entzündete, entsproß – sie ist die Erkenntnis des heiligen Einklangs aller Wesen, und in dieser Erkenntnis lebe ich in höchster Seligkeit immerdar. – Ja, ich Hochbeglückter habe das Höchste erkannt – ich muß dich lieben ewiglich, o Serpentina! – nimmer verbleichen die goldnen Strahlen der Lilie, denn wie Glaube und Liebe ist ewig die Erkenntnis."

Die Vision, in der ich nun den Anselmus leibhaftig auf seinem Rittergute in Atlantis gesehen, verdankte ich wohl den Künsten des Salamanders, und herrlich war es, daß ich sie, als alles wie im Nebel verloschen, auf dem Papier, das auf dem violetten Tische lag, recht sauber und augenscheinlich von mir selbst aufgeschrieben fand. – Aber nun fühlte ich mich von jähem Schmerz durchbohrt und zerrissen. „Ach, glücklicher Anselmus, der du die Bürde des alltäglichen Lebens abgeworfen, der du in der Liebe zu der holden Serpentina die Schwingen rüstig rührtest und nun lebst in Wonne und Freude auf deinem Rittergut in Atlantis! – Aber ich Armer! – bald – ja in wenigen Minuten bin ich selbst aus diesem schönen Saal, der noch lange kein Rittergut in Atlantis ist, versetzt in mein Dachstübchen, und die Armseligkeiten des bedürftigen Lebens befangen meinen Sinn, und mein Blick ist von tausend Unheil wie von dickem Nebel umhüllt, daß ich wohl niemals die Lilie schauen werde." – Da klopfte mir der Archivarius Lindhorst leise auf die Achsel und sprach: „Still, still, Verehrter! klagen Sie nicht so! – Waren Sie nicht soeben selbst in Atlantis, und haben Sie denn nicht auch dort wenigstens einen artigen Meierhof als poetisches Besitztum Ihres innern Sinns? – Ist denn überhaupt des Anselmus Seligkeit etwas anderes als das Leben in der Poesie, der sich der heilige Einklang aller Wesen als tiefstes Geheimnis der Natur offenbaret?"

Ende des Märchens

KLEIN ZACHES GENANNT ZINNOBER

Ein Märchen

Erstes Kapitel

Der kleine Wechselbalg. – Dringende Gefahr einer Pfarrersnase. – Wie Fürst Paphnutius in seinem Lande die Aufklärung einführte und die Fee Rosabelverde in ein Fräuleinstift kam.

Unfern eines anmutigen Dorfes, hart am Wege, lag auf dem von der Sonnenglut erhitzten Boden hingestreckt ein armes zerlumptes Bauernweib. Vom Hunger gequält, vor Durst lechzend, ganz verschmachtet, war die Unglückliche unter der Last des im Korbe hoch aufgetürmten dürren Holzes, das sie im Walde unter den Bäumen und Sträuchern mühsam aufgelesen, niedergesunken, und da sie kaum zu atmen vermochte, glaubte sie nicht anders, als daß sie nun wohl sterben, so sich aber ihr trostloses Elend auf einmal enden werde. Doch gewann sie bald so viel Kraft, die Stricke, womit sie den Holzkorb auf ihrem Rücken befestigt, loszunesteln und sich langsam heraufzuschieben auf einen Grasfleck, der gerade in der Nähe stand. Da brach sie nun aus in laute Klagen: „Muß", jammerte sie, „muß mich und meinen armen Mann allein denn alle Not und alles Elend treffen? Sind wir denn nicht im ganzen Dorfe die einzigen, die aller Arbeit, alles sauer vergossenen Schweißes ungeachtet in steter Armut bleiben und kaum so viel erwerben, um unsern Hunger zu stillen? – Vor drei Jahren, als mein Mann beim Umgraben unseres Gartens die Goldstücke in der Erde fand, ja, da glaubten wir, das Glück sei endlich eingekehrt bei uns und nun kämen die guten Tage; aber was geschah! – Diebe stahlen das Geld, Haus und Scheune brannten uns über dem Kopfe weg, das

Getreide auf dem Acker zerschlug der Hagel, und um das Maß unseres Herzeleids vollzumachen bis über den Rand, strafte uns der Himmel noch mit diesem kleinen Wechselbalg, den ich zu Schand und Spott des ganzen Dorfs gebar. – Zu St.-Laurenz-Tag ist nun der Junge drittehalb Jahr gewesen und kann auf seinen Spinnenbeinchen nicht stehen, nicht gehen und knurrt und miaut, statt zu reden, wie eine Katze. Und dabei frißt die unselige Mißgeburt wie der stärkste Knabe von wenigstens acht Jahren, ohne daß es ihm im mindesten was anschlägt. Gott erbarme sich über ihn und über uns, daß wir den Jungen großfüttern müssen uns selbst zur Qual und größerer Not; denn essen und trinken immer mehr und mehr wird der kleine Däumling wohl, aber arbeiten sein Lebetage nicht! Nein, nein, das ist mehr als ein Mensch aushalten kann auf dieser Erde! – Ach könnt ich nur sterben – nur sterben!" – Und damit fing die Arme an zu weinen und zu schluchzen, bis sie endlich, vom Schmerz übermannt, ganz entkräftet einschlief. –

Mit Recht konnte das Weib über den abscheulichen Wechselbalg klagen, den sie vor drittehalb Jahren geboren. Das, was man auf den ersten Blick sehr gut für ein seltsam verknorpeltes Stückchen Holz hätte ansehen können, war nämlich ein kaum zwei Spannen hoher, mißgestalter Junge, der von dem Korbe, wo er querüber gelegen, heruntergekrochen, sich jetzt knurrend im Grase wälzte. Der Kopf stak dem Dinge tief zwischen den Schultern, die Stelle des Rückens vertrat ein kürbisähnlicher Auswuchs, und gleich unter der Brust hingen die haselgertdünnen Beinchen herab, so daß der Junge aussah wie ein gespalteter Rettich. Vom Gesicht konnte ein stumpfes Auge nicht viel entdecken, schärfer hinblickend, wurde man aber wohl die lange spitze Nase, die aus schwarzen struppigen Haaren hervorstarrte, und ein Paar kleine, schwarz funkelnde Äuglein gewahr, die, zumal bei den übrigens ganz alten, eingefurchten Zügen des Gesichts, ein klein Alräunchen kundzutun schienen. –

Als nun, wie gesagt, das Weib über ihren Gram in tiefen Schlaf gesunken war und ihr Söhnlein sich dicht an sie herangewälzt hatte, begab es sich, daß das Fräulein von Rosenschön, Dame des nahegelegenen Stifts, von einem Spaziergange heimkehrend, des Weges daherwandelte. Sie blieb stehen und wurde, da sie von Natur fromm und mitleidig, bei dem Anblick des Elends, der sich ihr darbot, sehr gerührt. „O du gerechter Himmel“, fing sie an, „wieviel Jammer und Not gibt es doch auf dieser Erde! – Das arme unglückliche Weib! – Ich weiß, daß sie kaum das liebe Leben hat, da arbeitet sie über ihre Kräfte und ist vor Hunger und Kummer hingesunken! – Wie fühle ich jetzt erst recht empfindlich meine Armut und Ohnmacht! – Ach, könnt ich doch nur helfen, wie ich wollte! – Doch das, was mir noch übrigblieb, die wenigen Gaben, die das feindselige Verhängnis mir nicht zu rauben, nicht zu zerstören vermochte, die mir noch zu Gebote stehen, die will ich kräftig und getreu nützen, um dem Leidwesen zu steuern. Geld, hätte ich auch darüber zu gebieten, würde dir gar nichts helfen, arme Frau, sondern deinen Zustand vielleicht noch gar verschlimmern. Dir und deinem Mann, euch beiden ist nun einmal Reichtum nicht beschert, und wem Reichtum nicht beschert ist, dem verschwinden die Goldstücke aus der Tasche, er weiß selbst nicht wie, er hat davon nichts als großen Verdruß und wird, je mehr Geld ihm zuströmt, nur desto ärmer. Aber ich weiß es, mehr als alle Armut, als alle Not nagt an deinem Herzen, daß du jenes kleine Untierchen gebarst, das sich wie eine böse unheimliche Last an dich hängt, die du durch das Leben tragen mußt. – Groß – schön – stark – verständig, ja, das alles kann der Junge nun einmal nicht werden, aber es ist ihm vielleicht noch auf andere Weise zu helfen.“ – Damit setzte sich das Fräulein nieder ins Gras und nahm den Kleinen auf den Schoß. Das böse Alräunchen sträubte und spreizte sich, knurrte und wollte das Fräulein in den Finger beißen, *die* sprach aber: „Ruhig, ruhig, kleiner Maikäfer!“ und strich leise und linde mit der flachen Hand ihm über den Kopf von der Stirn herüber bis in den Nacken. Allmählich glättete sich während des Streichelns das struppige Haar des Kleinen aus, bis es gescheitelt, an der Stirne fest anliegend, in hübschen weichen Locken hinabwallte auf die hohen Schultern und den Kürbisrücken. Der Kleine war immer ruhiger geworden und endlich fest eingeschlafen. Da legte ihn das Fräulein Rosenschön behutsam dicht neben der Mutter hin ins Gras, besprengte diese mit einem geistigen Wasser aus dem Riechfläschchen, das sie aus der Tasche gezogen, und entfernte sich dann schnellen Schrittes.

Als die Frau bald darauf erwachte, fühlte sie sich auf wunderbare Weise erquickt und gestärkt. Es war ihr, als habe sie eine tüchtige Mahlzeit gehalten und einen guten Schluck Wein getrunken. „Ei", rief sie aus, „wie ist mir doch in dem bißchen Schlaf so viel Trost, so viel Munterkeit gekommen! – Aber die Sonne ist schon bald herab hinter den Bergen, nun fort nach Hause!" – Damit wollte sie den Korb aufpacken, vermißte aber, als sie hineinsah, den Kleinen, der in demselben Augenblick sich aus dem Grase aufrichtete und weinerlich quäkte. Als nun die Mutter sich nach ihm umschaute, schlug sie vor Erstaunen die Hände zusammen und rief: „Zaches – Klein Zaches, wer hat dir denn unterdessen die Haare so schön gekämmt! – Zaches – Klein Zaches, wie hübsch würden dir die Locken kleiden, wenn du nicht solch ein abscheulich garstiger Junge wärst! – Nun, komm nur, komm! – hinein in den Korb!" Sie wollte ihn fassen und quer über das Holz legen, da strampelte aber Klein Zaches mit den Beinen, grinste die Mutter an und miaute sehr vernehmlich: „Ich mag nicht!" – „Zaches! – Klein Zaches!" schrie die Frau ganz außer sich, „wer hat dich denn unterdessen reden gelehrt? Nun! wenn du solch schön gekämmte Haare hast, wenn du so artig redest, so wirst du auch wohl laufen können." Die Frau huckte den Korb auf den Rücken, Klein Zaches hing sich an ihre Schürze, und so ging es fort nach dem Dorfe.

Sie mußten bei dem Pfarrhause vorüber, da begab es sich, daß der Pfarrer mit seinem jüngsten Knaben, einem bildschönen goldlockigen Jungen von drei Jahren, in seiner Haustüre stand. Als *der* nun die Frau mit dem schweren Holzkorbe und mit Klein Zaches, der an ihrer Schürze baumelte, daherkommen sah, rief er ihr entgegen: „Guten Abend, Frau Liese, wie geht es Euch – Ihr habt ja eine gar zu schwere Bürde geladen, Ihr könnt ja kaum mehr fort, kommt her, ruht Euch ein wenig aus auf dieser Bank vor meiner Türe, meine Magd soll Euch einen frischen Trunk reichen!" – Frau Liese ließ sich das nicht zweimal sagen, sie setzte ihren Korb ab und wollte eben den Mund öffnen, um dem ehrwürdigen Herrn all ihren Jammer, ihre Not zu klagen, als Klein Zaches bei der raschen Wendung der Mutter das Gleichgewicht verlor und dem Pfarrer vor die Füße flog. Der bückte sich rasch nieder und hob den Kleinen auf, indem er sprach: „Ei, Frau Liese, Frau Liese, was habt Ihr da für einen bildschönen allerliebsten Knaben! Das ist ja ein wahrer Segen des Himmels, ein solch wunderbar schönes Kind zu besitzen." Und damit nahm er den Kleinen in die Arme und liebkoste ihn und schien es gar nicht zu bemerken, daß der unartige Däumling gar häßlich knurrte und mauzte und den ehrwürdigen Herrn sogar in die Nase beißen wollte. Aber Frau Liese stand ganz verblüfft vor dem Geistlichen und schaute ihn an mit aufgerissenen starren Augen und wußte gar nicht, was sie denken sollte. „Ach, lieber Herr Pfarrer", begann sie endlich mit weinerlicher Stimme, „ein Mann Gottes, wie Sie, treibt doch wohl nicht seinen Spott mit einem armen unglücklichen Weibe, das der Himmel, mag er selbst wissen warum, mit diesem abscheulichen Wechselbalge gestraft hat!" – „Was spricht", erwiderte der Geistliche sehr ernst, „was spricht Sie da für tolles Zeug, liebe Frau! von Spott – Wechselbalg – Strafe des Himmels – ich verstehe Sie gar nicht und weiß nur, daß Sie ganz verblendet sein muß, wenn Sie ihren hübschen Knaben nicht recht herzlich liebt. – Küsse mich, artiger kleiner Mann!" – Der Pfarrer herzte den Kleinen, aber Zaches knurrte: „Ich mag nicht!" und schnappte aufs neue nach des Geistlichen Nase. – „Seht die arge Bestie!" rief Liese erschrocken; aber in dem Augenblick sprach der Knabe des Pfarrers: „Ach, lieber Vater, du bist so gut, du tust so schön mit den Kindern, die müssen wohl alle dich recht herzlich liebhaben!" – „O hört doch nur", rief der Pfarrer, indem ihm die Augen vor Freude glänzten, „o hört doch nur, Frau Liese, den hübschen verständigen Knaben, Euren lieben Zaches, dem Ihr so übelwollt. Ich merk es schon, Ihr werdet Euch nimmermehr was aus dem Knaben machen, sei er auch noch so hübsch und verständig. Hört, Frau Liese, überlaßt mir Euer hoffnungsvolles Kind zur

Pflege und Erziehung. Bei Eurer drückenden Armut ist Euch der Knabe nur eine Last, und mir macht es Freude, ihn zu erziehen wie meinen eignen Sohn!" –

Liese konnte vor Erstaunen gar nicht zu sich selbst kommen, ein Mal über das andere rief sie: „Aber, lieber Herr Pfarrer – lieber Herr Pfarrer, ist denn das wirklich Ihr Ernst, daß Sie die kleine Ungestalt zu sich nehmen und erziehen und mich von der Not befreien wollen, die ich mit dem Wechselbalg habe?" – Doch, je mehr die Frau die abscheuliche Häßlichkeit ihres Alräunchens dem Pfarrer vorhielt, desto eifriger behauptete dieser, daß sie in ihrer tollen Verblendung gar nicht verdiene, vom Himmel mit dem herrlichen Geschenk eines solchen Wunderknaben gesegnet zu sein, bis er zuletzt ganz zornig mit Klein Zaches auf dem Arm hineinlief in das Haus und die Türe von innen verriegelte.

Da stand nun Frau Liese wie versteinert vor des Pfarrers Haustüre und wußte gar nicht, was sie von dem allem denken sollte. „Was um aller Welt willen", sprach sie zu sich selbst, „ist denn mit unserm würdigen Herrn Pfarrer geschehen, daß er in meinen Klein Zaches so ganz und gar vernarrt ist und den einfältigen Knirps für einen hübschen verständigen Knaben hält? – Nun! helfe Gott dem lieben Herrn, er hat mir die Last von den Schultern genommen und sie sich selbst aufgeladen, mag er nun zusehen, wie er sie trägt! – Hei! wie leicht geworden ist nun der Holzkorb, da Klein Zaches nicht mehr daraufsitzt und mit ihm die schwerste Sorge!" –

Damit schritt Frau Liese, den Holzkorb auf dem Rücken, lustig und guter Dinge fort ihres Weges! – –

Wollte ich auch zur Zeit noch gänzlich darüber schweigen, du würdest, günstiger Leser, dennoch wohl ahnen, daß es mit dem Stiftsfräulein von Rosenschön, oder wie sie sich sonst nannte, Rosengrünschön, eine ganz besondere Bewandtnis haben müsse. Denn nichts anders war es wohl als die geheimnisvolle Wirkung ihres Kopfstreichelns und Haarausglättens, daß Klein Zaches von dem gutmütigen Pfarrer für ein schönes und kluges Kind angesehen und gleich wie sein eignes aufgenommen wurde. Du könntest, lieber Leser, aber doch, trotz deines vortrefflichen Scharfsinns, in falsche Vermutungen geraten oder gar zum großen Nachteil der Geschichte viele Blätter überschlagen, um nur gleich mehr von dem mystischen Stiftsfräulein zu erfahren; besser ist es daher wohl, ich erzähle dir gleich alles, was ich selbst von der würdigen Dame weiß.

Fräulein von Rosenschön war von großer Gestalt, edlem majestätischen Wuchs und etwas stolzem, gebietendem Wesen. Ihr Gesicht, mußte man es gleich vollendet schön nennen, machte, zumal wenn sie wie gewöhnlich in starrem Ernst vor sich hin schaute, einen seltsamen, beinahe unheimlichen Eindruck, was vorzüglich einem ganz besondern fremden Zuge zwischen den Augenbrauen zuzuschreiben, von dem man durchaus nicht recht wußte, ob ein Stiftsfräulein dergleichen wirklich auf der Stirne tragen könne. Dabei lag aber auch oft, vorzüglich zur Rosenzeit bei heiterm schönen Wetter, so viel Huld und Anmut in ihrem Blick, daß jeder sich von süßem unwiderstehlichen Zauber befangen fühlte. Als ich die Gnädige zum ersten- und letztenmal zu schauen das Vergnügen hatte, war sie dem Ansehen nach eine Frau in der höchsten, vollendetsten Blüte ihrer Jahre, auf der höchsten Spitze des Wendepunktes, und ich meinte, daß mir großes Glück beschieden, die Dame noch eben auf dieser Spitze zu erblicken und über ihre wunderbare Schönheit gewissermaßen zu erschrecken, welches sich dann sehr bald nicht mehr würde zutragen können. Ich war im Irrtum. Die ältesten Leute im Dorfe versicherten, daß sie das gnädige Fräulein gekannt hätten schon so lange, als sie dächten, und daß die Dame niemals anders ausgesehen habe, nicht älter, nicht jünger, nicht häßlicher, nicht hübscher als eben jetzt. Die Zeit schien also keine Macht zu haben über sie, und schon dieses konnte manchem verwunderlich vorkommen. Aber noch manches andere trat hinzu, worüber sich jeder, überlegte er es recht ernstlich, ebensosehr wundern, ja zuletzt aus der Verwunderung, in die er verstrickt, gar nicht herauskommen mußte. Fürs erste offenbarte sich ganz deutlich bei dem Fräulein die Verwandtschaft mit den Blumen, deren Namen sie trug. Denn nicht allein, daß kein Mensch auf Erden solche herrliche tausendblättrige Rosen zu ziehen vermochte als sie, so sprießten auch aus dem schlechtesten dürresten Dorn, den sie in die Erde steckte, jene Blumen in der höchsten Fülle und Pracht hervor. Dann war es gewiß, daß sie auf einsamen Spaziergängen im Walde laute Gespräche führte mit wunderbaren Stimmen, die aus den Bäumen, aus den Büschen, aus den Quellen und Bächen zu tönen schienen. Ja, ein junger Jägersmann hatte sie belauscht, wie sie einmal mitten im dicksten Gehölz stand und seltsame Vögel mit buntem glänzenden Gefieder, die gar nicht im Lande heimisch, sie umflatterten und liebkosten und in lustigem Singen und Zwitschern ihr allerlei fröhliche Dinge zu erzählen schienen, worüber sie lachte und sich freute. Daher kam es denn auch, daß Fräulein von Rosenschön zu jener Zeit, als sie in das Stift gekommen, bald die Aufmerksamkeit aller Leute in der Gegend anregte. Ihre Aufnahme in das Fräuleinstift hatte der Fürst befohlen; der Baron Prätextatus von Mondschein, Besitzer des Gutes, in dessen Nähe jenes Stift lag, dem er als Verweser vorstand, konnte daher nichts dagegen einwenden, ungeachtet ihn die entsetzlichsten Zweifel quälten. Vergebens war nämlich sein Mühen geblieben, in Rixners Turnierbuch und andern Chroniken die Familie Rosengrünschön aufzufinden. Mit Recht zweifelte er aus diesem Grunde an der Stiftsfähigkeit des Fräuleins, die keinen Stammbaum mit zweiunddreißig Ahnen aufzuweisen hatte, und bat sie zuletzt ganz zerknirscht, die hellen Tränen in den Augen, doch sich um des Himmels willen wenigstens nicht Rosengrünschön, sondern Rosenschön zu nennen, denn in diesem Namen sei doch noch einiger Verstand und ein Ahnherr möglich. – Sie tat ihm das zu Gefallen. – Vielleicht äußerte sich des gekränkten Prätextatus Groll gegen das ahnenlose Fräulein auf diese – jene Weise und gab zuerst Anlaß zu der bösen Nachrede, die sich immer mehr und mehr im Dorfe verbreitete. Zu jenen zauberhaften Unterhaltungen im Walde, die indessen sonst nichts auf sich hatten, kamen nämlich allerlei bedenkliche Umstände, die von Mund zu Mund gingen und des Fräuleins eigentliches Wesen in gar zweideutiges Licht stellten.

Mutter Anne, des Schulzen Frau, behauptete keck, daß, wenn das Fräulein stark zum Fenster heraus niese, allemal die Milch im ganzen Dorfe sauer würde. Kaum hatte sich dies aber bestätigt, als sich das Schreckliche begab. Schulmeisters Michel hatte in der Stiftsküche gebratene Kartoffeln genascht und war von dem Fräulein darüber betroffen worden, die ihm lächelnd mit dem Finger drohte. Da war dem Jungen das Maul offen stehengeblieben, gerade als hätt er eine gebratene brennende Kartoffel darin sitzen immerdar, und er mußte fortan einen Hut mit vorstehender breiter Krempe tragen, weil es sonst dem Armen ins Maul geregnet hätte. Bald schien es gewiß zu sein, daß das Fräulein sich darauf verstand, Feuer und Wasser zu besprechen, Sturm und Hagelwolken zusammenzutreiben, Weichselzöpfe zu flechten etc., und niemand zweifelte an der Aussage des Schafhirten, der zur Mitternachtsstunde mit Schauer und Entsetzen gesehen haben wollte, wie das Fräulein auf einem Besen brausend durch die Lüfte fuhr, vor ihr her ein ungeheurer Hirschkäfer, zwischen dessen Hörnern blaue Flammen hoch aufleuchteten! – Nun kam alles in Aufruhr, man wollte der Hexe zu Leibe, und die Dorfgerichte beschlossen nichts Geringeres, als das Fräulein aus dem Stift zu holen und sie ins Wasser zu werfen, damit sie die gewöhnliche Hexenprobe bestehe. Der Baron Prätextatus ließ alles geschehen und sprach lächelnd zu sich selbst: „So geht es simplen Leuten ohne Ahnen, die nicht von solch altem guten Herkommen sind wie der Mondschein." Das Fräulein, unterrichtet von dem bedrohlichen Unwesen, flüchtete nach der Residenz, und bald darauf erhielt der Baron Prätextatus einen Kabinettsbefehl vom Fürsten des Landes, mittelst dessen ihm bekannt gemacht, daß es keine Hexen gäbe, und befohlen wurde, die Dorfgerichte für die naseweise Gier, Schwimmkünste eines Stiftsfräuleins zu schauen, in den Turm werfen, den übrigen Bauern und ihren Weibern aber andeuten zu lassen, bei empfindlicher Leibesstrafe von dem Fräulein Rosenschön nicht schlecht zu denken. Sie gingen in sich, fürchteten sich vor der angedrohten Strafe und dachten fortan gut von dem Fräulein, welches für beide, für das

Dorf und für die Dame Rosenschön, die ersprießlichsten Folgen hatte.

In dem Kabinett des Fürsten wußte man recht gut, daß das Fräulein von Rosenschön niemand anders war als die sonst berühmte weltbekannte Fee Rosabelverde. Es hatte mit der Sache folgende Bewandtnis:

Auf der ganzen weiten Erde war wohl sonst kaum ein anmutigeres Land zu finden als das kleine Fürstentum, worin das Gut des Baron Prätextatus von Mondschein lag, worin das Fräulein von Rosenschön hauste, kurz, worin sich das alles begab, was ich dir, geliebter Leser, des breiteren zu erzählen eben im Begriff stehe.

Von einem hohen Gebirge umschlossen, glich das Ländchen mit seinen grünen, duftenden Wäldern, mit seinen blumigen Auen, mit seinen rauschenden Strömen und lustig plätschernden Springquellen, zumal da es gar keine Städte, sondern nur freundliche Dörfer und hin und wieder einzeln stehende Paläste darin gab, einem wunderbar herrlichen Garten, in dem die Bewohner wie zu ihrer Lust wandelten, frei von jeder drückenden Bürde des Lebens. Jeder wußte, daß Fürst Demetrius das Land beherrschte; niemand merkte indessen das mindeste von der Regierung, und alle waren damit gar wohl zufrieden. Personen, die die volle Freiheit in all ihrem Beginnen, eine schöne Gegend, ein mildes Klima liebten, konnten ihren Aufenthalt gar nicht besser wählen als in dem Fürstentum, und so geschah es denn, daß unter andern auch verschiedene vortreffliche Feen von der guten Art, denen Wärme und Freiheit bekanntlich über alles geht, sich dort angesiedelt hatten. Ihnen mocht es zuzuschreiben sein, daß sich beinahe in jedem Dorfe, vorzüglich aber in den Wäldern sehr oft die angenehmsten Wunder begaben und daß jeder, von dem Entzücken, von der Wonne dieser Wunder ganz umflossen, völlig an das Wunderbare glaubte und, ohne es selbst zu wissen, ebendeshalb ein froher, mithin guter Staatsbürger blieb. Die guten Feen, die sich in freier Willkür ganz dschinnistanisch eingerichtet, hätten dem vortrefflichen Demetrius gern ein ewiges Leben bereitet. Das stand indessen nicht in ihrer Macht.

Demetrius starb, und ihm folgte der junge Paphnutius in der Regierung. Paphnutius hatte schon zu Lebzeiten seines Herrn Vaters einen stillen innerlichen Gram darüber genährt, daß Volk und Staat nach seiner Meinung auf die heilloseste Weise vernachlässigt, verwahrlost wurde. Er beschloß zu regieren und ernannte sofort seinen Kammerdiener Andres, der ihm einmal, als er im Wirtshause hinter den Bergen seine Börse liegenlassen, sechs Dukaten geborgt und ihn dadurch aus großer Not gerissen hatte, zum ersten Minister des Reichs. „Ich will regieren, mein Guter!" rief ihm Paphnutius zu. Andres las in den Blicken seines Herrn, was in ihm vorging, warf sich ihm zu Füßen und sprach feierlich: „Sire! die große Stunde hat geschlagen! – durch Sie steigt schimmernd ein Reich aus nächtigem Chaos empor! – Sire! hier fleht der treueste Vasall, tausend Stimmen des armen unglücklichen Volks in Brust und Kehle! – Sire! – führen Sie die Aufklärung ein!" – Paphnutius fühlte sich durch und durch erschüttert von dem erhabenen Gedanken seines Ministers. Er hob ihn auf, riß ihn stürmisch an seine Brust und sprach schluchzend: „Minister – Andres – ich bin dir sechs Dukaten schuldig – noch mehr – mein Glück – mein Reich! – o treuer, gescheiter Diener!" –

Paphnutius wollte sofort ein Edikt mit großen Buchstaben drucken und an allen Ecken anschlagen lassen, daß von Stund an die Aufklärung eingeführt sei und ein jeder sich darnach zu achten habe. „Bester Sire!" rief indessen Andres, „bester Sire! so geht es nicht!" – „Wie geht es denn, mein Guter?" sprach Paphnutius, nahm seinen Minister beim Knopfloch und zog ihn hinein in das Kabinett, dessen Türe er abschloß.

„Sehen Sie", begann Andres, als er seinem Fürsten gegenüber auf einem kleinen Taburett Platz genommen, „sehen Sie, gnädigster Herr! – die Wirkung Ihres fürstlichen Edikts wegen der Aufklärung würde vielleicht verstört werden auf häßliche Weise, wenn wir nicht damit eine Maßregel verbinden, die zwar hart scheint, die indessen die Klugheit gebietet. – Ehe wir mit der Aufklärung vorschreiten, d. h., ehe wir die Wälder umhauen, den Strom schiffbar machen, Kartoffeln anbauen, die Dorfschulen verbessern, Akazien und Pappeln anpflanzen, die Jugend ihr Morgen- und Abendlied zweistimmig absingen, Chausseen anlegen und die Kuhpocken einimpfen lassen, ist es nötig, alle Leute von gefährlichen Gesinnungen, die keiner Vernunft Gehör geben und das Volk durch lauter Albernheiten verführen, aus dem Staate zu verbannen. – Sie haben Tausendundeine Nacht gelesen, bester Fürst, denn ich weiß, daß Ihr durchlauchtig seliger Herr Papa, dem der Himmel eine sanfte Ruhe im Grabe schenken möge, dergleichen fatale Bücher liebte und Ihnen, als Sie sich noch der Steckenpferde bedienten und vergoldete Pfefferkuchen verzehrten, in die Hände gab. Nun also! – Aus jenem völlig konfusen Buche werden Sie, gnädigster Herr, wohl die sogenannten Feen kennen, gewiß aber nicht ahnen, daß sich verschiedene von diesen gefährlichen Personen in Ihrem eignen lieben Lande hier ganz in der Nähe Ihres Palastes angesiedelt haben und allerlei Unfug treiben." – „Wie? – was sagt Er – Andres! Minister! Feen – hier in meinem Lande?" – So rief der Fürst, indem er ganz erblaßt in die Stuhllehne zurücksank. – „Ruhig, mein gnädigster Herr", fuhr Andres fort, „ruhig können wir bleiben, sobald wir mit Klugheit gegen jene Feinde der Aufklärung zu Felde ziehen. Ja! – Feinde der Aufklärung nenne ich sie, denn nur sie sind, die Güte Ihres seligen Herrn Papas mißbrauchend, daran schuld, daß der liebe Staat noch in gänzlicher Finsternis darniederliegt. Sie treiben ein gefährliches Gewerbe mit dem Wunderbaren und scheuen sich nicht, unter dem Namen Poesie ein heimliches Gift zu verbreiten, das die Leute ganz unfähig macht zum Dienste in der Aufklärung. Dann haben sie solche unleidliche polizeiwidrige Gewohnheiten, daß sie schon deshalb in keinem kultivierten Staate geduldet werden dürften. So z. B. entblöden sich die Frechen nicht, sowie es ihnen einfällt, in den Lüften spazierenzufahren mit vorgespannten Tauben, Schwänen, ja sogar geflügelten Pferden. Nun frage ich aber, gnädigster Herr, verlohnt es sich der Mühe, einen gescheiten Akzisetarif zu entwerfen und einzuführen, wenn es Leute im Staate gibt, die imstande sind, jedem leichtsinnigen Bürger unversteuerte Waren in den Schornstein zu werfen, wie sie nur wollen? – Darum, gnädigster Herr, – sowie die Aufklärung angekündigt wird, fort mit den Feen! – Ihre Paläste werden umzingelt von der Polizei, man nimmt ihnen ihre gefährliche Habe und schafft sie als Vagabonden fort nach ihrem Vaterlande, welches, wie Sie, gnädigster Herr, aus Tausendundeiner Nacht wissen werden, das Ländchen Dschinnistan ist." – „Gehen Posten nach diesem Lande, Andres?" so fragte der Fürst. „Zur Zeit nicht", erwiderte Andres, „aber vielleicht läßt sich nach eingeführter Aufklärung eine Journaliere dorthin mit Nutzen einrichten." – „Aber Andres", fuhr der Fürst fort, „wird man unser Verfahren gegen die Feen nicht hart finden? – Wird das verwöhnte Volk nicht murren?" – „Auch dafür", sprach Andres, „auch dafür weiß ich ein Mittel. Nicht alle Feen, gnädigster Herr, wollen wir fortschicken nach Dschinnistan, sondern einige im Lande behalten, sie aber nicht allein aller Mittel berauben, der Aufklärung schädlich zu werden, sondern auch zweckdienliche Mittel anwenden, sie zu nützlichen Mitgliedern des aufgeklärten Staats umzuschaffen. Wollen sie sich nicht auf solide Heiraten einlassen, so mögen sie unter strenger Aufsicht irgendein nützliches Geschäft treiben, Socken stricken für die Armee, wenn es Krieg gibt, oder sonst. Geben Sie acht, gnädigster Herr, die Leute werden sehr bald an die Feen, wenn sie unter ihnen wandeln, gar nicht mehr glauben, und das ist das beste. So gibt sich alles etwanige Murren von selbst. – Was übrigens die Utensilien der Feen betrifft, so fallen sie der fürstlichen Schatzkammer heim, die Tauben und Schwäne werden als köstliche Braten in die fürstliche Küche geliefert, mit den geflügelten Pferden kann man aber auch Versuche machen, sie zu kultivieren und zu bilden zu nützlichen Bestien, indem man ihnen die Flügel abschneidet und sie zur Stallfütterung gibt, die wir doch hoffentlich zugleich mit der Aufklärung einführen werden." –

Paphnutius war mit allen Vorschlägen seines Ministers auf das höchste zufrieden, und schon andern Tages wurde ausgeführt, was beschlossen war.

An allen Ecken prangte das Edikt wegen der eingeführten

Aufklärung, und zu gleicher Zeit brach die Polizei in die Paläste der Feen, nahm ihr ganzes Eigentum in Beschlag und führte sie gefangen fort.

Mag der Himmel wissen, wie es sich begab, daß die Fee Rosabelverde die einzige von allen war, die wenige Stunden vorher, ehe die Aufklärung hereinbrach, Wind davon bekam und die Zeit nutzte, ihre Schwäne in Freiheit zu setzen, ihre magischen Rosenstöcke und andere Kostbarkeiten beiseite zu schaffen. Sie wußte nämlich auch, daß sie dazu erkoren war, im Lande zu bleiben, worin sie sich, wiewohl mit großem Widerwillen, fügte.

Überhaupt konnten es weder Paphnutius noch Andres begreifen, warum die Feen, die nach Dschinnistan transportiert wurden, eine solche übertriebene Freude äußerten und ein Mal über das andere versicherten, daß ihnen an aller Habe, die sie zurücklassen müssen, nicht das mindeste gelegen. „Am Ende", sprach Paphnutius entrüstet, „am Ende ist Dschinnistan ein viel hübscherer Staat wie der meinige, und sie lachen mich aus mitsamt meinem Edikt und meiner Aufklärung, die jetzt erst recht gedeihen soll!" –

Der Geograph sollte mit dem Historiker des Reichs über das Land umständlich berichten.

Beide stimmten darin überein, daß Dschinnistan ein erbärmliches Land sei, ohne Kultur, Aufklärung, Gelehrsamkeit, Akazien und Kuhpocken, eigentlich auch gar nicht existiere. Schlimmeres könne aber einem Menschen oder einem ganzen Lande wohl nicht begegnen, als gar nicht zu existieren.

Paphnutius fühlte sich beruhigt.

Als der schöne blumige Hain, in dem der verlassene Palast der Fee Rosabelverde lag, umgehauen wurde und beispielshalber Paphnutius selbst sämtlichen Bauerlümmeln im nächsten Dorfe die Kuhpocken eingeimpft hatte, paßte die Fee dem Fürsten in dem Walde auf, durch den er mit dem Minister Andres nach seinem Schloß zurückkehren wollte. Da trieb sie ihn mit allerlei Redensarten, vorzüglich aber mit einigen unheimlichen Kunststückchen, die sie vor der Polizei geborgen, dermaßen in die Enge, daß er sie um des Himmels willen bat, doch mit einer Stelle des einzigen und daher besten Fräuleinstifts im ganzen Lande vorliebzunehmen, wo sie, ohne sich an das Aufklärungsedikt zu kehren, schalten und walten könne nach Belieben.

Die Fee Rosabelverde nahm den Vorschlag an und kam auf diese Weise in das Fräuleinstift, wo sie sich, wie schon erzählt worden, das Fräulein von Rosengrünschön, dann aber, auf dringendes Bitten des Baron Prätextatus von Mondschein, das Fräulein von Rosenschön nannte.

Zweites Kapitel

Von der unbekannten Völkerschaft, die der Gelehrte Ptolomäus Philadelphus auf seinen Reisen entdeckte. – Die Universität Kerepes. – Wie dem Studenten Fabian ein Paar Reitstiefel um den Kopf flogen und der Professor Mosch Terpin den Studenten Balthasar zum Tee einlud.

In den vertrauten Briefen, die der weltberühmte Gelehrte Ptolomäus Philadelphus an seinen Freund Rufin schrieb, als er sich auf weiten Reisen befand, ist folgende merkwürdige Stelle enthalten:

„Du weißt, mein lieber Rufin, daß ich nichts in der Welt so fürchte und scheue als die brennenden Sonnenstrahlen des Tages, welche die Kräfte meines Körpers aufzehren und meinen Geist dermaßen abspannen und ermatten, daß alle Gedanken in ein verworrenes Bild zusammenfließen und ich vergebens darnach ringe, auch nur irgendeine deutliche Gestaltung in meiner Seele zu erfassen. Ich pflege daher in dieser heißen Jahreszeit des Tages zu ruhen, nachts aber meine Reise fortzusetzen, und so befand ich mich denn auch in voriger Nacht auf der Reise. Mein Fuhrmann hatte sich in der dicken Finsternis von dem rechten, bequemen Wege verirrt und war unversehens auf die Chaussee geraten. Ungeachtet ich aber durch die harten Stöße, die es hier gab, in dem Wagen hin und her geschleudert wurde, so daß mein Kopf voller Beulen einem mit Walnüssen gefüllten Sack nicht unähnlich war, erwachte ich doch aus dem tiefen Schlafe, in den ich versunken, nicht eher, bis ich mit einem entsetzlichen Ruck aus dem Wagen heraus auf den harten Boden stürzte. Die Sonne schien mir hell ins Gesicht, und durch den Schlagbaum, der dicht vor mir stand, gewahrte ich die hohen Türme einer ansehnlichen Stadt. Der Fuhrmann lamentierte sehr, da nicht allein die Deichsel, sondern auch ein Hinterrad des Wagens an dem großen Stein, der mitten auf der Chaussee lag, gebrochen, und schien sich wenig oder gar nicht um mich zu kümmern. Ich hielt, wie es dem Weisen ziemt, meinen Zorn zurück und rief dem Kerl bloß sanftmütig zu, er sei ein verfluchter Schlingel, er möge bedenken, daß Ptolomäus Philadelphus, der berühmteste Gelehrte seiner Zeit, auf dem St– säße, und Deichsel Deichsel und Rad Rad sein lassen. Du kennst, mein lieber Rufin, die Gewalt, die ich über das menschliche Herz übe, und so geschah es denn auch, daß der Fuhrmann augenblicklich aufhörte zu lamentieren und mir mit Hilfe des Chaussee-Einnehmers, vor dessen Häuslein sich der Unfall begeben, auf die Beine half. Ich hatte zum Glück keinen sonderlichen Schaden gelitten und war imstande, langsam auf der Straße fortzuwandeln, während der Fuhrmann den zerbrochenen Wagen mühsam nachschleppte. Unfern des Tors der Stadt, die ich in blauer Ferne gesehen, begegneten mir nun aber viele Leute von solch wunderlichem Wesen und solch seltsamer Kleidung, daß ich mir die Augen rieb, um zu erforschen, ob ich wirklich wache oder ob nicht vielleicht ein toller neckhafter Traum mich eben in ein fremdes fabelhaftes Land versetze. – Diese Leute, die ich mit Recht für Bewohner der Stadt, aus deren Tor ich sie kommen sah, halten durfte, trugen lange, sehr weite Hosen, nach Art der Japaneser zugeschnitten, von köstlichem Zeuge, Samt, Manchester, feinem Tuch oder auch wohl von bunt durchwirkter Leinwand, mit Tressen oder hübschen Bändern und Schnüren reichlich besetzt, dazu kleine Kinderröcklein, kaum den Unterleib bedeckend, meistens von sonnenheller Farbe, nur wenige gingen schwarz. Die Haare hingen ungekämmt in natürlicher Wildheit auf Schultern und Rücken herab, und auf dem Kopf saß ein kleines seltsames Mützchen. Manche hatten den Hals ganz entblößt nach der Weise der Türken und Neugriechen, andere dagegen trugen um Hals und Brust ein Stückchen weiße Leinwand, beinahe einem Hemdekragen ähnlich, wie Du, geliebter Rufin, sie auf den Bildern unserer Vorfahren gesehen haben wirst. Ungeachtet diese Leute sämtlich sehr jung zu sein schienen, war doch ihre Sprache tief und rauh, jede ihrer Bewegungen ungelenk, und mancher hatte einen schmalen Schatten unter der Nase, als sitze dort ein Stutzbärtchen. Aus den Hinterteilen der kleinen Röcke mancher ragte ein langes Rohr hervor, an dem große seidene Quasten baumelten. Andere hatten diese Röhre hervorgezogen und kleine – größere – manchmal auch sehr große wunderlich geformte Köpfe unten daran befestigt, aus denen sie, oben durch ein ganz spitz zulaufendes Röhrchen hineinblasend, auf geschickte Weise künstliche Dampfwolken aufsteigen zu lassen wußten. Andre trugen breite blitzende Schwerter in den Händen, als wollten sie dem Feinde entgegenziehen; noch andere hatten kleine Behältnisse von Leder oder Blech umgehängt oder über den Rücken geschnallt. Du kannst denken, lieber Rufin, daß ich, der ich durch sorgliches Betrachten jeder mir neuen Erscheinung mein Wissen zu bereichern suche, stillstand und mein Auge fest auf die seltsamen Leute heftete. Da versammelten sie sich um mich her, schrien ganz gewaltig: ‚Philister – Philister!‘ – und schlugen eine entsetzliche Lache auf. – Das verdroß mich. Denn, geliebter Rufin, gibt es für einen großen Gelehrten etwas Kränkenderes, als für einen von dem Volke gehalten zu werden, das vor vielen tausend Jahren mittelst eines Eselkinnbackens erschlagen wurde? – Ich nahm mich zusammen in der mir angebornen Würde und sprach laut zu dem sonderbaren Volk um mich her, daß ich hoffe, mich in einem zivilisierten Staat zu befinden, und daß ich mich an Polizei und Gerichtshöfe wenden würde, um die mir zugefügte Unbill zu rächen. Da brummten sie alle; auch die, die bisher noch nicht gedampft, zogen die dazu bestimmten Maschinen aus der Tasche, und alle bliesen mir die dicken Dampfwolken ins Gesicht, welche, wie ich nun erst merkte, ganz unerträglich stanken und meine Sinne betäubten. Dann sprachen sie eine Art Fluch über mich aus, dessen Worte ich ihrer Gräßlichkeit halber Dir, geliebter Rufin, gar nicht wiederholen mag. Nur mit tiefem Grausen kann ich selbst daran denken. Endlich verließen sie mich unter lautem Hohngelächter, und mir war's, als wenn das Wort: Hetzpeitsche in den Lüften verhalle! – Mein Fuhrmann, der alles mit angehört, mit angesehen, rang die Hände und sprach: ‚Ach mein lieber Herr! nun das geschehen ist, was geschah, so gehen Sie beileibe nicht in jene Stadt hinein! Kein Hund, wie man zu sagen pflegt, würde ein Stück Brot von Ihnen nehmen und stete Gefahr Sie bedrohen, geprü–‘ Ich ließ den Wackern nicht ausreden, sondern wandte meine Schritte so schnell, als es nur gehen mochte, nach dem nächsten Dorfe. In dem einsamen Kämmerlein des einzigen Wirtshauses dieses Dorfs sitze ich und schreibe Dir, mein geliebter Rufin, dieses alles! – Soviel es möglich ist, werde ich Nachrichten einziehen von dem fremden barbarischen Volk, das in jener Stadt hauset. Von ihren Sitten – Gebräuchen – von ihrer Sprache usw. habe ich mir schon manches höchst Seltsame erzählen lassen und werde Dir getreulich alles mitteilen etc. etc."

Du gewahrst, o mein geliebter Leser, daß man ein großer Gelehrter und doch mit sehr gewöhnlichen Erscheinungen im Leben unbekannt sein und doch über Weltbekanntes in die wunderlichsten Träume geraten kann. Ptolomäus Philadelphus hatte studiert und kannte nicht einmal Studenten und wußte nicht einmal, daß er in dem Dorfe Hoch-Jakobsheim saß, das bekanntlich dicht bei der berühmten Universität Kerepes liegt, als er seinem Freunde von einer Begebenheit schrieb, die sich in seinem Kopfe zum seltsamsten Abenteuer umgeformt hatte. Der gute Ptolomäus erschrak, als er Studenten begegnete, die fröhlich und guter Dinge über Land zogen zu ihrer Lust. Welche Angst hätte ihn überfallen, wäre er eine Stunde früher in Kerepes angekommen und hätte ihn der Zufall vor das Haus des Professors der Naturkunde Mosch Terpin geführt! – Hunderte von Studenten hätten, aus dem Hause herausströmend, ihn umringt, lärmend disputierend etc., und noch wunderlichere Träume wären ihm in den Kopf gekommen über diesem Gewirr, über diesem Getreibe.

Die Kollegia Mosch Terpins wurden nämlich in ganz Kerepes am häufigsten besucht. Er war, wie gesagt, Professor der Naturkunde, er erklärte, wie es regnet, donnert, blitzt, warum die Sonne scheint bei Tage und der Mond des Nachts, wie und warum das Gras wächst etc., so daß jedes Kind es begreifen mußte. Er hatte die ganze Natur in ein kleines niedliches Kompendium zusammengefaßt, so daß er sie bequem nach Gefallen handhaben und daraus für jede Frage die Antwort wie aus einem Schubkasten herausziehen konnte. Seinen Ruf begründete er zuerst dadurch, als er es nach vielen physikalischen Versuchen glücklich herausgebracht hatte, daß die Finsternis hauptsächlich von Mangel an Licht herrühre. Dies, sowie daß er eben jene physikalischen Versuche mit vieler Gewandtheit in nette Kunststückchen umzusetzen wußte und gar ergötzlichen Hokuspokus trieb, verschafften ihm den unglaublichen Zulauf. – Erlaube, mein günstiger Leser, daß, da du viel besser wie der berühmte Gelehrte Ptolomäus Philadelphus Studenten kennst, da du nichts von seiner träumerischen Furchtsamkeit weißt, ich dich nun nach Kerepes führe vor das Haus des Professors Mosch Terpin, als er eben sein Kollegium beendet. Einer unter den herausströmenden Studenten fesselt sogleich deine Aufmerksamkeit. Du gewahrst einen wohlgestalteten Jüngling von drei- bis vierundzwanzig Jahren, aus dessen dunkel leuchtenden Augen ein innerer reger, herrlicher Geist mit beredten Worten spricht. Beinahe keck würde sein Blick zu nennen sein, wenn nicht die schwärmerische Trauer, wie sie auf dem ganzen blassen Antlitz liegt, einem Schleier gleich die brennenden Strahlen verhüllte. Sein Rock von schwarzem feinen Tuch, mit gerissenem Samt besetzt, ist beinahe nach altteutscher Art zugeschnitten, wozu der zierliche, blendendweiße Spitzenkragen sowie das Samtbarett, das auf den schönen kastanienbraunen Locken sitzt, ganz gut paßt. Gar hübsch steht ihm diese Tracht deshalb, weil er seinem ganzen Wesen, seinem Anstande in Gang und Stellung, seiner bedeutungsvollen Gesichtsbildung nach wirklich einer schönen frommen Vorzeit anzugehören scheint und man daher nicht eben an die Ziererei denken mag, wie sie in kleinlichem

Nachäffen mißverstandener Vorbilder in ebenso mißverstandenen Ansprüchen der Gegenwart oft an der Tagesordnung ist. Dieser junge Mann, der dir, geliebter Leser, auf den ersten Blick so wohlgefällt, ist niemand anders als der Student Balthasar, anständiger, vermögender Leute Kind, fromm – verständig – fleißig – von dem ich dir, o mein Leser, in der merkwürdigen Geschichte, die ich aufzuschreiben unternommen, gar vieles zu erzählen gedenke. –

Ernst, in Gedanken vertieft, wie es seine Art war, wandelte Balthasar aus dem Kollegium des Professors Mosch Terpin dem Tore zu, um sich, statt auf den Fechtboden, in das anmutige Wäldchen zu begeben, das kaum ein paar hundert Schritte von Kerepes liegt. Sein Freund Fabian, ein hübscher Bursche von muntrem Ansehen und ebensolcher Gesinnung, rannte ihm nach und ereilte ihn dicht vor dem Tore.

„Balthasar!“ rief nun Fabian laut, „Balthasar, nun, willst du wieder heraus in den Wald und wie ein melancholischer Philister einsam umherirren, während tüchtige Bursche sich wacker üben in der edlen Fechtkunst! – Ich bitte dich, Balthasar, laß doch endlich ab von deinem närrischen, unheimlichen Treiben und sei wieder recht munter und froh, wie du es sonst wohl warst. Komm! – wir wollen uns in ein paar Gängen versuchen, und willst du denn noch heraus, so lauf ich wohl mit dir.“

„Du meinst es gut“, erwiderte Balthasar, „du meinst es gut, Fabian, und deswegen will ich nicht mit dir grollen, daß du mir manchmal auf Steg und Weg nachläufst wie ein Besessener und mich um manche Lust bringst, von der du keinen Begriff hast. Du gehörst nun einmal zu den seltsamen Leuten, die jeden, den sie einsam wandeln sehn, für einen melancholischen Narren halten und ihn auf ihre Weise handhaben und kurieren wollen, wie jener Hofschranz den würdigen Prinzen Hamlet, der dem Männlein dann, als er versicherte, sich nicht auf das Flötenblasen zu verstehen, eine tüchtige Lehre gab. Damit will ich dich, lieber Fabian, nun zwar verschonen, übrigens dich aber recht herzlich bitten, daß du dir zu deiner edlen Fechterei mit Rapier und Hieber einen andern Kumpan suchen und mich ruhig meinen Weg fortwandeln lassen mögest.“ – „Nein, nein“, rief Fabian lachend, „so entkommst du mir nicht, mein teurer Freund! – Willst du mit mir nicht auf den Fechtboden, so gehe ich mit dir hinaus in das Wäldchen. Es ist die Pflicht des treuen Freundes, dich in deinem Trübsinn aufzuheitern. Komm nur, lieber Balthasar, komm nur, wenn du es denn nicht anders haben willst.“ Damit faßte er den Freund unter den Arm und schritt rüstig mit ihm von dannen. Balthasar biß in stillem Ingrimm die Zähne zusammen und beharrte in finsterm Schweigen, während Fabian in einem Zuge Lustiges und Lustiges erzählte. Es lief viel Albernes mit unter, welches immer zu geschehen pflegt beim lustigen Erzählen in einem Zuge.

Als sie nun endlich in die kühlen Schatten des duftenden Waldes traten, als die Büsche wie in sehnsüchtigen Seufzern flüsterten, als die wunderbaren Melodien der rauschenden Bäche, die Lieder des Waldgeflügels fernhin tönten und den Widerhall weckten, der ihnen aus den Bergen antwortete, da stand Balthasar plötzlich still und rief, indem er die Arme weit ausbreitete, als woll er Baum und Gebüsch liebend umfangen: „Oh, nun ist mir wieder wohl! – unbeschreiblich wohl!“ Fabian schaute den Freund etwas verblüfft an, wie einer, der nicht klug werden kann aus des andern Rede, der gar nicht weiß, was er damit anfangen soll. Da faßte Balthasar seine Hand und rief voll Entzücken: „Nicht wahr, Bruder, nun geht dir auch das Herz auf, nun begreifst du auch das selige Geheimnis der Waldeinsamkeit?“ – „Ich verstehe dich nicht ganz, lieber Bruder“, erwiderte Fabian, „aber wenn du meinst, daß dir ein Spaziergang hier im Walde wohltut, so bin ich völlig deiner Meinung. Gehe ich nicht auch gern spazieren, zumal in guter Gesellschaft, in der man ein vernünftiges lehrreiches Gespräch führen kann? – Zum Beispiel ist es wohl eine wahre Lust, mit unserm Professor Mosch Terpin über Land zu gehen. Der kennt jedes Pflänzchen, jedes Gräschen und weiß, wie es heißt mit Namen und in welche Klasse es gehört, und versteht sich auf Wind und Wetter.“ – „Halt ein“, rief Balthasar, „ich bitte dich, halt ein! – Du berührst etwas, das mich toll machen könnte, gäb es sonst keinen Trost dafür. Die Art, wie der Professor über die Natur spricht, zerreißt mein Inneres. Oder vielmehr, mich faßt dabei ein unheimliches Grauen, als säh ich den Wahnsinnigen, der, in geckenhafter Narrheit König und Herrscher, ein selbstgedrehtes Strohpüppchen liebkost, wähnend, die königliche Braut zu umhalsen! Seine sogenannten Experimente kommen mir vor wie eine abscheuliche Verhöhnung des göttlichen Wesens, dessen Atem uns in der Natur anweht und in unserm innersten Gemüt die tiefsten, heiligsten Ahnungen aufregt. Oft gerat ich in Versuchung, ihm seine Gläser, seine Phiolen, seinen ganzen Kram zu zerschmeißen, dächt ich nicht daran, daß der Affe ja nicht abläßt, mit dem Feuer zu spielen, bis er sich die Pfoten verbrennt. – Sieh, Fabian, diese Gefühle ängstigen mich, pressen mir das Herz zusammen in Mosch Terpins Vorlesungen, und wohl mag ich euch dann tiefsinniger und menschenscheuer vorkommen als jemals. Mir ist dann zumute, als wollten die Häuser über meinem Kopf zusammenstürzen, eine unbeschreibliche Angst treibt mich heraus aus der Stadt. Aber hier, hier erfüllt bald mein Gemüt eine süße Ruhe. Auf den blumigen Rasen gelagert, schaue ich hinauf in das weite Blaue des Himmels, und über mir, über den jubelnden Wald hinweg ziehen die goldnen Wolken wie herrliche Träume aus einer fernen Welt voll seliger Freuden! – O mein Fabian, dann erhebt sich aus meiner eignen Brust ein wunderbarer Geist, und ich vernehm es, wie er in geheimnisvollen Worten spricht mit den Büschen – mit den Bäumen, mit den Wogen des Waldbachs, und nicht vermag ich die Wonne zu nennen, die dann in süßem wehmütigen Bangen mein ganzes Wesen durchströmt!" – „Ei", rief Fabian, „ei, das ist nun wieder das alte ewige Lied von Wehmut und Wonne und sprechenden Bäumen und Waldbächen. Alle deine Verse strotzen von diesen artigen Dingen, die ganz passabel ins Ohr fallen und mit Nutzen verbraucht werden, sobald man nichts weiter dahinter sucht. – Aber sage mir, mein vortrefflichster Melancholikus, wenn dich Mosch Terpins Vorlesungen in der Tat so entsetzlich kränken und ärgern, sage mir nur, warum in aller Welt du in jede hineinläufst, warum du keine einzige versäumst und dann freilich jedesmal stumm und starr mit geschlossenen Augen dasitzest wie ein Träumender?" – „Frage mich", erwiderte Balthasar, indem er die Augen niederschlug, „frage mich darum nicht, lieber Freund! – Eine unbekannte Gewalt zieht mich jeden Morgen hinein in Mosch Terpins Haus. Ich fühle im voraus meine Qualen, und doch kann ich nicht widerstehen, ein dunkles Verhängnis reißt mich fort!" – „Haha", lachte Fabian hell auf, „hahaha – wie fein – wie poetisch, wie mystisch! Die unbekannte Gewalt, die dich hineinzieht in Mosch Terpins Haus, liegt in den dunkelblauen Augen der schönen Candida! – Daß du bis über die Ohren verliebt bist in des Professors niedliches Töchterlein, das wissen wir alle längst, und darum halten wir dir deine Phantasterei, dein närrisches Wesen zugute. Mit Verliebten ist es nun nicht anders. Du befindest dich im ersten Stadium der Liebeskrankheit und mußt in späten Jünglingsjahren dich zu all den seltsamen Possen bequemen, die wir, ich und viele andere, dem Himmel sei es gedankt! ohne ein großes zuschauendes Publikum auf der Schule durchmachten. Aber glaube mir, mein süßes Herz –"

Fabian hatte indessen seinen Freund Balthasar wieder beim Arme gefaßt und war mit ihm rasch weitergeschritten. Eben jetzt traten sie heraus aus dem Dickicht auf den breiten Weg, der mitten durch den Wald führte. Da gewahrte Fabian, wie aus der Ferne ein Pferd ohne Reiter, in eine Staubwolke gehüllt, herantrabte. – „Hei, hei!" rief er, sich in seiner Rede unterbrechend, „hei, hei, da ist eine verfluchte Schindmähre durchgegangen und hat ihren Reiter abgesetzt – die müssen wir fangen und nachher den Reiter suchen im Walde." Damit stellte er sich mitten in den Weg.

Näher und näher kam das Pferd, da war es, als wenn von beiden Seiten ein Paar Reitstiefel in der Luft auf und nieder baumelten und auf dem Sattel etwas Schwarzes sich rege und bewege. Dicht vor Fabian erschallte ein langes gellendes Prrr – Prrr – und in demselben Augenblick flogen ihm auch ein Paar Reitstiefel um den Kopf, und ein kleines seltsames schwarzes

Ding kugelte hin, ihm zwischen die Beine. Mauerstill stand das große Pferd und beschnüffelte mit lang vorgestrecktem Halse sein winziges Herrlein, das sich im Sande wälzte und endlich mühsam auf die Beine richtete. Dem kleinen Knirps steckte der Kopf tief zwischen den hohen Schultern, er war mit seinem Auswuchs auf Brust und Rücken, mit seinem kurzen Leibe und seinen hohen Spinnenbeinchen anzusehen wie ein auf eine Gabel gespießter Apfel, dem man ein Fratzengesicht eingeschnitten. Als nun Fabian dies seltsame kleine Ungetüm vor sich stehen sah, brach er in ein lautes Gelächter aus. Aber der Kleine drückte sich das Barettlein, das er vom Boden aufgerafft, trotzig in die Augen und fragte, indem er Fabian mit wilden Blicken durchbohrte, in rauhem, tief heiserem Ton: „Ist dies der rechte Weg nach Kerepes?“ – „Ja, mein Herr!“ antwortete Balthasar mild und ernst und reichte dem Kleinen die Stiefel hin, die er zusammengesucht hatte. Alles Mühen des Kleinen, die Stiefel anzuziehen, blieb vergebens, er stülpte einmal übers andere um und wälzte sich stöhnend im Sande. Balthasar stellte beide Stiefel aufrecht zusammen, hob den Kleinen sanft in die Höhe und steckte, ihn ebenso niederlassend, beide Füßchen in die zu schwere und weite Futterale. Mit stolzem Wesen, die eine Hand in die Seite gestemmt, die andere ans Barett gelegt, rief der Kleine: „Gratias, mein Herr!“ und schritt nach dem Pferde hin, dessen Zügel er faßte. Alle Versuche, den Steigbügel zu erreichen oder hinaufzuklimmen auf das große Tier, blieben indessen vergebens. Balthasar, immer ernst und mild, trat hinzu und hob den Kleinen in den Steigbügel. Er mochte sich wohl einen zu starken Schwung gegeben haben, denn in demselben Augenblick, als er oben saß, lag er auf der andern Seite auch wieder unten. „Nicht so hitzig, allerliebster Mosje!“ rief Fabian, indem er aufs neue in ein schallendes Gelächter ausbrach. „Der Teufel ist Ihr allerliebster Mosje“, schrie der Kleine ganz erbost, indem er sich den Sand von den Kleidern klopfte, „ich bin Studiosus, und wenn Sie desgleichen sind, so ist es Tusch, daß Sie mir wie ein Hasenfuß ins Gesicht lachen, und Sie müssen sich morgen in Kerepes mit mir schlagen!“ – „Donner“, rief Fabian immerfort lachend,

„Donner, das ist mal ein tüchtiger Bursche, ein Allerweltskerl, was Courage betrifft und echten Komment." Und damit hob er den Kleinen, alles Zappelns und Sträubens ungeachtet, in die Höhe und setzte ihn aufs Pferd, das sofort mit seinem Herrlein lustig wiehernd davontrabte. – Fabian hielt sich beide Seiten, er wollte vor Lachen ersticken. – „Es ist grausam", sprach Balthasar, „einen Menschen auszulachen, den die Natur auf solche entsetzliche Weise verwahrlost hat wie den kleinen Reiter dort. Ist er wirklich Student, so mußt du dich mit ihm schlagen, und zwar, läuft's auch sonst gegen alle akademische Sitte, auf Pistolen, da er weder Rapier noch Hieber zu führen vermag." – „Wie ernst", sprach Fabian, „wie ernst, wie trübselig du das alles wieder nimmst, mein lieber Freund Balthasar. Nie ist's mir eingefallen, eine Mißgeburt auszulachen. Aber sage mir, darf solch ein knorpliger Däumling sich auf ein Pferd setzen, über dessen Hals er nicht wegzuschauen vermag? Darf er die Füßlein in solch verrucht weite Stiefeln stecken? darf er eine knapp anschließende Kurtka mit tausend Schnüren und Troddeln und Quasten, darf er solch ein verwunderliches Samtbarett tragen? darf er solch ein hochmütiges, trotziges Wesen annehmen? darf er sich solche barbarische heisere Laute abzwingen? – Darf er das alles, frage ich, ohne mit Recht als eingefleischter Hasenfuß ausgelacht zu werden? – Aber ich muß hinein, ich muß den Rumor mit anschauen, den es geben wird, wenn der ritterliche Studiosus einzieht auf seinem stolzen Rosse! – Mit dir ist doch heute einmal nichts anzufangen! – Gehab dich wohl!" – Spornstreichs rannte Fabian durch den Wald nach der Stadt zurück. –

Balthasar verließ den offenen Weg und verlor sich in das dichteste Gebüsch, da sank er hin auf einen Moossitz, erfaßt, ja überwältigt von den bittersten Gefühlen. Wohl mocht es sein, daß er die holde Candida wirklich liebte, aber er hatte diese Liebe wie ein tiefes, zartes Geheimnis in dem Innersten seiner Seele vor allen Menschen, ja vor sich selbst verschlossen. Als nun Fabian so ohne Hehl, so leichtsinnig darüber sprach, war es ihm, als rissen rohe Hände in frechem Übermut die Schleier von dem

Heiligenbilde herab, die zu berühren er nicht gewagt, als müsse nun die Heilige auf *ihn* selbst ewig zürnen. Ja, Fabians Worte schienen ihm eine abscheuliche Verhöhnung seines ganzen Wesens, seiner süßesten Träume.

„Also“, rief er im Übermaß seines Unmuts aus, „also für einen verliebten Gecken hältst du mich, Fabian! – für einen Narren, der in Mosch Terpins Vorlesungen läuft, um wenigstens eine Stunde hindurch mit der schönen Candida unter einem Dache zu sein, der in dem Walde einsam umherstreift, um auf elende Verse zu sinnen an die Geliebte und sie noch erbärmlicher aufzuschreiben, der die Bäume verdirbt, alberne Namenszüge in ihre glatten Rinden einschneidend, der in Gegenwart des Mädchens kein gescheites Wort zu Markte bringt, sondern nur seufzt und ächzt und weinerliche Gesichter schneidet, als litt' er an Krämpfen, der verwelkte Blumen, die sie am Busen trug, oder gar den Handschuh, den sie verlor, auf der bloßen Brust trägt – kurz, der tausend kindische Torheiten begeht! – Und darum, Fabian, neckst du mich, und darum lachen mich wohl alle Bursche aus, und darum bin ich samt der innern Welt, die mir aufgegangen, vielleicht ein Gegenstand der Verspottung. – Und die holde – liebliche – herrliche Candida –“

Als er diesen Namen aussprach, fuhr es ihm durchs Herz wie ein glühender Dolchstich! – Ach! – eine innere Stimme flüsterte ihm in dem Augenblick sehr vernehmlich zu, daß er ja nur eben Candidas wegen in Mosch Terpins Haus gehe, daß er Verse mache an die Geliebte, daß er ihre Namen einschneide in das Laubholz, daß er in ihrer Gegenwart verstumme, seufze, ächze, daß er verwelkte Blumen, die sie verlor, auf der Brust trage, daß er mithin ja wirklich in alle Torheiten verfalle, wie sie ihm Fabian nur vorrücken könne. – Erst jetzt fühlte er es recht, wie unaussprechlich er die schöne Candida liebe, aber auch zugleich, daß seltsam genug sich die reinste innigste Liebe im äußern Leben etwas geckenhaft gestalte, welches wohl der tiefen Ironie zuzurechnen, die die Natur in alles menschliche Treiben gelegt. Er mochte recht haben, ganz unrecht war es indessen, daß er sich darüber sehr zu ärgern begann. Träume, die ihn sonst umfingen, waren verloren, die Stimmen des Waldes klangen ihm wie Hohn und Spott, er rannte zurück nach Kerepes.

„Herr Balthasar – mon cher Balthasar“, rief es ihn an. Er schlug den Blick auf und blieb festgezaubert stehen, denn ihm entgegen kam der Professor Mosch Terpin, der seine Tochter Candida am Arme führte. Candida begrüßte den zur Bildsäule Erstarrten mit der heitern freundlichen Unbefangenheit, die ihr eigen. „Balthasar, mon cher Balthasar“, rief der Professor, „Sie sind in der Tat der fleißigste, mir der liebste von meinen Zuhörern! – O mein Bester, ich merk es Ihnen an, Sie lieben die Natur mit all ihren Wundern wie ich, der ich einen wahren Narren daran gefressen! – Gewiß wieder botanisiert in unserm Wäldchen! – Was Ersprießliches gefunden? – Nun! – lassen Sie uns nähere Bekanntschaft machen. – Besuchen Sie mich – jederzeit willkommen. – Können zusammen experimentieren – Haben Sie schon meine Luftpumpe gesehen? – Nun! – mon cher – morgen abend versammelt sich ein freundschaftlicher Zirkel in meinem Hause, welcher Tee mit Butterbrot konsumieren und sich in angenehmen Gesprächen erlustigen wird, vermehren Sie ihn durch Ihre werte Person – Sie werden einen sehr anziehenden jungen Mann kennenlernen, der mir ganz besonders empfohlen – bonsoir, mon cher – Guten Abend, Vortrefflicher, au revoir – Auf Wiedersehen! – Sie kommen doch morgen in die Vorlesung? – Nun – mon cher, adieu!“ – Ohne Balthasars Antwort abzuwarten, schritt der Professor Mosch Terpin mit seiner Tochter von dannen.

Balthasar hatte in seiner Bestürzung nicht gewagt, die Augen aufzuschlagen, aber Candidas Blicke brannten hinein in seine Brust, er fühlte den Hauch ihres Atems, und süße Schauer durchbebten sein innerstes Wesen.

Entnommen war ihm aller Unmut, er schaute voll Entzücken der holden Candida nach, bis sie in den Laubgängen verschwand. Dann kehrte er langsam in den Wald zurück, um herrlicher zu träumen als jemals.

Drittes Kapitel

Wie Fabian nicht wußte, was er sagen sollte. – Candida und Jungfrauen, die nicht Fische essen dürfen. – Mosch Terpins literarischer Tee. – Der junge Prinz.

Fabian gedachte, als er den Richtsteig quer durch den Wald lief, dem kleinen wunderlichen Knirps, der vor ihm davongetrabt, doch wohl noch zuvorzukommen. Er hatte sich geirrt, denn aus dem Gebüsch heraustretend, gewahrte er ganz in der Ferne, wie noch ein anderer stattlicher Reiter sich zu dem Kleinen gesellte und wie nun beide in das Tor von Kerepes hineinritten. – „Hm!" sprach Fabian zu sich selbst, „ist der Nußknacker auf seinem großen Pferde auch schon vor mir angelangt, so komme ich doch noch zeitig genug zu dem Spektakel, den es geben wird bei seiner Ankunft. Ist das seltsame Ding wirklich ein Studiosus, so weiset man ihn nach dem ‚Geflügelten Roß', und hält er dort an mit seinem gellenden Prr – Prr! – und wirft die Reitstiefel voran und sich selbst nach und tut, wenn die Bursche lachen, wild und trotzig – nun! – dann ist das tolle Possenspiel fertig!" –

Als Fabian nun die Stadt erreicht, glaubte er in den Straßen, auf dem Wege nach dem „Geflügelten Roß" lauter lachenden Gesichtern zu begegnen. Dem war aber nicht so. Alle Leute gingen ruhig und ernst vorüber. Ebenso ernsthaft spazierten auf dem Platz vor dem „Geflügelten Roß" mehrere Akademiker, die sich dort versammelt, miteinander sprechend, auf und nieder. Fabian war überzeugt, daß der Kleine wenigstens hier nicht angekommen sein müsse, da gewahrte er, einen Blick ins Tor des Gasthauses werfend, daß soeben das sehr kennbare Pferd des Kleinen nach dem Stall geführt wurde. Auf den ersten besten seiner Bekannten sprang er nun los und fragte, ob denn nicht ein ganz seltsamer wunderlicher Knirps herangetrabt sei. – Der, den Fabian fragte, wußte ebensowenig etwas davon als die übrigen, denen Fabian nun erzählte, was sich mit ihm und dem Däumling, der ein Student sein wollen, begeben. Alle lachten sehr, versicherten indessen, daß ein solches Ding wie das, was er beschreibe, keineswegs angelangt. Wohl wären aber vor kaum zehn Minuten zwei sehr stattliche Reiter auf schönen Pferden im Gasthause zum „Geflügelten Roß“ abgestiegen. „Saß der eine von ihnen auf dem Pferde, das eben nach dem Stall geführt wurde?“ So fragte Fabian. „Allerdings“, erwiderte einer, „allerdings. Der, der auf jenem Pferde saß, war von etwas kleiner Statur, aber von zierlichem Körperbau, angenehmen Gesichtszügen und hatte die schönsten Lockenhaare, die man sehen kann. Dabei zeigte er sich als den vortrefflichsten Reiter, denn er schwang sich mit einer Behendigkeit, mit einem Anstande vom Pferde herab wie der erste Stallmeister unseres Fürsten.“ – „Und“, rief Fabian, „und verlor nicht die Reitstiefel und kugelte euch nicht vor die Füße?“ – „Gott behüte“, erwiderten alle einstimmig, „Gott behüte! – was denkst du, Bruder! solch ein tüchtiger Reiter wie der Kleine!“ – Fabian wußte gar nicht, was er sagen sollte. Da kam Balthasar die Straße herab. Auf den stürzte Fabian los, zog ihn heran und erzählte, wie der kleine Knirps, der ihnen vor dem Tor begegnet und vom Pferde herabgefallen, hier eben angekommen sei und von allen für einen schönen Mann von zierlichem Gliederbau und für den vortrefflichsten Reiter gehalten werde. „Du siehst“, erwiderte Balthasar ernst und gelassen, „du siehst, lieber Bruder Fabian, daß nicht alle so wie du über unglückliche, von der Natur verwahrloste Menschen lieblos spottend herfallen.“ – „Aber du mein Himmel“, fiel ihm Fabian ins Wort, „hier ist ja gar nicht von Spott und Lieblosigkeit die Rede, sondern nur davon, ob ein drei Fuß hohes Kerlein, der einem Rettich gar nicht unähnlich, ein schöner zierlicher Mann zu nennen?“ – Balthasar mußte, was Wuchs und Ansehen des kleinen Studenten betraf, Fabians Aussage bestätigen. Die andern versicherten, daß der kleine Reiter ein hübscher zierlicher Mann sei, wogegen Fabian und Balthasar fortwährend behaupteten, sie hätten nie einen scheußlicheren Däumling erblickt. Dabei blieb es, und alle gingen voll Verwunderung auseinander.

Der späte Abend brach ein, die beiden Freunde begaben sich zusammen nach ihrer Wohnung. Da fuhr es dem Balthasar, selbst wußte er nicht wie, heraus, daß er dem Professor Mosch

Terpin begegnet, der ihn auf den folgenden Abend zu sich geladen. „Ei, du glücklicher“, rief Fabian, „ei, du überglücklicher Mensch! – da wirst du dein Liebchen, die hübsche Mamsell Candida, sehen, hören, sprechen!“ – Balthasar, aufs neue tief verletzt, riß sich los von Fabian und wollte fort. Doch besann er sich, blieb stehen und sprach, seinen Verdruß mit Gewalt niederkämpfend: „Du magst recht haben, lieber Bruder, daß du mich für einen albernen verliebten Gecken hältst, ich bin es vielleicht wirklich. Aber diese Albernheit ist eine tiefe schmerzhafte Wunde, die meinem Gemüt geschlagen und die, auf unvorsichtige Weise berührt, im heftigeren Weh mich zu allerlei Tollheit aufreizen könnte. Darum, Bruder, wenn du mich wirklich liebhast, so nenne mir nicht mehr den Namen Candida!“ – „Du nimmst“, erwiderte Fabian, „du nimmst, mein lieber Freund Balthasar, die Sache wieder entsetzlich tragisch, und anders läßt sich das auch in deinem Zustande nicht erwarten. Aber um mit dir nicht in allerlei häßlichen Zwiespalt zu geraten, verspreche ich, daß der Name Candida nicht eher über meine Lippen kommen soll, bis du selbst mir Gelegenheit dazu gibst. Nur so viel erlaube mir heute noch zu sagen, daß ich allerlei Verdruß voraussehe, in den dich dein Verliebtsein stürzen wird. Candida ist ein gar hübsches herrliches Mägdlein, aber zu deiner melancholischen, schwärmerischen Gemütsart paßt sie ganz und gar nicht. Wirst du näher mit ihr bekannt, so wird ihr unbefangenes heitres Wesen dir Mangel an Poesie, die du überall vermissest, scheinen. Du wirst in allerlei wunderliche Träumereien geraten, und das Ganze wird mit entsetzlichem eingebildeten Weh und genügender Verzweiflung tumultuarisch enden. – Übrigens bin ich ebenso wie du auf morgen zu unserm Professor eingeladen, der uns mit sehr schönen Experimenten unterhalten wird! – Nun gute Nacht, fabelhafter Träumer! Schlafe, wenn du schlafen kannst vor solch wichtigem Tage wie der morgende!“

Damit verließ Fabian den Freund, der in tiefes Nachdenken versunken. – Fabian mochte nicht ohne Grund allerlei pathetische Unglücksmomente voraussehen, die sich mit Candida und

Balthasar wohl zutragen konnten; denn beider Wesen und Gemütsart schien in der Tat Anlaß genug dazu zu geben.

Candida war, jeder mußte das eingestehen, ein bildhübsches Mädchen, mit recht ins Herz hineinstrahlenden Augen und etwas aufgeworfenen Rosenlippen. Ob ihre übrigens schönen Haare, die sie in wunderlichen Flechten gar phantastisch aufzunesteln wußte, mehr blond oder mehr braun zu nennen, habe ich vergessen, nur erinnere ich mich sehr gut der seltsamen Eigenschaft, daß sie immer dunkler und dunkler wurden, je länger man sie anschaute. Von schlankem hohen Wuchs, leichter Bewegung, war das Mädchen, zumal in lebenslustiger Umgebung, die Huld, die Anmut selbst, und man übersah es bei so vielem körperlichen Reiz sehr gern, daß Hand und Fuß vielleicht kleiner und zierlicher hätten gebaut sein können. Dabei hatte Candida Goethes „Wilhelm Meister", Schillers Gedichte und Fouqués „Zauberring" gelesen und beinahe alles, was darin enthalten, wieder vergessen; spielte ganz passabel das Pianoforte, sang sogar zuweilen dazu; tanzte die neuesten Françaisen und Gavotten und schrieb die Waschzettel mit einer feinen leserlichen Hand. Wollte man durchaus an dem lieben Mädchen etwas aussetzen, so war es vielleicht, daß sie etwas zu tief sprach, sich zu fest einschnürte, sich zu lange über einen neuen Hut freute und zuviel Kuchen zum Tee verzehrte. Überschwenglichen Dichtern war freilich noch vieles andere an der hübschen Candida nicht recht, aber was verlangen die auch alles. Fürs erste wollen sie, daß das Fräulein über alles, was sie von sich verlauten lassen, in ein somnambüles Entzücken gerate, tief seufze, die Augen verdrehe, gelegentlich auch wohl was weniges ohnmächtle oder gar zur Zeit erblinde als höchste Stufe der weiblichsten Weiblichkeit. Dann muß besagtes Fräulein des Dichters Lieder singen nach der Melodie, die ihm (dem Fräulein) selbst aus dem Herzen geströmt, augenblicklich aber davon krank werden und selbst auch wohl Verse machen, sich aber sehr schämen, wenn es herauskommt, ungeachtet die Dame dem Dichter ihre Verse, auf sehr feinem wohlriechenden Papier mit zarten Buchstaben geschrieben, selbst in die Hände spielte, der dann auch seinerseits vor Entzücken darüber erkrankt, welches ihm gar nicht zu verdenken ist. Es gibt poetische Aszetiker, die noch weitergehen und es aller weiblichen Zartheit entgegen finden, daß ein Mädchen lachen, essen und trinken und sich zierlich nach der Mode kleiden sollte. Sie gleichen beinahe dem heiligen Hieronymus, der den Jungfrauen verbietet, Ohrgehänge zu tragen und Fische zu essen. Sie sollen, so gebietet der Heilige, nur etwas zubereitetes Gras genießen, beständig hungrig sein, ohne es zu fühlen, sich in grobe, schlecht genähte Kleider hüllen, die ihren Wuchs verbergen, vorzüglich aber eine Person zur Gefährtin wählen, die ernsthaft, bleich, traurig und etwas schmutzig ist! –

Candida war durch und durch ein heitres unbefangnes Wesen, deshalb ging ihr nichts über ein Gespräch, das sich auf den leichten luftigen Schwingen des unverfänglichsten Humors bewegte. Sie lachte recht herzlich über alles Drollige; sie seufzte nie, als wenn Regenwetter ihr den gehofften Spaziergang verdarb oder, aller Vorsicht ungeachtet, der neue Shawl einen Fleck bekommen hatte. Dabei blickte, gab es wirklichen Anlaß dazu, ein tiefes inniges Gefühl hindurch, das nie in schale Empfindelei ausarten durfte, und so mochte mir und dir, geliebter Leser, die wir nicht zu den Überschwenglichen gehören, das Mädchen eben ganz recht sein. Sehr leicht konnte es mit Balthasar sich anders verhalten! – Doch bald muß es sich ja wohl zeigen, inwiefern der prosaische Fabian richtig prophezeit hatte oder nicht! –

Daß Balthasar vor lauter Unruhe, vor unbeschreiblichem süßen Bangen die ganze Nacht hindurch nicht schlafen konnte: was war natürlicher als das. Ganz erfüllt von dem Bilde der Geliebten, setzte er sich hin an den Tisch und schrieb eine ziemliche Anzahl artiger wohlklingender Verse nieder, die in einer mystischen Erzählung von der Liebe der Nachtigall zur Purpurrose seinen Zustand schilderten. Die wollt er mitnehmen in Mosch Terpins literarischen Tee und damit losfahren auf Candidas unbewahrtes Herz, wenn und wie es nur möglich.

Fabian lächelte ein wenig, als er, der Verabredung gemäß, zur bestimmten Stunde kam, um seinen Freund Balthasar abzuholen, und ihn zierlicher geputzt fand, als er ihn jemals gesehen. Er hatte einen gezackten Kragen von den feinsten Brüßler Kanten umgetan, sein kurzes Kleid mit geschlitzten Ärmeln war von gerissenem Samt. Und dazu trug er französische Stiefeln mit hohen spitzen Absätzen und silbernen Fransen, einen englischen Hut von feinstem Kastor und dänische Handschuhe. So war er ganz deutsch gekleidet, und der Anzug stand ihm über alle Maßen gut, zumal er sein Haar schön kräuseln lassen und das kleine Stutzbärtchen wohl aufgekämmt hatte.

Das Herz bebte dem Balthasar vor Entzücken, als in Mosch Terpins Hause Candida ihm entgegentrat, ganz in der Tracht der altdeutschen Jungfrau, freundlich, anmutig in Blick und Wort, im ganzen Wesen, wie man sie immer zu sehen gewohnt. „Mein holdseligstes Fräulein!" seufzte Balthasar aus dem Innersten auf, als Candida, die süße Candida selbst, eine Tasse dampfenden Tee ihm darbot. Candida schaute ihn aber an mit leuchtenden Augen und sprach: „Hier ist Rum und Maraschino, Zwieback und Pumpernickel, lieber Herr Balthasar, greifen Sie doch nur gefälligst zu nach Ihrem Belieben!" Statt aber auf Rum und Maraschino, Zwieback oder Pumpernickel zu schauen oder gar zuzugreifen, konnte der begeisterte Balthasar den Blick voll schmerzlicher Wehmut der innigsten Liebe nicht abwenden von der holden Jungfrau und rang nach Worten, die aus tiefster Seele aussprechen sollten, was er eben empfand. Da faßte ihn aber der Professor der Ästhetik, ein großer baumstarker Mann, mit gewaltiger Faust von hinten, drehte ihn herum, daß er mehr Teewasser auf den Boden verschüttete, als eben schicklich, und rief mit donnernder Stimme: „Bester Lucas Cranach, saufen Sie nicht das schnöde Wasser, Sie verderben sich den deutschen Magen total – dort im andern Zimmer hat unser tapferer Mosch eine Batterie der schönsten Flaschen mit edlem Rheinwein aufgepflanzt, die wollen wir sofort spielen lassen!" – Er schleppte den unglücklichen Jüngling fort.

Doch aus dem Nebenzimmer trat ihnen der Professor Mosch Terpin entgegen, ein kleines, sehr seltsames Männlein an der Hand führend und laut rufend: „Hier, meine Damen und

Herren, stelle ich Ihnen einen mit den seltensten Eigenschaften hochbegabten Jüngling vor, dem es nicht schwerfallen wird, sich Ihr Wohlwollen, Ihre Achtung zu erwerben. Es ist der junge Herr Zinnober, der erst gestern auf unsere Universität gekommen und die Rechte zu studieren gedenkt!" – Fabian und Balthasar erkannten auf den ersten Blick den kleinen wunderlichen Knirps, der vor dem Tore ihnen entgegengesprengt und vom Pferde gestürzt war.

„Soll ich", sprach Fabian leise zu Balthasar, „soll ich denn noch das Alräunchen herausfordern auf Blasrohr oder Schusterpfriem? Anderer Waffen kann ich mich doch nicht bedienen wider diesen furchtbaren Gegner."

„Schäme dich", erwiderte Balthasar, „schäme dich, daß du den verwahrlosten Mann verspottest, der, wie du hörst, die seltensten Eigenschaften besitzt und *so* durch geistigen Wert das ersetzt, was die Natur ihm an körperlichen Vorzügen versagte." Dann wandte er sich zum Kleinen und sprach: „Ich hoffe nicht, bester Herr Zinnober, daß Ihr gestriger Fall vom Pferde etwa schlimme Folgen gehabt haben wird?" Zinnober hob sich aber, indem er einen kleinen Stock, den er in der Hand trug, hinten unterstemmte, auf den Fußspitzen in die Höhe, so daß er dem Balthasar beinahe bis an den Gürtel reichte, warf den Kopf in den Nacken, schaute mit wildfunkelnden Augen herauf und sprach in seltsam schnarrendem Baßton: „Ich weiß nicht, was Sie wollen, wovon Sie sprechen, mein Herr! – Vom Pferde gefallen? – ich vom Pferde gefallen? – Sie wissen wahrscheinlich nicht, daß ich der beste Reiter bin, den es geben kann, daß ich niemals vom Pferde falle, daß ich als Freiwilliger unter den Kürassieren den Feldzug mitgemacht und Offizieren und Gemeinen Unterricht gab im Reiten auf der Manège! – hm, hm – vom Pferde fallen – ich vom Pferde fallen!" – Damit wollte er sich rasch umwenden, der Stock, auf den er sich gestützt, glitt aber aus, und der Kleine torkelte um und um, dem Balthasar vor die Füße. Balthasar griff herab nach dem Kleinen, ihm aufzuhelfen, und berührte dabei unversehens sein Haupt. Da stieß der Kleine einen gellenden Schrei aus, daß es im ganzen Saal widerhallte und die Gäste erschrocken auffuhren von ihren Sitzen. Man umringte den Balthasar und fragte durcheinander, warum er denn um des Himmels willen so entsetzlich geschrien. „Nehmen Sie es nicht übel, bester Herr Balthasar", sprach der Professor Mosch Terpin, „aber das war ein etwas wunderlicher Spaß. Denn wahrscheinlich wollten Sie uns doch glauben machen, es trete hier jemand einer Katze auf den Schwanz!" – „Katze – Katze – weg mit der Katze!" rief eine nervenschwache Dame und fiel sofort in Ohnmacht, und mit dem Geschrei: „Katze – Katze" – rannten ein paar alte Herren, die an derselben Idiosynkrasie litten, zur Türe hinaus.

Candida, die ihr ganzes Riechfläschchen auf die ohnmächtige Dame ausgegossen, sprach leise zu Balthasar: „Aber was richten Sie auch für Unheil an mit Ihrem häßlichen gellenden Miau, lieber Herr Balthasar!"

Dieser wußte gar nicht, wie ihm geschah. Glutrot im ganzen Gesicht vor Unwillen und Scham, vermochte er kein Wort herauszubringen, nicht zu sagen, daß es ja der kleine Herr Zinnober und nicht *er* gewesen, der so entsetzlich gemauzt.

Der Professor Mosch Terpin sah des Jünglings schlimme Verlegenheit. Er nahte sich ihm freundlich und sprach: „Nun, nun, lieber Herr Balthasar, sein Sie doch nur ruhig. Ich habe wohl alles bemerkt. Sich zur Erde bückend, auf allen vieren hüpfend, ahmten Sie den gemißhandelten grimmigen Kater herrlich nach. Ich liebe sonst sehr dergleichen naturhistorische Spiele, doch hier im literarischen Tee" – „Aber", platzte Balthasar heraus, „aber, vortrefflichster Herr Professor, ich war es ja nicht." – „Schon gut – schon gut", fiel ihm der Professor in die Rede. Candida trat zu ihnen. „Tröste mir", sprach der Professor zu dieser, „tröste mir doch den guten Balthasar, der ganz betreten ist über alles Unheil, was geschehen."

Der gutmütigen Candida tat der arme Balthasar, der ganz verwirrt mit niedergesenktem Blick vor ihr stand, herzlich leid. Sie reichte ihm die Hand und lispelte mit anmutigem Lächeln: „Es sind aber auch recht komische Leute, die sich so entsetzlich vor Katzen fürchten."

Balthasar drückte Candidas Hand mit Inbrunst an die Lippen. Candida ließ den seelenvollen Blick ihrer Himmelsaugen auf ihm ruhen. Er war verzückt in den höchsten Himmel und dachte nicht mehr an Zinnober und Katzengeschrei. – Der Tumult war vorüber, die Ruhe wiederhergestellt. Am Teetisch saß die nervenschwache Dame und genoß mehreren Zwieback, den sie in Rum tunkte, versichernd, an dergleichen erlabe sich das von feindlicher Macht bedrohte Gemüt und dem jähen Schreck folge sehnsüchtig Hoffen! –

Auch die beiden alten Herren, denen draußen wirklich ein flüchtiger Kater zwischen die Beine gelaufen, kehrten beruhigt zurück und suchten, wie mehrere andere, den Spieltisch.

Balthasar, Fabian, der Professor der Ästhetik, mehrere junge Leute setzten sich zu den Frauen. Herr Zinnober hatte sich indessen eine Fußbank herangerückt und war mittelst derselben auf den Sofa gestiegen, wo er nun in der Mitte zwischen zwei Frauen saß und stolze funkelnde Blicke um sich warf.

Balthasar glaubte, daß der rechte Augenblick gekommen, mit seinem Gedicht von der Liebe der Nachtigall zur Purpurrose hervorzurücken. Er äußerte daher mit der gehörigen Verschämtheit, wie sie bei jungen Dichtern im Brauch ist, daß er, dürfe er nicht fürchten, Überdruß und Langeweile zu erregen, dürfe er auf gütige Nachsicht der verehrten Versammlung hoffen, es wagen wolle, ein Gedicht, das jüngste Erzeugnis seiner Muse, vorzulesen.

Da die Frauen schon hinlänglich über alles verhandelt, was sich Neues in der Stadt zugetragen, da die Mädchen den letzten Ball bei dem Präsidenten gehörig durchgesprochen und sogar über die Normalform der neuesten Hüte einig worden, da die Männer unter zwei Stunden nicht auf weitere Speis und Tränkung rechnen durften, so wurde Balthasar einstimmig aufgefordert, der Gesellschaft ja den herrlichen Genuß nicht vorzuenthalten.

Balthasar zog das sauber geschriebene Manuskript hervor und las.

Sein eignes Werk, das in der Tat aus wahrhaftem Dichtergemüt mit voller Kraft, mit regem Leben hervorgeströmt, begeisterte ihn mehr und mehr. Sein Vortrag, immer leidenschaftlicher steigend, verriet die innere Glut des liebenden Herzens. Er bebte vor Entzücken, als leise Seufzer – manches leise Ach – der Frauen, mancher Ausruf der Männer: „Herrlich – vortrefflich – göttlich!“ ihn überzeugten, daß sein Gedicht alle hinriß.

Endlich hatte er geendet. Da riefen alle: „Welch ein Gedicht! – welche Gedanken – welche Phantasie – was für schöne Verse – welcher Wohlklang – Dank – Dank Ihnen, bester Herr Zinnober, für den göttlichen Genuß.“ –

„Was? wie?“ rief Balthasar; aber niemand achtete auf ihn, sondern stürzte auf Zinnober zu, der sich auf dem Sofa blähte wie ein kleiner Puter und mit widriger Stimme schnarchte: „Bitte recht sehr – bitte recht sehr – müssen so vorliebnehmen! – ist eine Kleinigkeit, die ich erst vorige Nacht aufschrieb in aller Eil'!“ – Aber der Professor der Ästhetik schrie: „Vortrefflicher – göttlicher Zinnober! – Herzensfreund, außer mir bist du der erste Dichter, den es jetzt gibt auf Erden! – Komm an meine Brust, schöne Seele!“ – Damit riß er den Kleinen vom Sofa auf in die Höhe und herzte und küßte ihn. Zinnober betrug sich dabei sehr ungebärdig. Er arbeitete mit den kleinen Beinchen auf des Professors dickem Bauch herum und quäkte: „Laß mich los – laß mich los – es tut mir weh – weh – weh – ich kratz dir die Augen aus – ich beiß dir die Nase entzwei!“ – „Nein“, rief der Professor, indem er den Kleinen niedersetzte auf den Sofa, „nein, holder Freund, keine zu weit getriebene Bescheidenheit!“ – Mosch Terpin war nun auch vom Spieltisch herangetreten, der nahm Zinnobers Händchen, drückte es und sprach sehr ernst: „Vortrefflich, junger Mann! – nicht zuviel, nein, nicht genug sprach man mir von dem hohen Genius, der Sie beseelt.“ – „Wer ist's“, rief nun wieder der Professor der Ästhetik in voller Begeisterung aus, „wer ist's von euch Jungfrauen, der dem herrlichen Zinnober sein Gedicht, das das innigste Gefühl der reinsten Liebe ausspricht, lohnt durch einen Kuß?“

Da stand Candida auf, nahete sich, volle Glut auf den Wangen, dem Kleinen, kniete nieder und küßte ihn auf den garstigen

Mund mit blauen Lippen. „Ja“, schrie nun Balthasar, wie vom Wahnsinn plötzlich erfaßt, „ja, Zinnober – göttlicher Zinnober, du hast das tiefsinnige Gedicht gemacht von der Nachtigall und der Purpurrose, dir gebührt der herrliche Lohn, den du erhalten!“ –

Und damit riß er den Fabian ins Nebenzimmer hinein und sprach: „Tu mir den Gefallen und schaue mich recht fest an und dann sage mir offen und ehrlich, ob ich der Student Balthasar bin oder nicht, ob du wirklich Fabian bist, ob wir in Mosch Terpins Hause sind, ob wir im Traume liegen – ob wir närrisch sind – zupfe mich an der Nase oder rüttle mich zusammen, damit ich nur erwache aus diesem verfluchten Spuk!“ –

„Wie magst“, erwiderte Fabian, „wie magst du dich denn nur so toll gebärden aus purer heller Eifersucht, weil Candida den Kleinen küßte. Gestehen mußt du doch selbst, daß das Gedicht, welches der Kleine vorlas, in der Tat vortrefflich war.“ – „Fabian“, rief Balthasar mit dem Ausdruck des tiefsten Erstaunens, „was sprichst du denn?“ – „Nun ja“, fuhr Fabian fort, „nun ja, das Gedicht des Kleinen war vortrefflich, und gegönnt hab ich ihm Candidas Kuß. – Überhaupt scheint hinter dem seltsamen Männlein allerlei zu stecken, das mehr wert ist als eine schöne Gestalt. Aber was auch selbst seine Figur betrifft, so kommt er mir jetzt nichts weniger als so abscheulich vor wie anfangs. Beim Ablesen des Gedichts verschönerte die innere Begeisterung seine Gesichtszüge, so daß er mir oft ein anmutiger wohlgewachsener Jüngling zu sein schien, ungeachtet er doch kaum über den Tisch hervorragte. Gib deine unnütze Eifersucht auf, befreunde dich als Dichter mit dem Dichter!“

„Was“, schrie Balthasar voll Zorn, „was? – noch befreunden mit dem verfluchten Wechselbalge, den ich erwürgen möchte mit diesen Fäusten?“

„So“, sprach Fabian, „so verschließest du dich denn aller Vernunft. Doch laß uns in den Saal zurückkehren, wo sich etwas Neues begeben muß, da ich laute Beifallsrufe vernehme.“

Mechanisch folgte Balthasar dem Freunde in den Saal.

Als sie eintraten, stand der Professor Mosch Terpin allein in der Mitte, die Instrumente noch in der Hand, womit er irgendein physikalisches Experiment gemacht, starres Staunen im Gesicht. Die ganze Gesellschaft hatte sich um den kleinen Zinnober gesammelt, der, den Stock untergestemmt, auf den Fußspitzen dastand und mit stolzem Blick den Beifall einnahm, der ihm von allen Seiten zuströmte. Man wandte sich wieder zum Professor, der ein anderes sehr artiges Kunststückchen machte. Kaum war er fertig, als wiederum alle, den Kleinen umringend, riefen: „Herrlich – vortrefflich, lieber Herr Zinnober!“ –

Endlich sprang auch Mosch Terpin zu dem Kleinen hin und rief zehnmal stärker als die übrigen: „Herrlich – vortrefflich, lieber Herr Zinnober!“

Es befand sich in der Gesellschaft der junge Fürst Gregor, der auf der Universität studierte. Der Fürst war von der anmutigsten Gestalt, die man nur sehen konnte, und dabei war sein Betragen so edel und ungezwungen, daß sich die hohe Abkunft, die Gewohnheit, sich in den vornehmsten Kreisen zu bewegen, darin deutlich aussprach.

Fürst Gregor war es nun, der gar nicht von Zinnober wich und ihn als den herrlichsten Dichter, den geschicktesten Physiker über alle Maßen lobte.

Seltsam war die Gruppe, die beide, zusammenstehend, bildeten. Gegen den herrlich gestalteten Gregor stach gar wunderlich das winzige Männlein ab, das mit hoch emporgereckter Nase sich kaum auf den dünnen Beinchen zu erhalten vermochte. Alle Blicke der Frauen waren hingerichtet, aber nicht auf den Fürsten, sondern auf den Kleinen, der, sich auf den Fußspitzen hebend, immer wieder hinabsank und so hinauf- und hinunterwankte wie ein Cartesianisches Teufelchen.

Der Professor Mosch Terpin trat zu Balthasar und sprach: „Was sagen Sie zu meinem Schützling, zu meinem lieben Zinnober? Viel steckt hinter dem Mann, und nun ich ihn so recht anschaue, ahne ich wohl die eigentliche Bewandtnis, die es mit ihm haben mag. Der Prediger, der ihn erzogen und mir empfohlen hat, drückt sich über seine Abkunft sehr geheimnisvoll aus. Betrachten Sie aber nur den edlen Anstand, sein vornehmes ungezwungenes Betragen. Er ist gewiß von fürstlichem Geblüt, vielleicht gar ein Königssohn!“ – In dem Augenblick wurde gemeldet, das Mahl sei angerichtet. Zinnober torkelte ungeschickt hin zur Candida, ergriff täppisch ihre Hand und führte sie nach dem Speisesaal.

In voller Wut rannte der unglückliche Balthasar durch die finstre Nacht, durch Sturmwind und Regen fort nach Hause.

Viertes Kapitel

Wie der italienische Geiger Sbiocca den Herrn Zinnober in den Kontrabaß zu werfen drohte und der Referendarius Pulcher nicht zu auswärtigen Angelegenheiten gelangen konnte. – Von Maut-Offizianten und zurückbehaltenen Wundern fürs Haus. – Balthasars Bezauberung durch einen Stockknopf.

Auf einem hervorragenden bemoosten Gestein im einsamsten Walde saß Balthasar und schaute gedankenvoll hinab in die Tiefe, in der ein Bach schäumend fortbrauste zwischen Felsstükken und dicht verwachsenem Gestrüpp. Dunkle Wolken zogen daher und tauchten nieder hinter den Bergen; das Rauschen der Bäume, der Gewässer ertönte wie ein dumpfes Winseln, und dazwischen kreischten Raubvögel, die aus dem finstern Dickicht aufstiegen in den weiten Himmelsraum und sich nachschwangen dem fliehenden Gewölk. –

Dem Balthasar war, als vernehme er in den wunderbaren Stimmen des Waldes die trostlose Klage der Natur, als müsse er selbst untergehen in dieser Klage, als sei sein ganzes Sein nur das Gefühl des tiefsten unverwindlichsten Schmerzes. Das Herz wollte ihm springen vor Wehmut, und indem häufige Tränen aus seinen Augen tröpfelten, war es, als blickten die Geister des Waldstroms zu ihm herauf und streckten schneeweiße Arme empor aus den Wellen, ihn hinabzuziehen in den kühlen Grund.

Da schwebte aus weiter Ferne durch die Lüfte daher heller, fröhlicher Hörnerklang und legte sich tröstend an seine Brust, und die Sehnsucht erwachte in ihm und mit ihr süßes Hoffen. Er sah umher, und indem die Hörner forttönten, dünkten ihm die grünen Schatten des Waldes nicht mehr so traurig, nicht mehr so klagend das Rauschen des Windes, das Flüstern der Gebüsche. Er kam zu Worten.

„Nein", rief er aus, indem er aufsprang von seinem Sitz und mit leuchtendem Blick in die Ferne schaute, „nein, noch verschwand nicht alle Hoffnung! – Nur zu gewiß ist es, daß irgendein düstres Geheimnis, irgendein böser Zauber verstörend in mein Leben getreten ist, aber ich breche diesen Zauber, und sollt ich darüber untergehen! – Als ich endlich hingerissen, übermannt von dem Gefühl, das meine Brust zersprengen wollte, der holden, süßen Candida meine Liebe gestand, las ich denn nicht in ihren Blicken, fühlte ich nicht an dem Druck ihrer Hand meine Seligkeit? – Aber sowie das verdammte kleine Ungetüm sich sehen läßt, ist *ihm* alle Liebe zugewandt. An ihr, der vermaledeiten Mißgeburt, hängen Candidas Augen, und sehnsüchtige Seufzer entfliehen ihrer Brust, wenn der täppische Junge sich ihr nähert oder gar ihre Hand berührt. – Es muß mit ihm irgendeine geheimnisvolle Bewandtnis haben, und sollt ich an alberne Ammenmärchen glauben, ich würde behaupten, der Junge sei verhext und könne es, wie man zu sagen pflegt, den Leuten antun. Ist es nicht toll, daß alle über das mißgestaltete, durch und durch verwahrloste Männlein spotten und lachen und dann wieder, tritt der Kleine dazwischen, ihn als den verständigsten, gelehrtesten, ja wohlgestaltetsten Herrn Studiosum ausschreien, der sich eben unter uns befindet? – Was sage ich! geht es mir nicht beinahe selbst so, kommt es mir nicht auch oft vor, als sei Zinnober gescheit und hübsch? – Nur in Candidas Gegenwart hat der Zauber keine Macht über mich, da ist und bleibt Herr Zinnober ein dummes, abscheuliches Alräunchen. – Doch! – ich stemme mich entgegen der feindlichen Macht, eine dunkle Ahnung ruht tief in meinem Innern, irgend etwas Unerwartetes werde mir die Waffe in die Hand geben wider den bösen Unhold!" –

Balthasar suchte den Rückweg nach Kerepes. In einem Baumgange fortwandernd, bemerkte er auf der Landstraße einen kleinen bepackten Reisewagen, aus dem ihm jemand mit einem weißen Tuch freundlich zuwinkte. Er trat heran und erkannte Herrn Vincenzo Sbiocca, weltberühmten Virtuosen auf der Geige, den er wegen seines vortrefflichen ausdrucksvollen Spiels über alle Maßen hochschätzte und bei dem er schon seit zwei Jahren Unterricht genommen. „Gut", rief Sbiocca, indem er aus dem Wagen sprang, „gut, mein lieber Herr Balthasar, mein teurer Freund und Schüler, gut, daß ich Sie noch hier treffe, um von Ihnen herzlichen Abschied nehmen zu können."

„Wie", sprach Balthasar, „wie, Herr Sbiocca, Sie verlassen doch nicht Kerepes, wo alles Sie ehrt und achtet, wo keiner Sie missen mag?"

„Ja", erwiderte Sbiocca, indem ihm alle Glut des innern Zorns ins Gesicht trat, „ja, Herr Balthasar, ich verlasse einen Ort, in dem die Leute sämtlich närrisch sind, der einem großen Irrenhause gleicht. – Sie waren gestern nicht in meinem Konzert, da Sie über Land gegangen, sonst hätten Sie mir beistehen können gegen das rasende Volk, dem ich unterlegen!"

„Was ist geschehen, um tausend Himmels willen, was ist geschehen?" rief Balthasar.

„Ich spiele", fuhr Sbiocca fort, „das schwierigste Konzert von Viotti. Es ist mein Stolz, meine Freude. Sie haben es von mir gehört, es hat Sie nie unbegeistert gelassen. Gestern war ich, wohl mag ich es sagen, ganz vorzüglich bei guter Laune – anima mein ich, heitren Geistes – spirito alato mein ich. Kein Violinspieler auf der ganzen weiten Erde, Viotti selbst hätte mir nicht nachgespielt. Als ich geendet, bricht der Beifall mit aller Wut los – furore mein ich, wie ich erwartet. Geige unter dem Arm trete ich vor, mich höflichst zu bedanken. – Aber! was muß ich sehen, was muß ich hören! – Alles, ohne mich nur im mindesten zu beachten, drängt sich nach einer Ecke des Saals und schreit: ‚Bravo – bravissimo, göttlicher Zinnober! – welch ein Spiel – welche Haltung, welcher Ausdruck, welche Fertigkeit!' – Ich renne hin, dränge mich durch! – da steht ein drei Spannen hoher verwachsener Kerl und schnarrt mit widriger Stimme: ‚Bitte, bitte recht sehr, habe gespielt, wie es in meinen Kräften stand, bin freilich nunmehr der stärkste Violinist in Europa und den übrigen bekannten Weltteilen.' – ‚Tausend Teufel', schrie ich, ‚wer hat denn gespielt, ich oder der Erdwurm da!' – Und als der Kleine immer fortschnarcht: ‚Bitte, bitte ergebenst', will ich auf ihn los und ihn fassen, in die ganze Applikatur greifend. Aber da stürzen sie auf mich los und reden wahnsinniges Zeug von Neid, Eifersucht und Mißgunst. Unterdessen ruft einer: ‚Und welche Komposition!', und alle einstimmig rufen hinterdrein: ‚Und welche Komposition – göttlicher Zinnober! – sublimer Komponist!' Noch ärger als zuvor schrie ich: ‚Ist denn alles rasend – besessen? das Konzert war von Viotti, und ich – ich – der weltberühmte Vincenzo Sbiocca hat es gespielt!' Aber nun packen sie mich fest, sprechen von italienischer Tollheit – rabbia mein ich, von seltsamen Zufällen, bringen mich mit Gewalt in ein Nebenzimmer, behandeln mich wie einen Kranken, wie einen Wahnsinnigen. Nicht lange dauert es, so stürzt Signora Bragazzi hinein und fällt ohnmächtig nieder. Ihr war es ergangen wie mir. Sowie sie ihre Arie geendet, erdröhnte der Saal von dem: ‚Brava – bravissima – Zinnober', und alle schrien, keine solche Sängerin gäb es mehr auf Erden als Zinnober, und der schnarchte wieder sein verfluchtes: ‚Bitte – bitte!' – Signora Bragazzi liegt im Fieber und wird baldigst verscheiden; ich meinesteils rette mich durch die Flucht vor dem wahnsinnigen Volke. Leben Sie wohl, bester Herr Balthasar! – Sehn Sie etwa den Signorino Zinnober, so sagen Sie ihm gefälligst, er möge sich nicht irgendwo in einem Konzert blicken lassen, in dem ich zugegen. Unfehlbar würd ich ihn sonst bei seinen Käferbeinchen packen und durchs F-Loch in den Kontrabaß schmeißen, da könne er denn zeit seines Lebens Konzerte spielen und Arien singen, wie er nur Lust hätte. Leben Sie wohl, mein geliebter Balthasar, und legen Sie die Violine nicht beiseite!" – Damit umarmte Herr Vincenzo Sbiocca den vor Staunen erstarrten Balthasar und stieg in den Wagen, der schnell davonrollte.

„Hab ich denn nicht recht", sprach Balthasar zu sich selbst, „hab ich denn nicht recht, das unheimliche Ding, der Zinnober, ist verhext und tut es den Leuten an." – In dem Augenblick rannte ein junger Mensch vorüber, bleich – verstört, Wahnsinn und Verzweiflung im Antlitz. Dem Balthasar fiel es schwer aufs Herz. Er glaubte in dem Jünglinge einen seiner Freunde erkannt zu haben und sprang ihm daher schnell nach in den Wald.

Kaum zwanzig – dreißig Schritte gelaufen, wurde er den Referendarius Pulcher gewahr, der unter einem großen Baume stehengeblieben und mit himmelwärts gerichtetem Blick also sprach: „Nein! – nicht länger dulden diese Schmach! – Alle Hoffnung des Lebens ist dahin! – jede Aussicht nur ins Grab gerichtet – Fahre wohl – Leben – Welt – Hoffnung – Geliebte –“

Und damit riß der verzweiflungsvolle Referendarius eine Pistole aus dem Busen und drückte sie sich an die Stirne.

Balthasar stürzte mit Blitzesschnelle auf ihn zu, schleuderte ihm die Pistole weit weg aus der Hand und rief: „Pulcher! um Gottes willen, was ist dir, was tust du!“

Der Referendarius konnte einige Minuten hindurch nicht zu sich selbst kommen. Er war halb ohnmächtig niedergesunken auf den Rasen; Balthasar hatte sich zu ihm gesetzt und sprach tröstende Worte, wie er es nur vermochte, ohne die Ursache von Pulchers Verzweiflung zu wissen.

Hundertmal hatte Balthasar gefragt, was dem Referendarius denn Schreckliches geschehen, das den schwarzen Gedanken des Selbstmordes in ihm rege gemacht. Da seufzte Pulcher endlich tief auf und begann: „Du kennst, lieber Freund Balthasar, meine bedrängte Lage, du weißt, wie ich all meine Hoffnung auf die Stelle des geheimen Expedienten gesetzt, die bei dem Minister der auswärtigen Angelegenheiten offen; du weißt, mit welchem Eifer, mit welchem Fleiß ich mich darauf vorbereitet. Ich hatte meine Ausarbeitungen eingereicht, die, wie ich zu meiner Freude erfuhr, den vollsten Beifall des Ministers erhalten. Mit welcher Zuversicht stellte ich mich heute vormittag zur mündlichen Prüfung! – Ich fand im Zimmer einen kleinen, mißgeschaffenen Kerl, den du wohl unter dem Namen des Herrn Zinnober kennen wirst. Der Legationsrat, dem die Prüfung übertragen, trat mir freundlich entgegen und sagte mir, zu derselben Stelle, die ich zu erhalten wünsche, habe sich auch Herr Zinnober gemeldet, er werde uns *beide* daher prüfen. Dann raunte er mir leise ins

Ohr: ‚Sie haben von Ihrem Mitbewerber nichts zu befürchten, bester Referendarius, die Arbeiten, die der kleine Zinnober eingereicht, sind erbärmlich!' – Die Prüfung begann, keine Frage des Rats ließ ich unbeantwortet. Zinnober wußte nichts, gar nichts; statt zu antworten, schnarchte und quäkte er unvernehmliches Zeug, das niemand verstand, fiel auch, indem er ungebärdig mit den Beinchen strampelte, ein paarmal vom hohen Stuhl herab, so daß ich ihn wieder hinaufheben mußte. Mir bebte das Herz vor Vergnügen; die freundlichen Blicke, die der Rat dem Kleinen zuwarf, hielt ich für die bitterste Ironie. – Die Prüfung war beendigt. Wer schildert meinen Schreck, mir war es, als wenn ein jäher Blitz mich klaftertief hineinschlüge in den Boden, als der Rat den Kleinen umarmte, zu ihm sprach: ‚Herrlicher Mensch! – welche Kenntnis – welcher Verstand – welcher Scharfsinn!' – dann zu mir: ‚Sie haben mich sehr getäuscht, Herr Referendarius Pulcher – Sie wissen ja gar nichts! – Und – nehmen Sie es mir nicht übel, die Art, wie Sie sich zur Prüfung ermutigt haben mögen, läuft gegen alle Sitte, gegen allen Anstand! – Sie konnten sich ja gar nicht auf dem Stuhl erhalten, Sie fielen ja herab, und Herr Zinnober mußte Sie aufrichten. Diplomatische Personen müssen fein nüchtern sein und besonnen. – Adieu, Herr Referendarius!' – Noch hielt ich alles für ein tolles Gaukelspiel. Ich wagte es, ich ging hin zum Minister. Er ließ mir heraussagen, wie ich mich unterstehen könne, ihn noch mit meinem Besuch zu behelligen, nach der Art, wie ich mich in der Prüfung bewiesen – er wisse schon alles! Der Posten, zu dem ich mich gedrängt, sei schon vergeben an Herrn Zinnober! – So hat mir irgendeine höllische Macht alle Hoffnung geraubt, und ich will ein Leben freiwillig opfern, das dem dunklen Verhängnis anheimgefallen! – Verlaß mich!" –

„Nimmermehr", rief Balthasar, „erst höre mich an!"

Er erzählte nun alles, was er von Zinnober wußte seit seiner ersten Erscheinung vor dem Tor von Kerepes; wie es ihm mit dem Kleinen ergangen im Mosch Terpins Hause; was er eben jetzt von Vincenzo Sbiocca vernommen. „Es ist nur zu gewiß", sprach er dann, „daß allem Beginnen der unseligen Mißgeburt irgend etwas Geheimnisvolles zum Grunde liegt, und glaube mir, Freund Pulcher, – ist irgendein höllischer Zauber im Spiele, so kommt es nur darauf an, ihm mit festem Sinn entgegenzutreten, der Sieg ist gewiß, wenn nur der Mut vorhanden. – Darum nicht verzagt, kein zu rascher Entschluß. Laß uns vereint dem kleinen Hexenkerl zu Leibe gehen!" –

„Hexenkerl", rief der Referendarius mit Begeisterung, „ja Hexenkerl, ein ganz verfluchter Hexenkerl ist der Kleine, das ist gewiß! – Doch, Bruder Balthasar, was ist uns denn, liegen wir im Traume? – Hexenwesen – Zaubereien – ist es denn damit nicht vorbei seit langer Zeit? Hat denn nicht vor vielen Jahren Fürst Paphnutius der Große die Aufklärung eingeführt und alles tolle Unwesen, alles Unbegreifliche aus dem Lande verbannt, und doch soll noch dergleichen verwünschte Konterbande sich eingeschlichen haben? – Wetter! das müßte man ja gleich der Polizei anzeigen und den Maut-Offizianten! – Aber nein, nein – nur der Wahnsinn der Leute oder, wie ich beinahe fürchte, ungeheure Bestechung ist schuld an unserm Unglück. – Der verwünschte Zinnober soll unermeßlich reich sein. Er stand neulich vor der Münze, und da zeigten die Leute mit Fingern nach ihm und riefen: ‚Seht den kleinen hübschen Papa! – dem gehört alles blanke Gold, was da drinnen geprägt wird!'"

„Still", erwiderte Balthasar, „still, Freund Referendarius, mit dem Golde zwingt es der Unhold nicht, es ist etwas anderes dahinter! – Wahr, daß Fürst Paphnutius die Aufklärung einführte zu Nutz und Frommen seines Volks, seiner Nachkommenschaft, aber manches Wunderbare, Unbegreifliche ist doch noch zurückgeblieben. Ich meine, man hat noch so fürs Haus einige hübsche Wunder zurückbehalten. Zum Beispiel noch immer wachsen aus lumpichten Samenkörnern die höchsten, herrlichsten Bäume, ja sogar die mannigfaltigsten Früchte und Getreidearten, womit wir uns den Leib stopfen. Erlaubt man ja wohl noch gar den bunten Blumen, den Insekten auf ihren Blättern und Flügeln die glänzendsten Farben, selbst die allerverwunderlichsten Schriftzüge zu tragen, von denen kein Mensch weiß, ob es Öl ist, Guasche oder Aquarellmanier, und kein

Teufel von Schreibmeister kann die schmucke Kurrentschrift lesen, geschweige denn nachschreiben! – Hoho! Referendarius, ich sage dir, es geht in meinem Innern zuweilen Absonderliches vor! – Ich lege die Pfeife weg und schreite im Zimmer auf und ab, und eine seltsame Stimme flüstert, ich sei selbst ein Wunder, der Zauberer Mikrokosmus hantiere in mir und treibe mich an zu allerlei tollen Streichen! – Aber, Referendarius, dann laufe ich fort und schaue hinein in die Natur und verstehe alles, was die Blumen, die Gewässer zu mir sprechen, und mich umfängt selige Himmelslust!" –

„Du sprichst im Fieber", rief Pulcher; aber Balthasar, ohne auf ihn zu achten, streckte die Arme aus, wie von inbrünstiger Sehnsucht erfaßt, nach der Ferne. „Horche doch nur", rief Balthasar, „horche doch nur, o Referendarius, welche himmlische Musik im Rauschen des Abendwindes durch den Wald ertönt! – Hörst du wohl, wie die Quellen stärker erheben ihren Gesang? wie die Büsche, die Blumen einfallen mit lieblichen Stimmen?" –

Der Referendarius hielt das Ohr hin, um die Musik zu erhorchen, von der Balthasar sprach. „In der Tat", fing er dann an, „in der Tat, es wehen Töne durch den Wald, die die anmutigsten, herrlichsten sind, welche ich in meinem Leben gehört und die mir tief in die Seele dringen. Doch ist es nicht der Abendwind, nicht die Büsche, nicht die Blumen sind es, die so singen, vielmehr deucht es mir, als wenn jemand in der Ferne die tiefsten Glocken einer Harmonika anstriche."

Pulcher hatte recht. Wirklich glichen die vollen, immer stärker und stärker anschwellenden Akkorde, die immer näher hallten, den Tönen einer Harmonika, deren Größe und Stärke aber unerhört sein mußte. Als nun die Freunde weiter vorschritten, bot sich ihnen ein Schauspiel dar, so zauberhaft, daß sie vor Erstaunen erstarrt – festgewurzelt – stehenblieben. In geringer Entfernung fuhr ein Mann langsam durch den Wald, beinahe chinesisch gekleidet, nur trug er ein weitbauschiges Barett mit schönen Schwungfedern auf dem Haupte. Der Wagen glich einer offenen Muschel von funkelndem Kristall, die beiden hohen

Räder schienen von gleicher Masse. Sowie sie sich drehten, erklangen die herrlichen Harmonikatöne, die die Freunde schon aus der Ferne gehört. Zwei schneeweiße Einhörner mit goldenem Geschirr zogen den Wagen, auf dem statt des Fuhrmanns ein Silberfasan saß, die goldnen Leinen im Schnabel haltend. Hintenauf saß ein großer Goldkäfer, der, mit den flimmernden Flügeln flatternd, dem wunderbaren Mann in der Muschel Kühlung zuzuwehen schien. Sowie er bei den Fremden vorüberkam, nickte er ihnen freundlich zu. In dem Augenblick fiel aus dem funkelnden Knopf des langen Rohrs, das der Mann in der Hand trug, ein Strahl auf Balthasar, so daß er einen brennenden Stich tief in der Brust fühlte und mit einem dumpfen Ach! zusammenfuhr. –

Der Mann blickte ihn an und lächelte und winkte noch freundlicher als zuvor. Sowie das zauberische Fuhrwerk im dichten Gebüsch verschwand, noch im sanften Nachhallen der Harmonikatöne, fiel Balthasar, ganz außer sich vor Wonne und Entzücken, dem Freunde um den Hals und rief: „Referendarius, wir sind gerettet! – jener ist's, der Zinnobers verruchten Zauber bricht!" –

„Ich weiß nicht", sprach Pulcher, „ich weiß nicht, wie mir in diesem Augenblick zumute, ob ich wache, ob ich träume; aber so viel ist gewiß, daß ein unbekanntes Wonnegefühl mich durchdringt und daß Trost und Hoffnung in meine Seele wiederkehrt."

Fünftes Kapitel

Wie Fürst Barsanuph Leipziger Lerchen und Danziger Goldwasser frühstückte, einen Butterfleck auf die Kasimirhose bekam und den Geheimen Sekretär Zinnober zum Geheimen Spezialrat erhob. – Die Bilderbücher des Doktors Prosper Alpanus. – Wie ein Portier den Studenten Fabian in den Finger biß, dieser ein Schleppkleid trug und deshalb verhöhnt wurde. – Balthasars Flucht.

Es ist nicht länger zu verhehlen, daß der Minister der auswärtigen Angelegenheiten, bei dem Herr Zinnober als Geheimer Expedient angenommen, ein Abkömmling jenes Barons Prätextatus von Mondschein war, der den Stammbaum der Fee Rosabelverde in den Turnierbüchern und Chroniken vergebens suchte. Er hieß wie sein Ahnherr Prätextatus von Mondschein, war von der feinsten Bildung, den angenehmsten Sitten, verwechselte niemals das Mich und Mir, das Ihnen und Sie, schrieb seinen Namen mit französischen Lettern sowie überhaupt eine leserliche Hand und arbeitete sogar zuweilen *selbst*, vorzüglich wenn das Wetter schlecht war. Fürst Barsanuph, ein Nachfolger des großen Paphnutz, liebte ihn zärtlich, denn er hatte auf jede Frage eine Antwort, spielte in den Erholungsstunden mit dem Fürsten Kegel, verstand sich herrlich aufs Geld-Negoz und suchte in der Gavotte seinesgleichen.

Es begab sich, daß der Baron Prätextatus von Mondschein den Fürsten eingeladen hatte zum Frühstück auf Leipziger Lerchen und ein Gläschen Danziger Goldwasser. Als er nun hinkam in Mondscheins Haus, fand er im Vorsaal unter mehreren angenehmen diplomatischen Herren den kleinen Zinnober, der, auf seinem Stock gestemmt, ihn mit seinen Äugelein anfunkelte und, ohne sich weiter an ihn zu kehren, eine gebratene Lerche ins Maul steckte, die er soeben vom Tische gemaust. Sowie der Fürst den Kleinen erblickte, lächelte er ihn gnädig an und sprach zum Minister: „Mondschein! was haben Sie da für einen kleinen, hübschen, verständigen Mann in Ihrem Hause? – Es ist gewiß derselbe, der die wohl stilisierten und schön geschriebenen Berichte verfertigt, die ich seit einiger Zeit von Ihnen erhalte?“ – „Allerdings, gnädigster Herr“, erwiderte Mondschein. „Mir hat das Geschick ihn zugeführt als den geistreichsten, geschicktesten Arbeiter in meinem Bureau. Er nennt sich Zinnober, und ich empfehle den jungen herrlichen Mann ganz vorzüglich Ihrer Huld und Gnade, mein bester Fürst! – Erst seit wenigen Tagen ist er bei mir.“ – „Und ebendeshalb“, sprach ein junger hübscher Mann, der sich indessen genähert, „und ebendeshalb hat, wie Ew. Exzellenz zu bemerken erlauben werden, mein kleiner Kollege noch gar nichts expediert. Die Berichte, die das Glück hatten, von Ihnen, mein durchlauchtigster Fürst, mit Wohlgefallen bemerkt zu werden, sind von mir verfaßt.“ – „Was wollen

Sie!" fuhr der Fürst ihn zornig an. – Zinnober hatte sich dicht an den Fürsten geschoben und schmatzte, die Lerche verzehrend, vor Gier und Appetit. – Der junge Mensch war es wirklich, der jene Berichte verfaßt, aber: „Was wollen Sie", rief der Fürst, „Sie haben ja noch gar nicht die Feder angerührt? – Und daß Sie dicht bei mir gebratene Lerchen verzehren, so daß, wie ich zu meinem großen Ärger bemerken muß, meine neue Kasimirhose bereits einen Butterfleck bekommen, daß Sie dabei so unbillig schmatzen, ja! – alles das beweiset hinlänglich Ihre völlige Untauglichkeit zu jeder diplomatischen Laufbahn! – Gehen Sie fein nach Hause und lassen Sie sich nicht wieder vor mir sehen, es sei denn, Sie brächten mir eine nützliche Fleckkugel für meine Kasimirhose. – Vielleicht wird mir dann wieder gnädig zumute!" Dann zum Zinnober: „Solche Jünglinge wie Sie, werter Zinnober, sind eine Zierde des Staats und verdienen ehrenvoll ausgezeichnet zu werden! – Sie sind Geheimer Spezialrat, mein Bester!" – „Danke schönstens", schnarrte Zinnober, indem er den letzten Bissen hinunterschluckte und sich das Maul wischte mit beiden Händchen, „danke schönstens, ich werd das Ding schon machen, wie es mir zukommt."

„Wackres Selbstvertrauen", sprach der Fürst mit erhobener Stimme, „wackres Selbstvertrauen zeugt von der innern Kraft, die dem würdigen Staatsmann inwohnen muß!" – Und auf diesen Spruch nahm der Fürst ein Schnäpschen Goldwasser, welches der Minister selbst ihm darreichte und das ihm sehr wohl bekam. – Der neue Rat mußte Platz nehmen zwischen dem Fürsten und Minister. Er verzehrte unglaublich viel Lerchen und trank Malaga und Goldwasser durcheinander und schnarrte und brummte zwischen den Zähnen und hantierte, da er kaum mit der spitzen Nase über den Tisch reichen konnte, gewaltig mit den Händchen und Beinchen.

Als das Frühstück beendigt, riefen beide, der Fürst und der Minister: „Es ist ein englischer Mensch, dieser Geheime Spezialrat!" –

„Du siehst“, sprach Fabian zu seinem Freunde Balthasar, „du siehst so fröhlich aus, deine Blicke leuchten in besonderm Feuer. – Du fühlst dich glücklich? – Ach, Balthasar, du träumst vielleicht einen schönen Traum, aber ich muß dich daraus erwecken, es ist Freundes Pflicht!“

„Was hast du, was ist geschehen?“ fragte Balthasar bestürzt.

„Ja“, fuhr Fabian fort, „ja! – ich muß es dir sagen! Fasse dich nur, mein Freund! – Bedenke, daß vielleicht kein Unfall in der Welt schmerzlicher trifft und doch leichter zu verwinden ist als eben dieser! – Candida“ –

„Um Gott“, schrie Balthasar entsetzt, „Candida! – was ist mit Candida? – ist sie hin – ist sie tot?“

„Ruhig“, sprach Fabian weiter, „ruhig, mein Freund! – nicht tot ist Candida, aber so gut als tot für dich! – Wisse, daß der kleine Zinnober Geheimer Spezialrat geworden und so gut als versprochen ist mit der schönen Candida, die, Gott weiß wie, in ihn ganz vernarrt sein soll.“

Fabian glaubte, daß Balthasar nun losbrechen werde in ungestüme, verzweiflungsvolle Klagen und Verwünschungen. Statt dessen sprach er mit ruhigem Lächeln: „Ist es nichts weiter als das, so gibt es keinen Unfall, der mich betrüben könnte.“

„Du liebst Candida nicht mehr?“ fragte Fabian voll Erstaunen.

„Ich liebe“, erwiderte Balthasar, „ich liebe das Himmelskind, das herrliche Mädchen mit aller Inbrunst, mit aller Schwärmerei, die nur in eines Jünglings Brust sich entzünden kann! Und ich weiß – ach ich weiß es, daß Candida mich wiederliebt, daß nur ein verruchter Zauber sie umstrickt hält, aber bald löse ich die Bande dieses Hexenwesens, bald vernichte ich den Unhold, der die Arme betört.“ –

Balthasar erzählte nun dem Freunde ausführlich von dem wunderbaren Mann, dem er in dem seltsamsten Fuhrwerk im Walde begegnet. Er schloß damit, daß, sowie aus dem Stockknopf des zauberischen Wesens ein Strahl in seine Brust gefunkelt, der feste Gedanke in ihm aufgegangen, daß Zinnober nichts sei als ein Hexenmännlein, dessen Macht jener Mann vernichten werde.

„Aber“, rief Fabian, als der Freund geendet, „aber Balthasar, wie kannst du nur auf solches tolles, wunderliches Zeug verfallen? – Der Mann, den du für einen Zauberer hältst, ist niemand anders als der Doktor Prosper Alpanus, der unfern der Stadt auf seinem Landhause wohnt. Wahr ist es, daß die wunderlichsten Gerüchte von ihm verbreitet werden, so daß man ihn beinahe für einen zweiten Cagliostro halten möchte; aber daran ist er selbst schuld. Er liebt es, sich in mystisches Dunkel zu hüllen, den Schein eines mit den tiefsten Geheimnissen der Natur vertrauten Mannes anzunehmen, der unbekannten Kräften gebietet, und dabei hat er die bizarrsten Einfälle. So ist zum Beispiel sein Fuhrwerk so seltsam beschaffen, daß ein Mensch, der von lebhafter feuriger Phantasie ist, wie du, mein Freund, wohl dahin gebracht werden kann, alles für eine Erscheinung aus irgendeinem tollen Märchen zu halten. Höre also! – Sein Kabriolett hat die Form einer Muschel und ist über und über versilbert, zwischen den Rädern ist eine Drehorgel angebracht, welche, sowie der Wagen fährt, von selbst spielt. Das, was du für einen Silberfasan hieltest, war gewiß sein kleiner weißgekleideter Jockei, so wie du gewiß die Blätter des ausgespreiteten Sonnenschirms für die Flügeldecken eines Goldkäfers hieltest. Seinen beiden weißen Pferdchen läßt er große Hörner anschrauben, damit es nur recht fabelhaft aussehn soll. Übrigens ist es richtig, daß der Doktor Alpanus ein schönes spanisches Rohr trägt mit einem herrlich funkelnden Kristall, der oben darauf sitzt als Knopf und von dessen wunderlicher Wirkung man viel Fabelhaftes erzählt oder vielmehr lügt. Den Strahl dieses Kristalls soll nämlich kaum ein Auge ertragen. Verhüllt ihn der Doktor mit einem dünnen Schleier und richtet man nun den festen Blick darauf, so soll das Bild der Person, das man in dem innersten Gedanken trägt, außerhalb wie in einem Hohlspiegel erscheinen.“

„In der Tat“, fiel Balthasar dem Freunde ins Wort, „in der Tat? Erzählt man das? – Was spricht man denn wohl noch weiter von dem Herrn Doktor Prosper Alpanus?“

„Ach“, erwiderte Fabian, „verlange doch nur nicht, daß ich von den tollen Fratzen und Possen viel reden soll. Du weißt ja, daß es noch bis jetzt abenteuerliche Leute gibt, die der gesunden Vernunft entgegen an alle sogenannte Wunder alberner Ammenmärchen glauben.“

„Ich will dir gestehen“, fuhr Balthasar fort, „daß ich genötigt bin, mich selbst zu der Partie dieser abenteuerlichen Leute ohne gesunde Vernunft zu schlagen. Versilbertes Holz ist kein glänzendes durchsichtiges Kristall, eine Drehorgel tönt nicht wie eine Harmonika, ein Silberfasan ist kein Jockei und ein Sonnenschirm kein Goldkäfer. Entweder war der wunderbare Mann, dem ich begegnete, nicht der Doktor Prosper Alpanus, von dem du sprichst, oder der Doktor herrscht wirklich über die außerordentlichsten Geheimnisse.“

„Um“, sprach Fabian, „um dich ganz von deinen seltsamen Träumereien zu heilen, ist es am besten, daß ich dich geradezu hinführe zu dem Doktor Prosper Alpanus. Dann wirst du es selbst verspüren, daß der Herr Doktor ein ganz gewöhnlicher Arzt ist und keineswegs spazierenfährt mit Einhörnern, Silberfasanen und Goldkäfern.“

„Du sprichst“, erwiderte Balthasar, indem ihm die Augen hell auffunkelten, „du sprichst, mein Freund, den innigsten Wunsch meiner Seele aus. – Wir wollen uns nur gleich auf den Weg machen.“

Bald standen sie vor dem verschlossenen Gattertor des Parks, in dessen Mitte das Landhaus des Doktor Alpanus lag. „Wie kommen wir nur hinein?“ sprach Fabian. „Ich denke, wir klopfen“, erwiderte Balthasar und faßte den metallenen Klöpfel, der dicht beim Schlosse angebracht war. –

Sowie er den Klöpfel aufhob, begann ein unterirdisches Murmeln wie ein ferner Donner und schien zu verhallen in der tiefsten Tiefe. Das Gattertor drehte sich langsam auf, sie traten ein und wanderten fort durch einen langen, breiten Baumgang, durch den sie das Landhaus erblickten. „Spürst du“, sprach Fabian, „hier etwas Außerordentliches, Zauberisches?“ – „Ich dächte“, erwiderte Balthasar, „die Art, wie sich das Gattertor öffnete, wäre doch nicht so ganz gewöhnlich gewesen, und dann weiß ich nicht, wie mich hier alles so wunderbar, so magisch anspricht. – Gibt es denn wohl auf weit und breit solche herrliche Bäume als eben hier in diesem Park? – Ja, mancher Baum, manches Gebüsch scheint ja mit seinen glänzenden Stämmen und smaragdenen Blättern einem fremden, unbekannten Lande anzugehören.“ –

Fabian bemerkte zwei Frösche von ungewöhnlicher Größe, die schon von dem Gattertor an zu beiden Seiten der Wandelnden mitgehüpft waren. „Schöner Park“, rief Fabian, „in dem es solch Ungeziefer gibt!“ und bückte sich nieder, um einen kleinen Stein aufzuheben, mit dem er nach den lustigen Fröschen zu werfen gedachte. Beide sprangen ins Gebüsch und guckten ihn mit glänzenden menschlichen Augen an. „Wartet, wartet!“ rief Fabian, zielte nach dem einen und warf. In dem Augenblick quäkte aber ein kleines häßliches Weib, das am Wege saß: „Grobian! schmeiß Er nicht ehrliche Leute, die hier im Garten mit saurer Arbeit ihr bißchen Brot verdienen müssen.“ – „Komm nur, komm“, murmelte Balthasar entsetzt, denn er merkte wohl, daß der Frosch sich gestaltet zum alten Weibe. Ein Blick ins Gebüsch überzeugte ihn, daß der andere Frosch, jetzt ein kleines Männlein geworden, sich mit Ausjäten des Unkrauts beschäftigte. –

Vor dem Landhause befand sich ein großer schöner Rasenplatz, auf dem die beiden Einhörner weideten, während die herrlichsten Akkorde in den Lüften erklangen.

„Siehst du wohl, hörst du wohl?“ sprach Balthasar.

„Ich sehe nichts weiter“, erwiderte Fabian, „als zwei kleine Schimmel, die Gras fressen, und was so in den Lüften tönt, sind wahrscheinlich aufgehängte Äolsharfen.“

Die herrliche einfache Architektur des mäßig großen, einstökkigen Landhauses entzückte den Balthasar. Er zog an der Klingelschnur, sogleich ging die Türe auf, und ein großer straußartiger, ganz goldgelb gleißender Vogel stand als Portier vor den Freunden.

„Nun seh“, sprach Fabian zu Balthasar, „nun seh einmal einer die tolle Livree! – Will man auch nachher dem Kerl ein Trinkgeld geben, hat er wohl eine Hand, es in die Westentasche zu schieben?"

Und damit wandte er sich zu dem Strauß, packte ihn bei den glänzenden Flaumfedern, die unter dem Schnabel an der Kehle wie ein reiches Jabot sich aufplusterten, und sprach: „Meld Er uns bei dem Herrn Doktor, mein scharmanter Freund!" – Der Strauß sagte aber nichts als „Quirrr" – und biß den Fabian in den Finger. „Tausend Sapperment", schrie Fabian, „der Kerl ist doch wohl am Ende ein verfluchter Vogel!"

In demselben Augenblick ging eine innere Türe auf, und der Doktor selbst trat den Freunden entgegen. – Ein kleiner dünner, blasser Mann! – Er trug ein kleines samtnes Mützchen auf dem Haupte, unter dem schönes Haar in langen Locken hervorströmte, ein langes erdgelbes indisches Gewand und kleine rote Schnürstiefelchen, ob mit buntem Pelz oder dem glänzenden Federbalg eines Vogels besetzt, war nicht zu unterscheiden. Auf seinem Antlitz lag die Ruhe, die Gutmütigkeit selbst, nur schien es seltsam, daß, wenn man ihn recht nahe, recht scharf anblickte, es war, als schaue aus dem Gesicht noch ein kleineres Gesichtchen wie aus einem gläsernen Gehäuse heraus.

„Ich erblickte", sprach nun leise und etwas gedehnt mit anmutigem Lächeln Prosper Alpanus, „ich erblickte Sie, meine Herrn, aus dem Fenster, ich wußte auch wohl schon früher, wenigstens was Sie betrifft, lieber Herr Balthasar, daß Sie zu mir kommen würden. – Folgen Sie mir gefälligst!" –

Prosper Alpanus führte sie in ein hohes rundes Zimmer, rings umher mit himmelblauen Gardinen behängt. Das Licht fiel durch ein oben in der Kuppel angebrachtes Fenster herab und warf seine Strahlen auf den glänzend polierten, von einer Sphinx getragenen Marmortisch, der mitten im Zimmer stand. Sonst war durchaus nichts Außerordentliches in dem Gemach zu bemerken.

„Worin kann ich Ihnen dienen?" fragte Prosper Alpanus.

Da faßte sich Balthasar zusammen, erzählte, was sich mit dem kleinen Zinnober begeben von seinem ersten Erscheinen in

Kerepes an, und schloß mit der Versicherung, wie in ihm der feste Gedanke aufgegangen, daß er, Prosper Alpanus, der wohltätige Magus sei, der Zinnobers verworfenem, abscheulichem Zauberwerk Einhalt tun werde.

Prosper Alpanus blieb schweigend in tiefen Gedanken stehen. Endlich, nachdem wohl ein paar Minuten vergangen, begann er mit ernster Miene und tiefem Ton: „Nach allem, was Sie mir erzählt, Balthasar, unterliegt es keinem Zweifel, daß es mit dem kleinen Zinnober eine besondere geheimnisvolle Bewandtnis hat. – Aber man muß fürs erste den Feind kennen, den man bekämpfen, die Ursache wissen, deren Wirkung man zerstören will. – Es steht zu vermuten, daß der kleine Zinnober nichts anders ist als ein Wurzelmännlein. Wir wollen doch gleich nachsehen."

Damit zog Prosper Alpanus an einer von den seidenen Schnüren, die rund umher an der Decke des Zimmers herabhingen. Eine Gardine rauschte auseinander, große Folianten in ganz vergoldeten Einbänden wurden sichtbar, und eine zierliche, luftig leichte Treppe von Zedernholz rollte hinab. Prosper Alpanus stieg diese Treppe hinan und holte aus der obersten Reihe einen Folianten, den er auf den Marmortisch legte, nachdem er ihn mit einem großen Büschel blinkender Pfauenfedern sorgfältig abgestäubt. „Dies Werk", sprach er dann, „handelt von den Wurzelmännern, die sämtlich darin abgebildet; vielleicht finden Sie Ihren feindlichen Zinnober darunter, und dann ist er in unsere Hände geliefert."

Als Prosper Alpanus das Buch aufschlug, erblickten die Freunde eine Menge sauber illuminierter Kupfertafeln, die die allerverwunderlichsten, mißgestaltetsten Männlein mit den tollsten Fratzengesichtern darstellten, die man nur sehen konnte. Aber sowie Prosper eins dieser Männlein auf dem Blatt berührte, wurd es lebendig, sprang heraus und gaukelte und hüpfte auf dem Marmortisch gar possierlich umher und schnippte mit den Fingerchen und machte mit den krummen Beinchen die allerschönsten Pirouetten und Entrechats und sang dazu Quirr, Quapp, Pirr, Papp, bis es Prosper bei dem Kopfe ergriff und wieder ins Buch legte, wo es sich alsbald ausglättete und ausplättete zum bunten Bilde.

Auf dieselbe Weise wurden alle Bilder des Buchs durchgesehen, aber sooft schon Balthasar rufen wollte: „Dies ist er, dies ist Zinnober!“, so mußte er doch, genauer hinblickend, zu seinem Leidwesen wahrnehmen, daß das Männlein keinesweges Zinnober war.

„Das ist doch wunderlich genug“, sprach Prosper Alpanus, als das Buch zu Ende. – „Doch“, fuhr er fort, „mag Zinnober vielleicht gar ein Erdgeist sein. Sehen wir nach.“

Damit hüpfte er mit seltener Behendigkeit abermals die Zederntreppe herauf, holte einen andern Folianten, stäubte ihn säuberlich ab, legte ihn auf den Marmortisch und schlug ihn auf, sprechend: „Dies Werk handelt von den Erdgeistern, vielleicht haschen wir den Zinnober in diesem Buche.“ Die Freunde erblickten wiederum eine Menge sauber illuminierter Kupfertafeln, die abscheulich häßliche braungelbe Unholde darstellten. Und wie sie Prosper Alpanus berührte, erhoben sie weinerlich quäkende Klagen und krochen endlich schwerfällig heraus und wälzten sich knurrend und ächzend auf dem Marmortische herum, bis der Doktor sie wieder hineindrückte ins Buch.

Auch unter diesen hatte Balthasar den Zinnober nicht gefunden.

„Wunderlich, höchst wunderlich“, sprach der Doktor und versank in stummes Nachdenken.

„Der Käferkönig“, fuhr er dann fort, „der Käferkönig kann es nicht sein, denn der ist, wie ich gewiß weiß, eben jetzt anderswo beschäftigt; Spinnenmarschall auch nicht, denn Spinnenmarschall ist zwar häßlich, aber verständig und geschickt, lebt auch von seiner Hände Arbeit, ohne sich andrer Taten anzumaßen. – Wunderlich – sehr wunderlich.“ –

Er schwieg wieder einige Minuten, so daß man allerlei wunderbare Stimmen, die bald in einzelnen Lauten, bald in vollen anschwellenden Akkorden ringsumher ertönten, deutlich vernahm. „Sie haben überall und immerfort recht artige Musik, lieber Herr Doktor“, sprach Fabian. Prosper Alpanus schien gar nicht auf Fabian zu achten, er faßte nur den Balthasar ins Auge, indem er erst beide Arme nach ihm ausstreckte und dann die Fingerspitzen gegen ihn hin bewegte, als besprenge er ihn mit unsichtbaren Tropfen.

Endlich faßte der Doktor Balthasars beide Hände und sprach mit freundlichem Ernst: „Nur die reinste Konsonanz des psychischen Prinzips im Gesetz des Dualismus begünstigt die Operation, die ich jetzt unternehmen werde. Folgen Sie mir!" –

Die Freunde folgten dem Doktor durch mehrere Zimmer, die außer einigen seltsamen Tieren, die sich mit Lesen – Schreiben – Malen – Tanzen beschäftigten, eben nichts Merkwürdiges enthielten, bis sich zwei Flügeltüren öffneten und die Freunde vor einen dichten Vorhang traten, hinter den Prosper Alpanus verschwand und sie in dicker Finsternis ließ. Der Vorhang rauschte auseinander, und die Freunde befanden sich in einem, wie es schien, eirunden Saal, in dem ein magisches Helldunkel verbreitet. Es war, betrachtete man die Wände, als verlöre sich der Blick in unabsehbare grüne Haine und Blumenauen mit plätschernden Quellen und Bächen. Der geheimnisvolle Duft eines unbekannten Aroma wallte auf und nieder und schien die süßen Töne der Harmonika hin und her zu tragen. Prosper Alpanus erschien ganz weißgekleidet wie ein Brahmin und stellte in die Mitte des Saals einen großen runden Kristallspiegel, über den er einen Flor warf.

„Treten Sie", sprach er dumpf und feierlich, „treten Sie vor diesen Spiegel, Balthasar, richten Sie Ihre festen Gedanken auf Candida – *wollen* Sie mit ganzer Seele, daß sie sich Ihnen zeige in dem Moment, der jetzt existiert in Raum und Zeit." –

Balthasar tat, wie ihm geheißen, indem Prosper Alpanus sich hinter ihn stellte und mit beiden Händen Kreise um ihn beschrieb.

Wenige Sekunden hatte es gedauert, als ein bläulicher Duft aus dem Spiegel wallte. Candida, die holde Candida erschien in ihrer lieblichen Gestalt mit aller Fülle des Lebens! Aber neben ihr, dicht neben ihr saß der abscheuliche Zinnober und drückte ihr die Hände, küßte sie – Und Candida hielt den Unhold mit einem Arm umschlungen und liebkoste ihn! – Balthasar wollte laut aufschreien, aber Prosper Alpanus faßte ihn bei beiden Schultern hart an, und der Schrei erstickte in der Brust. „Ruhig“, sprach Prosper leise, „ruhig, Balthasar! – Nehmen Sie dies Rohr und führen Sie Streiche gegen den Kleinen, doch ohne sich von der Stelle zu rühren.“ Balthasar tat es und gewahrte zu seiner Lust, wie der Kleine sich krümmte, umstülpte, sich auf der Erde wälzte! – In der Wut sprang er vorwärts, da zerrann das Bild in Dunst und Nebel, und Prosper Alpanus riß den tollen Balthasar mit Gewalt zurück, laut rufend: „Halten Sie ein! – zerschlagen Sie den magischen Spiegel, so sind wir alle verloren! – Wir wollen in das Helle zurück.“ – Die Freunde verließen auf des Doktors Geheiß den Saal und traten in ein anstoßendes helles Zimmer.

„Dem Himmel“, rief Fabian, tief Atem schöpfend, „dem Himmel sei gedankt, daß wir aus dem verwünschten Saal heraus sind. Die schwüle Luft hat mir beinahe das Herz abgedrückt, und dann die albernen Taschenspielereien dazu, die mir in tiefer Seele zuwider sind.“

Balthasar wollte antworten, als Prosper Alpanus eintrat.

„Es ist“, sprach er, „es ist nunmehr gewiß, daß der mißgestaltete Zinnober weder ein Wurzelmann noch ein Erdgeist ist, sondern ein gewöhnlicher Mensch. Aber es ist eine geheime zauberische Macht im Spiele, die zu erkennen mir bis jetzt noch nicht gelungen, und ebendeshalb kann ich auch noch nicht helfen. – Besuchen Sie mich bald wieder, Balthasar, wir wollen dann sehen, was weiter zu beginnen. Auf Wiedersehn!“ –

„Also“, sprach Fabian, dicht an den Doktor herantretend, „also ein Zauberer sind Sie, Herr Doktor, und können mit all Ihrer Zauberkunst nicht einmal dem kleinen erbärmlichen Zinnober zu Leibe? – Wissen Sie wohl, daß ich Sie mitsamt Ihren bunten Bildern, Püppchen, magischen Spiegeln, mit all Ihrem fratzenhaften Kram für einen rechten ausgemachten Charlatan halte? – Der Balthasar, der ist verliebt und macht Verse, dem können Sie allerlei Zeug einreden, aber bei mir kommen Sie schlecht an! – Ich bin ein aufgeklärter Mensch und statuiere durchaus keine Wunder!"

„Halten Sie", erwiderte Prosper Alpanus, indem er stärker und herzlicher lachte, als man es ihm nach seinem ganzen Wesen wohl zutrauen konnte, „halten Sie das, wie Sie wollen. Aber – bin ich gleich nicht eben ein Zauberer, so gebiete ich doch über hübsche Kunststückchen." –

„Aus Wieglebs ‚Magie' wohl oder sonst!" – rief Fabian. „Nun, da finden Sie an unserm Professor Mosch Terpin Ihren Meister und dürfen sich mit ihm nicht vergleichen, denn der ehrliche Mann zeigt uns immer, daß alles natürlich zugeht, und umgibt sich gar nicht mit solcher geheimnisvoller Wirtschaft als Sie, mein Herr Doktor. – Nun, ich empfehle mich Ihnen gehorsamst!"

„Ei", sprach der Doktor, „Sie werden doch nicht so im Zorn von mir scheiden?"

Und damit strich er dem Fabian an beiden Armen einige Male leise herab von der Schulter bis zum Handgelenk, daß diesem ganz besonders zumute wurde und er beklommen rief: „Was machen Sie denn, Herr Doktor!" – „Gehen Sie, meine Herrn", sprach der Doktor, „Sie, Herr Balthasar, hoffe ich recht bald wiederzusehen. – Bald wird die Hilfe gefunden sein!"

„Er bekommt *doch* kein Trinkgeld, mein Freund", rief Fabian im Herausgehen dem goldgelben Portier zu und faßte ihm nach dem Jabot. Der Portier sagte aber wieder nichts als „Quirrr" und biß abermals den Fabian in den Finger.

„Bestie!" rief Fabian und rannte von dannen.

Die beiden Frösche ermangelten nicht, die beiden Freunde höflich zu geleiten bis ans Gattertor, das sich mit einem dumpfen Donner öffnete und schloß. – „Ich weiß", sprach Balthasar, als er auf der Landstraße hinter dem Fabian herwandelte, „ich weiß gar nicht, Bruder, was du heute für einen seltsamen Rock angezogen hast mit solch entsetzlich langen Schößen und solch kurzen Ärmeln."

Fabian gewahrte zu seinem Erstaunen, daß sein kurzes Röckchen hinterwärts bis zur Erde herabgewachsen, daß dagegen die sonst über die Gnüge langen Ärmel hinaufgeschrumpft waren bis an den Ellbogen.

„Tausend Donner, was ist das!“ rief er und zog und zupfte an den Ärmeln und rückte die Schultern. Das schien auch zu helfen, aber wie sie nun durchs Stadttor gingen, so schrumpften die Ärmel herauf, so wuchsen die Rockschöße, daß alles Ziehens und Zupfens und Rückens ungeachtet die Ärmel bald hoch oben an der Schulter saßen, Fabians nackte Arme preisgebend, daß bald sich ihm eine Schleppe nachwälzte, länger und länger sich dehnend. Alle Leute standen still und lachten aus vollem Halse, die Straßenbuben rannten dutzendweise jubelnd und jauchzend über den langen Talar und rissen Fabian um, und wie er sich wieder aufraffte, fehlte kein Stückchen von der Schleppe, nein! – sie war noch länger geworden. Und immer toller und toller wurde Gelächter, Jubel und Geschrei, bis sich endlich Fabian, halb wahnsinnig, in ein offnes Haus stürzte. – Sogleich war auch die Schleppe verschwunden.

Balthasar hatte gar nicht Zeit, sich über Fabians seltsame Verzauberung viel zu verwundern; denn der Referendarius Pulcher faßte ihn, riß ihn fort in eine abgelegene Straße und sprach: „Wie ist es möglich, daß du nicht schon fort bist, daß du dich hier noch sehen lassen kannst, da der Pedell mit dem Verhaftsbefehl dich schon verfolgt.“ – „Was ist das, wovon sprichst du?“ fragte Balthasar voll Erstaunen. „So weit“, fuhr der Referendarius fort, „so weit riß dich der Wahnsinn der Eifersucht hin, daß du das Hausrecht verletztest, feindlich einbrechend in Mosch Terpins Haus, daß du den Zinnober überfielst bei seiner Braut, daß du den mißgestalteten Däumling halbtot prügeltest!“ – „Ich bitte dich“, schrie Balthasar, „den ganzen Tag war ich ja nicht in Kerepes, schändliche Lügen.“ – „O still, still“, fiel ihm Pulcher ins Wort, „Fabians toller unsinniger Einfall, ein Schleppkleid anzuziehen, rettet dich. Niemand achtet jetzt deiner! – Entziehe dich nur der schimpflichen Verhaftung, das übrige wollen wir denn schon ausfechten.

Du darfst nicht mehr in deine Wohnung! – Gib mir die Schlüssel, ich schicke dir alles nach. – Fort nach Hoch-Jakobsheim!"

Und damit riß der Referendarius den Balthasar fort durch entlegene Gassen, durchs Tor hin nach dem Dorfe Hoch-Jakobsheim, wo der berühmte Gelehrte Ptolomäus Philadelphus sein merkwürdiges Buch über die unbekannte Völkerschaft der Studenten schrieb.

Sechstes Kapitel

Wie der Geheime Spezialrat Zinnober in seinem Garten frisiert wurde und im Grase ein Taubad nahm. – Der Orden des grüngefleckten Tigers. – Glücklicher Einfall eines Theaterschneiders. – Wie das Fräulein von Rosenschön sich mit Kaffee begoß und Prosper Alpanus ihr seine Freundschaft versicherte.

Der Professor Mosch Terpin schwamm in lauter Wonne. „Konnte", sprach er zu sich selbst, „konnte mir denn etwas Glücklicheres begegnen, als daß der vortreffliche Geheime Spezialrat in mein Haus kam als Studiosus? – Er heiratet meine Tochter – er wird mein Schwiegersohn, durch ihn erlange ich die Gunst des vortrefflichen Fürsten Barsanuph und steige nach auf der Leiter, die mein herrliches Zinnoberchen hinaufklimmt. – Wahr ist es, daß es mir oft selbst unbegreiflich vorkommt, wie das Mädchen, die Candida, so ganz und gar vernarrt sein kann in den Kleinen. Sonst sieht das Frauenzimmer wohl mehr auf ein hübsches Äußere als auf besondere Geistesgaben, und schaue ich denn nun zuweilen das Spezialmännlein an, so ist es mir, als ob er nicht ganz hübsch zu nennen – sogar – bossu – still – St – St – die Wände haben Ohren. – Er ist des Fürsten Liebling, wird immer höher steigen – höher hinauf und ist mein Schwiegersohn!" –

Mosch Terpin hatte recht, Candida äußerte die entschiedenste Neigung für den Kleinen und sprach, gab hie und da einer, den Zinnobers seltsamer Spuk nicht berückt hatte, zu verstehen, daß der Geheime Spezialrat doch eigentlich ein fatales mißgestaltetes

Ding sei, sogleich von den wunderschönen Haaren, womit ihn die Natur begabt.

Niemand lächelte aber, wenn Candida also sprach, hämischer als der Referendarius Pulcher.

Dieser stellte dem Zinnober nach auf Schritten und Tritten, und hierin stand ihm getreulich der Geheime Sekretär Adrian bei, ebenderselbe junge Mensch, den Zinnobers Zauber beinahe aus dem Bureau des Ministers verdrängt hätte und der des Fürsten Gunst nur durch die vortreffliche Fleckkugel wiedergewann, die er ihm überreichte.

Der Geheime Spezialrat Zinnober bewohnte ein schönes Haus mit einem noch schöneren Garten, in dessen Mitte sich ein mit dichtem Gebüsch umgebener Platz befand, auf dem die herrlichsten Rosen blühten. Man hatte bemerkt, daß allemal den neunten Tag Zinnober bei Tagesanbruch leise aufstand, sich, so sauer es ihm werden mochte, ohne alle Hilfe des Bedienten ankleidete, in den Garten hinabstieg und in den Gebüschen verschwand, die jenen Platz umgaben.

Pulcher und Adrian, irgendein Geheimnis ahnend, wagten es in einer Nacht, als Zinnober, wie sie von seinem Kammerdiener erfahren, vor neun Tagen jenen Platz besucht hatte, die Gartenmauer zu übersteigen und sich in den Gebüschen zu verbergen.

Kaum war der Morgen angebrochen, als sie den Kleinen daherwandeln sahen, schnupfend und prustend, weil ihm, da er mitten durch ein Blumenbeet ging, die tauichten Halme und Stauden um die Nase schlugen.

Als er auf dem Rasenplatz bei den Rosen angekommen, ging ein süßtönendes Wehen durch die Büsche, und durchdringender wurde der Rosenduft. Eine schöne verschleierte Frau mit Flügeln an den Schultern schwebte herab, setzte sich auf den zierlichen Stuhl, der mitten unter den Rosenbüschen stand, nahm mit den leisen Worten „Komm, mein liebes Kind“ den kleinen Zinnober und kämmte ihm mit einem goldenen Kamm sein langes Haar, das den Rücken hinabwallte. Das schien dem Kleinen sehr wohlzutun, denn er blinzelte mit den Äugelein und streckte die

Beinchen lang aus und knurrte und murrte beinahe wie ein Kater. Das hatte wohl fünf Minuten gedauert, da strich noch einmal die zauberische Frau mit einem Finger dem Kleinen die Scheitel entlang, und Pulcher und Adrian gewahrten einen schmalen, feuerfarb glänzenden Streif auf dem Haupte Zinnobers. Nun sprach die Frau: „Lebe wohl, mein süßes Kind! – Sei klug, sei klug, so wie du kannst!" Der Kleine sprach: „Adieu, Mütterchen, klug bin ich genug, du brauchst mir das gar nicht so oft zu wiederholen." –

Die Frau erhob sich langsam und verschwand in den Lüften.

Pulcher und Adrian waren starr vor Erstaunen. Als nun aber Zinnober davonschreiten wollte, sprang der Referendarius hervor und rief laut: „Guten Morgen, Herr Geheimer Spezialrat! ei, wie schön haben Sie sich frisieren lassen!" Zinnober schaute sich um und wollte, als er den Referendarius erblickte, schnell davonrennen. Ungeschickt und schwächlich auf den Beinchen, wie er nun aber war, stolperte er und fiel in das hohe Gras, das die Halme über ihn zusammenschlug, und er lag im Taubade. Pulcher sprang hinzu und half ihm auf die Beine, aber Zinnober schnarrte ihn an: „Herr, wie kommen Sie hier in meinen Garten! scheren Sie sich zum Teufel!" Und damit hüpfte und rannte er, so rasch er nur vermochte, hinein ins Haus.

Pulcher schrieb dem Balthasar diese wunderbare Begebenheit und versprach, seine Aufmerksamkeit auf das kleine zauberische Ungetüm zu verdoppeln. Zinnober schien über das, was ihm widerfahren, trostlos. Er ließ sich zu Bette bringen und stöhnte und ächzte so, daß die Kunde, wie er plötzlich erkrankt, bald zum Minister Mondschein, zum Fürsten Barsanuph gelangte.

Fürst Barsanuph schickte sogleich seinen Leibarzt zu dem kleinen Liebling.

„Mein vortrefflichster Geheimer Spezialrat", sprach der Leibarzt, als er den Puls befühlt, „Sie opfern sich auf für den Staat. Angestrengte Arbeit hat Sie aufs Krankenbett geworfen, anhaltendes Denken Ihnen das unsägliche Leiden verursacht, das Sie empfinden müssen. Sie sehen im Antlitz sehr blaß und eingefallen aus, aber Ihr wertes Haupt glüht schrecklich! – Ei, ei! – doch keine Gehirnentzündung? Sollte das Wohl des Staats dergleichen hervorgebracht haben? Kaum möglich! – Erlauben Sie doch!" –

Der Leibarzt mochte wohl denselben roten Streif auf Zinnobers Haupte gewahren, den Pulcher und Adrian entdeckt hatten. Er wollte, nachdem er einige magnetische Striche aus der Ferne versucht, den Kranken auch verschiedentlich angehaucht, worüber dieser merklich mauzte und quinkelierte, nun mit der Hand hinfahren über das Haupt und berührte dasselbe unversehens. Da sprang Zinnober, schäumend vor Wut, in die Höhe und gab mit seinem kleinen Knochenhändchen dem Leibarzt, der sich gerade ganz über ihn hingebeugt, eine solche derbe Ohrfeige, daß es im ganzen Zimmer widerhallte.

„Was wollen Sie", schrie Zinnober, „was wollen Sie von mir, was krabbeln Sie mir herum auf meinem Kopfe! Ich bin gar nicht krank, ich bin gesund, ganz gesund, werde gleich aufstehen und zum Minister fahren in die Konferenz; scheren Sie sich fort!" –

Der Leibarzt eilte ganz erschrocken von dannen. Als er aber dem Fürsten Barsanuph erzählte, wie es ihm ergangen, rief dieser entzückt aus: „Was für ein Eifer für den Dienst des Staats! – welche Würde, welche Hoheit im Betragen! – welch ein Mensch, dieser Zinnober!" –

„Mein bester Geheimer Spezialrat", sprach der Minister Prätextatus von Mondschein zu dem kleinen Zinnober, „wie herrlich ist es, daß Sie, Ihrer Krankheit nicht achtend, in die Konferenz kommen. Ich habe in der wichtigen Angelegenheit mit dem Kakatukker Hofe ein Memoire entworfen – *selbst* entworfen und bitte, daß *Sie* es dem Fürsten vortragen, denn Ihr geistreicher Vortrag hebt das Ganze, für dessen Verfasser mich dann der Fürst anerkennen soll." – Das Memoire, womit Prätextatus glänzen wollte, hatte aber niemand anders verfaßt als Adrian.

Der Minister begab sich mit dem Kleinen zum Fürsten. – Zinnober zog das Memoire, das ihm der Minister gegeben, aus der Tasche und fing an zu lesen. Da es damit aber nun gar nicht recht gehen wollte und er nur lauter unverständliches Zeug murrte und schnurrte, nahm ihm der Minister das Papier aus den Händen und las selbst.

Der Fürst schien ganz entzückt, er gab seinen Beifall zu erkennen, einmal über das andere rufend: „Schön – gut gesagt – herrlich – treffend!" –

Sowie der Minister geendet, schritt der Fürst geradezu los auf den kleinen Zinnober, hob ihn in die Höhe, drückte ihn an seine Brust, gerade dahin, wo ihm (dem Fürsten) der große Stern des grüngefleckten Tigers saß, und stammelte und schluchzte, während ihm häufige Tränen aus den Augen flossen: „Nein! – solch ein Mann – solch ein Talent! – solcher Eifer – solche Liebe – es ist zuviel – zuviel!" – Dann gefaßter: „Zinnober! – ich erhebe Sie hiermit zu meinem Minister! – Bleiben Sie dem Vaterlande hold und treu, bleiben Sie ein wackrer Diener der Barsanuphe, von denen Sie geehrt – geliebt werden." Und nun sich mit verdrießlichem Blick zum Minister wendend: „Ich bemerke, lieber Baron von Mondschein, daß seit einiger Zeit Ihre Kräfte nachlassen. Ruhe auf Ihren Gütern wird Ihnen heilbringend sein! – Leben Sie wohl!" –

Der Minister von Mondschein entfernte sich, unverständliche Worte zwischen den Zähnen murmelnd und funkelnde Blicke werfend auf Zinnober, der sich nach seiner Art, sein Stöckchen in den Rücken gestemmt, auf den Fußspitzen hoch in die Höhe hob und stolz und keck umherblickte.

„Ich muß", sprach nun der Fürst, „ich muß Sie, mein lieber Zinnober, gleich Ihrem hohen Verdienst gemäß auszeichnen; empfangen Sie daher aus meinen Händen den Orden des grüngefleckten Tigers!"

Der Fürst wollte ihm nun das Ordensband, das er sich in der Schnelligkeit von dem Kammerdiener reichen lassen, umhängen; aber Zinnobers mißgestalteter Körperbau bewirkte, daß das Band durchaus nicht normalmäßig sitzen wollte, indem es sich bald ungebührlich heraufschrob, bald ebenso hinabschlotterte.

Der Fürst war in dieser sowie in jeder andern solchen Sache, die das eigentlichste Wohl des Staats betraf, sehr genau. Zwischen dem Hüftknochen und dem Steißbein, in schräger Richtung drei Sechzehnteil Zoll aufwärts vom letztern, mußte das am Bande befindliche Ordenszeichen des grüngefleckten Tigers sitzen. Das war nicht herauszubringen. Der Kammerdiener, drei Pagen, der Fürst legten Hand an, alles Mühen blieb vergebens. Das verräterische Band rutschte hin und her, und Zinnober begann unmutig zu quäken: „Was hantieren Sie doch so schrecklich an meinem Leibe herum, lassen Sie doch das dumme Ding hängen, wie es will, Minister bin ich doch nun einmal und bleib es!" –

„Wofür", sprach nun der Fürst zornig, „wofür habe ich denn Ordensräte, wenn rücksichts der Bänder solche tolle Einrichtungen existieren, die ganz meinem Willen entgegenlaufen? – Geduld, mein lieber Minister Zinnober! bald soll das anders werden!"

Auf Befehl des Fürsten mußte sich nun der Ordensrat versammeln, dem noch zwei Philosophen sowie ein Naturforscher, der eben, vom Nordpol kommend, durchreiste, beigesellt wurden, um über die Frage, wie auf die geschickteste Weise dem Minister Zinnober das Band des grüngefleckten Tigers anzubringen, beratschlagen sollten. Um für diese wichtige Beratung gehörige Kräfte zu sammeln, wurde sämtlichen Mitgliedern aufgegeben, acht Tage vorher nicht zu denken; um dies besser ausführen zu können und doch tätig zu bleiben im Dienste des Staats, aber sich indessen mit dem Rechnungswesen zu beschäftigen. Die Straßen vor dem Palast, wo die Ordensräte, Philosophen und Naturforscher ihre Sitzung halten sollten, wurden mit dickem Stroh belegt, damit das Gerassel der Wagen die weisen Männer nicht störe, und ebendaher durfte auch nicht getrommelt, Musik gemacht, ja nicht einmal laut gesprochen werden in der Nähe des Palastes. Im Palast selbst tappte alles auf dicken Filzschuhen umher, und man verständigte sich durch Zeichen.

Sieben Tage hindurch vom frühen Morgen bis in den späten Abend hatten die Sitzungen gedauert, und noch war an keinen Beschluß zu denken.

Der Fürst, ganz ungeduldig, schickte einmal über das andere hin und ließ ihnen sagen, es solle in des Teufels Namen ihnen doch endlich etwas Gescheites einfallen. Das half aber ganz und gar nichts.

Der Naturforscher hatte, soviel möglich, Zinnobers Natur erforscht, Höhe und Breite seines Rückenauswuchses genommen und die genaueste Berechnung darüber dem Ordensrat eingereicht. Er war es auch, der endlich vorschlug, ob man nicht den Theaterschneider bei der Beratung zuziehen wolle.

So seltsam dieser Vorschlag erscheinen mochte, wurde er doch in der Angst und Not, in der sich alle befanden, einstimmig angenommen.

Der Theaterschneider Herr Kees war ein überaus gewandter, pfiffiger Mann. Sowie ihm der schwierige Fall vorgetragen worden, sowie er die Berechnungen des Naturforschers durchgesehen, war er mit dem herrlichsten Mittel, wie das Ordensband zum normalmäßigen Sitzen gebracht werden könne, bei der Hand.

An Brust und Rücken sollten nämlich eine gewisse Anzahl Knöpfe angebracht und das Ordensband daran geknöpft werden. Der Versuch gelang über die Maßen wohl.

Der Fürst war entzückt und billigte den Vorschlag des Ordensrates, den Orden des grüngefleckten Tigers nunmehro in verschiedene Klassen zu teilen, nach der Anzahl der Knöpfe, womit er gegeben wurde. Zum Beispiel Orden des grüngefleckten Tigers mit zwei Knöpfen – mit drei Knöpfen etc. Der Minister Zinnober erhielt als ganz besondere Auszeichnung, die sonst kein anderer verlangen könne, den Orden mit zwanzig brillantierten Knöpfen, denn gerade zwanzig Knöpfe erforderte die wunderliche Form seines Körpers.

Der Schneider Kees erhielt den Orden des grüngefleckten Tigers mit zwei goldnen Knöpfen und wurde, da der Fürst ihn, seines glücklichen Einfalls ungeachtet, für einen schlechten Schneider hielt und sich daher nicht von ihm kleiden lassen wollte, zum Wirklichen Geheimen Groß-Kostümierer des Fürsten ernannt. –

Aus dem Fenster seines Landhauses sah der Doktor Prosper Alpanus gedankenvoll herab in seinen Park. Er hatte die ganze Nacht hindurch sich damit beschäftigt, Balthasars Horoskop zu stellen und manches dabei herausgebracht, was sich auf den kleinen Zinnober bezog. Am wichtigsten war ihm aber das, was sich mit dem Kleinen im Garten begeben, als er von Adrian und Pulcher belauscht wurde. Eben wollte Prosper Alpanus seinen Einhörnern zurufen, daß sie die Muschel herbeiführen möchten, weil er fort wolle nach Hoch-Jakobsheim, als ein Wagen daherrasselte und vor dem Gattertor des Parks still hielt. Es hieß, das Stiftsfräulein von Rosenschön wünsche den Herrn Doktor zu sprechen. „Sehr willkommen“, sprach Prosper Alpanus, und die Dame trat hinein. Sie trug ein langes schwarzes Kleid und war in Schleier gehüllt wie eine Matrone. Prosper Alpanus, von einer seltsamen Ahnung ergriffen, nahm sein Rohr und ließ die funkelnden Strahlen des Knopfs auf die Dame fallen. Da war es, als zuckten rauschend Blitze um sie her, und sie stand da im weißen durchsichtigen Gewande, glänzende Libellenflügel an den Schultern, weiße und rote Rosen durch das Haar geflochten. – „Ei, ei“, lispelte Prosper, nahm das Rohr unter seinen Schlafrock, und sogleich stand die Dame wieder im vorigen Kostüm da.

Prosper Alpanus lud sie freundlich ein, sich niederzulassen. Fräulein von Rosenschön sagte nun, wie es längst ihre Absicht gewesen, den Herrn Doktor in seinem Landhause aufzusuchen, um die Bekanntschaft eines Mannes zu machen, den die ganze Gegend als einen hochbegabten, wohltätigen Weisen rühme. Gewiß werde er ihre Bitte gewähren, sich des nahe gelegenen Fräuleinstifts ärztlich anzunehmen, da die alten Damen darin oft kränkelten und ohne Hilfe blieben. Prosper Alpanus erwiderte höflich, daß er zwar schon längst die Praxis aufgegeben, aber doch ausnahmsweise die Stiftsdamen besuchen wolle, wenn es not täte, und fragte dann, ob sie selbst, das Fräulein von Rosenschön, vielleicht an irgendeinem Übel leide. Das Fräulein versicherte, daß sie nur dann und wann ein rheumatisches Zucken in den Gliedern fühle, wenn sie sich in der Morgenluft erkältet, jetzt aber ganz gesund sei, und begann irgendein gleichgültiges Gespräch. Prosper fragte, ob sie, da es noch früher Morgen, vielleicht eine Tasse Kaffee nehmen wolle; die Rosenschön meinte, daß Stiftsfräuleins dergleichen niemals verschmähten. Der Kaffee wurde gebracht, aber sosehr sich auch Prosper mühen mochte einzuschenken, die Tassen blieben leer, ungeachtet der Kaffee aus der Kanne strömte. „Ei, ei" – lächelte Prosper Alpanus, „das ist böser Kaffee! – Wollten Sie, mein bestes Fräulein, doch nur lieber selbst den Kaffee eingießen."

„Mit Vergnügen", erwiderte das Fräulein und ergriff die Kanne. Aber ungeachtet kein Tropfen aus der Kanne quoll, wurde doch die Tasse voller und voller, und der Kaffee strömte über auf den Tisch, auf das Kleid des Stiftsfräuleins. – Sie setzte schnell die Kanne hin, sogleich war der Kaffee spurlos verschwunden. Beide, Prosper Alpanus und das Stiftsfräulein, schauten sich nun eine Weile schweigend an mit seltsamen Blicken.

„Sie waren", begann nun die Dame, „Sie waren, mein Herr Doktor, gewiß mit einem sehr anziehenden Buche beschäftigt, als ich eintrat."

„In der Tat", erwiderte der Doktor, „enthält dieses Buch gar merkwürdige Dinge."

Damit wollte er das kleine Buch in vergoldetem Einbande, das vor ihm auf dem Tische lag, aufschlagen. Doch das blieb ein ganz vergebliches Mühen, denn mit einem lauten Klipp, Klapp schlug das Buch sich immer wieder zusammen. „Ei, ei", sprach Prosper Alpanus, „versuchen *Sie* sich doch mit dem eigensinnigen Dinge hier, mein wertes Fräulein!"

Er reichte der Dame das Buch hin, das, sowie sie es nur berührte, sich von selbst aufschlug. Aber alle Blätter lösten sich los und dehnten sich aus zum Riesenfolio und rauschten umher im Zimmer.

Erschrocken fuhr das Fräulein zurück. Nun schlug der Doktor das Buch zu mit Gewalt, und alle Blätter verschwanden.

„Aber", sprach nun Prosper Alpanus mit sanftem Lächeln, indem er sich von seinem Sitze erhob, „aber mein bestes gnädiges

Fräulein, was verderben wir die Zeit mit solchen schnöden Tafelkünsten; denn anders als ordinäre Tafelkunststücke sind es doch nicht, die wir bis jetzt getrieben, schreiten wir doch lieber zu höheren Dingen."

„Ich will fort!" rief das Fräulein und erhob sich vom Sitze.

„Ei", sprach Prosper Alpanus, „das möchte doch wohl nicht recht gut angehen ohne meinen Willen; denn, meine Gnädige, ich muß es Ihnen nur sagen, Sie sind jetzt ganz und gar in meiner Gewalt."

„In Ihrer Gewalt", rief das Fräulein zornig, „in Ihrer Gewalt, Herr Doktor? – Törichte Einbildung!"

Und damit breitete sich ihr seidenes Kleid aus, und sie schwebte als der schönste Trauermantel auf zur Decke des Zimmers. Doch sogleich sauste und brauste auch Prosper Alpanus ihr nach als tüchtiger Hirschkäfer. Ganz ermattet flatterte der Trauermantel herab und rannte als kleines Mäuschen auf dem Boden umher. Aber der Hirschkäfer sprang miauend und prustend ihm nach als grauer Kater. Das Mäuschen erhob sich wieder als glänzender Kolibri, da erhoben sich allerlei seltsame Stimmen rings um das Landhaus, und allerlei wunderbare Insekten sumseten herbei, mit ihnen seltsames Waldgeflügel, und ein goldenes Netz spann sich um die Fenster. Da stand mit einemmal die Fee Rosabelverde, in aller Pracht und Hoheit strahlend, im glänzenden weißen Gewande, den funkelnden Diamantgürtel umgetan, weiße und rote Rosen durch die dunklen Locken geflochten, mitten im Zimmer. Vor ihr der Magus im goldgestickten Talar, eine glänzende Krone auf dem Haupt, das Rohr mit dem feuerstrahlenden Knopf in der Hand.

Rosabelverde schritt zu auf den Magus, da entfiel ihrem Haar ein goldner Kamm und zerbrach, als sei er von Glas, auf dem Marmorboden.

„Weh mir! – weh mir!" rief die Fee.

Plötzlich saß wieder das Stiftsfräulein von Rosenschön im schwarzen langen Kleide am Kaffeetisch, und ihr gegenüber der Doktor Prosper Alpanus.

„Ich dächte", sprach Prosper Alpanus sehr ruhig, indem er

in die chinesischen Tassen den herrlichsten dampfenden Kaffee von Mokka ohne Hindernis einschenkte, „ich dächte, mein bestes gnädiges Fräulein, wir wüßten beide nun hinlänglich, wie wir miteinander daran sind. – Sehr leid tut es mir, daß Ihr schöner Haarkamm zerbrach auf meinem harten Fußboden."

„Nur meine Ungeschicklichkeit", erwiderte das Fräulein, mit Behagen den Kaffee einschlürfend, „ist schuld daran. Auf *diesen* Boden muß man sich hüten etwas fallen zu lassen, denn irr ich nicht, so sind diese Steine mit den wunderbarsten Hieroglyphen beschrieben, welche manchem nur gewöhnliche Marmoradern bedünken möchten."

„Abgenutzte Talismane, meine Gnädige", sprach Prosper, „abgenutzte Talismane sind diese Steine, nichts weiter."

„Aber bester Doktor", rief das Fräulein, „wie ist es möglich, daß wir uns nicht kennenlernten seit der frühesten Zeit, daß wir nicht ein einziges Mal zusammentrafen auf unseren Wegen?"

„Diverse Erziehung, beste Dame", erwiderte Prosper Alpanus, „diverse Erziehung ist lediglich daran schuld! Während Sie als das hoffnungsvollste Mädchen in Dschinnistan sich ganz Ihrer reichen Natur, Ihrem glücklichen Genie überlassen konnten, war ich, ein trübseliger Student, in den Pyramiden eingeschlossen und hörte Kollegia bei dem Professor Zoroaster, einem alten Knasterbart, der aber verdammt viel wußte. Unter der Regierung des würdigen Fürsten Demetrius nahm ich meinen Wohnsitz in diesem kleinen anmutigen Ländchen."

„Wie", sprach das Fräulein, „und wurden nicht verwiesen, als Fürst Paphnutius die Aufklärung einführte?"

„Keinesweges", antwortete Prosper, „es gelang mir vielmehr, mein eignes Ich ganz zu verhüllen, indem ich mich mühte, Aufklärungssachen betreffend, ganz besondere Kenntnisse zu beweisen in allerlei Schriften, die ich verbreitete. Ich bewies, daß ohne des Fürsten Willen es niemals donnern und blitzen müsse und daß wir schönes Wetter und eine gute Ernte einzig und allein seinen und seiner Noblesse Bemühungen zu verdanken, die in den innern Gemächern darüber sehr weise beratschlagt, während das gemeine Volk draußen auf dem Acker gepflügt und gesäet. Fürst Paphnutius erhob mich damals zum Geheimen Oberaufklärungs-Präsidenten, eine Stelle, die ich mit meiner Hülle wie eine lästige Bürde abwarf, als der Sturm vorüber. – Insgeheim war ich nützlich, wie ich konnte. Das heißt, was *wir*, ich und Sie, meine Gnädige, wahrhaft nützlich nennen. – Wissen Sie wohl, bestes Fräulein, daß ich es war, der Sie warnte vor dem Einbrechen der Aufklärungspolizei? – daß ich es bin, dem Sie noch das Besitztum der artigen Sächelchen verdanken, die Sie mir vorhin gezeigt? – O mein Gott! liebe Stiftsdame, schauen Sie doch nur aus diesen Fenstern! – Erkennen Sie denn nicht mehr diesen Park, in dem Sie so oft lustwandelten und mit den freundlichen Geistern sprachen, die in den Büschen – Blumen – Quellen wohnen? – Diesen Park hab ich gerettet durch meine Wissenschaft. Er steht noch da wie zur Zeit des alten Demetrius. Fürst Barsanuph bekümmert sich, dem Himmel sei es gedankt, nicht viel um das Zauberwesen, er ist ein leutseliger Herr und läßt jeden gewähren, jeden zaubern, soviel er Lust hat, sobald er es sich nur nicht merken läßt und die Abgaben richtig zahlt. So leb ich hier, wie Sie, liebe Dame, in Ihrem Stift, glücklich und sorgenfrei!" –

„Doktor", rief das Fräulein, indem ihr die Tränen aus den Augen stürzten, „Doktor, was sagen Sie! – welche Aufklärungen! – Ja, ich erkenne diesen Hain, wo ich die seligsten Freuden genoß! – Doktor! – edelster Mann, dem ich so viel zu verdanken! – Und Sie können meinen kleinen Schützling so hart verfolgen?" –

„Sie haben", erwiderte der Doktor, „Sie haben, mein bestes Fräulein, von Ihrer angebornen Gutmütigkeit hingerissen, Ihre Gaben an einen Unwürdigen verschleudert. Zinnober ist und bleibt, Ihrer gütigen Hilfe ungeachtet, ein kleiner mißgestalteter Schlingel, der nun, da der goldne Kamm zerbrochen, ganz in meine Hand gegeben ist."

„Haben Sie Mitleiden, o Doktor!" flehte das Fräulein.

„Aber schauen Sie doch nur gefälligst her", sprach Prosper, indem er dem Fräulein Balthasars Horoskop, das er gestellt hatte, vorhielt.

Das Fräulein blickte hinein und rief dann voll Schmerz: „Ja! – wenn es so beschaffen ist, so muß ich wohl weichen der höheren Macht. – Armer Zinnober!“ –

„Gestehen Sie, bestes Fräulein“, sprach der Doktor lächelnd, „gestehen Sie, daß die Damen oft sich in dem Bizarrsten sehr wohl gefallen, den Einfall, den der Augenblick gebar, rastlos und rücksichtslos verfolgend und jedes schmerzliche Berühren anderer Verhältnisse nicht achtend! – Zinnober muß sein Schicksal verbüßen, aber *dann* soll er noch zu unverdienter Ehre gelangen. Damit huldige ich Ihrer Macht, Ihrer Güte, Ihrer Tugend, mein sehr wertes gnädigstes Fräulein!“

„Herrlicher, vortrefflicher Mann“, rief das Fräulein, „bleiben Sie mein Freund!“ –

„Immerdar“, erwiderte der Doktor. „Meine Freundschaft, meine innige Zuneigung zu Ihnen, holde Fee, wird nie aufhören. Wenden Sie sich getrost an mich in allen bedenklichen Fällen des Lebens, und – o trinken Sie Kaffee bei mir, sooft es Ihnen zu Sinne kommt.“

„Leben Sie wohl, mein würdigster Magus, nie werd ich Ihre Huld, nie diesen Kaffee vergessen!“ So sprach das Fräulein und erhob sich, von innerer Rührung ergriffen, zum Scheiden.

Prosper Alpanus begleitete sie ans Gattertor, während alle wunderbare Stimmen des Waldes auf die lieblichste Weise erklangen.

Vor dem Tor stand, statt des Fräuleins Wagen, die mit den Einhörnern bespannte Kristallmuschel des Doktors, hinter der der Goldkäfer seine glänzenden Flügel ausbreitete. Auf dem Bock saß der Silberfasan und guckte, die goldnen Zügel im Schnabel haltend, das Fräulein mit klugen Augen an.

In die seligste Zeit ihres herrlichsten Feenlebens fühlte sich die Stiftsdame versetzt, als der Wagen, herrlich tönend, durch den duftenden Wald rauschte.

Siebentes Kapitel

Wie der Professor Mosch Terpin im fürstlichen Weinkeller die Natur erforschte. – Mycetes Beelzebub. – Verzweiflung des Studenten Balthasar. – Vorteilhafter Einfluß eines wohleingerichteten Landhauses auf das häusliche Glück. – Wie Prosper Alpanus dem Balthasar eine schildkrötene Dose überreichte und davonritt.

Balthasar, der sich in dem Dorfe Hoch-Jakobsheim versteckt hielt, bekam von dem Referendarius Pulcher aus Kerepes einen Brief des Inhalts: „Unsere Angelegenheiten, bester Freund Balthasar, gehen immer schlechter und schlechter. Unser Feind, der abscheuliche Zinnober, ist Minister der auswärtigen Angelegenheiten geworden und hat den großen Orden des grüngefleckten Tigers mit zwanzig Knöpfen erhalten. Er hat sich aufgeschwungen zum Liebling des Fürsten und setzt alles durch, was er will. Professor Mosch Terpin ist ganz außer sich, er bläht sich auf im dummen Stolz. Durch seines künftigen Schwiegersohns Vermittlung hat er die Stelle des Generaldirektors sämtlicher natürlicher Angelegenheiten im Staate erhalten, eine Stelle, die ihm viel Geld und eine Menge anderer Emolumente einbringt. Als benannter Generaldirektor zensiert und revidiert er die Sonnen- und Mondfinsternisse sowie die Wetterprophezeiungen in den im Staate erlaubten Kalendern und erforscht insbesondere die Natur in der Residenz und deren Bereich. Dieser Beschäftigung halber bekommt er aus den fürstlichen Waldungen das seltenste Geflügel, die raresten Tiere, die er, um eben ihre Natur zu erforschen, braten läßt und auffrißt. Ebenso schreibt er jetzt (wenigstens gibt er es vor) eine Abhandlung darüber, warum der Wein anders schmeckt als Wasser und auch andere Wirkungen äußert, die er seinem Schwiegersohn zueignen will. Zinnober hat es bewirkt, daß Mosch Terpin der Abhandlung wegen alle Tage im fürstlichen Weinkeller studieren darf. Er hat schon einen halben Oxhoft alten Rheinwein sowie mehrere Dutzend Flaschen Champagner verstudiert und ist jetzt an ein Faß Alikante geraten. – Der Kellermeister ringt die Hände! – So ist dem Professor, der, wie Du weißt, das größte Leckermaul auf Erden, geholfen, und er würde das bequemste Leben von der Welt führen, müßte er oft nicht, wenn ein Hagelschlag die Felder verwüstet hat, plötzlich über Land, um den fürstlichen Pächtern zu erklären, warum es gehagelt hat, damit die dummen Teufel ein bißchen Wissenschaft bekommen, sich künftig vor dergleichen hüten können und nicht immer Erlaß der Pacht verlangen dürfen, einer Sache halber, die niemand verschuldet als sie selbst.

Der Minister kann die Tracht Schläge, die Du ihm erteilt, nicht verwinden. Er hat Dir Rache geschworen. Du wirst Dich gar nicht mehr in Kerepes sehen lassen dürfen. Auch mich verfolgt er sehr, weil ich seine geheimnisvolle Art, sich von einer geflügelten Dame frisieren zu lassen, erlauscht habe. – Solange Zinnober des Fürsten Liebling bleibt, werde ich wohl auf keinen ordentlichen Posten Anspruch machen können. Mein Unstern will es, daß ich immer mit der Mißgeburt zusammengerate, wo ich es gar nicht ahne, und auf eine Weise, die mir fatal werden muß. Neulich ist der Minister in vollem Staat, mit Degen, Stern und Ordensband, im Zoologischen Kabinett und hat sich nach seiner gewöhnlichen Weise, den Stock untergestemmt, auf den Fußspitzen schwebend, an den Glasschrank hingestellt, wo die seltensten amerikanischen Affen stehen. Fremde, die das Kabinett besehen, treten heran, und einer, den kleinen Wurzelmann erblickend, ruft laut aus: ‚Ei! – was für ein allerliebster Affe! – welch niedliches Tier! – die Zierde des ganzen Kabinetts! – Ei, wie heißt das hübsche Äfflein? woher des Landes?‘

Da spricht der Aufseher des Kabinetts sehr ernsthaft, indem er Zinnobers Schulter berührt: ‚Ja, ein sehr schönes Exemplar, ein vortrefflicher Brasilianer, der sogenannte Mycetes Beelzebub – Simia Beelzebub Linnei – niger, barbatus, podiis caudaque apice brunneis – Brüllaffe‘ –

‚Herr‘, prustet nun der Kleine den Aufseher an, ‚Herr, ich glaube, Sie sind wahnsinnig oder neunmal des Teufels, ich bin kein Beelzebub caudaque – kein Brüllaffe, ich bin Zinnober, der Minister Zinnober, Ritter des grüngefleckten Tigers mit zwanzig Knöpfen!‘ – Nicht weit davon stehe ich und breche – hätt es das Leben gekostet auf der Stelle, ich konnte mich nicht zurückhalten – aus in ein wieherndes Gelächter.

‚Sind Sie auch da, Herr Referendarius?' schnarcht er mich an, indem rote Glut aus seinen Hexenaugen funkelt.

Gott weiß, wie es kam, daß die Fremden ihn immerfort für den schönsten seltensten Affen hielten, den sie jemals gesehen, und ihn durchaus mit Lampertsnüssen füttern wollten, die sie aus der Tasche gezogen. Zinnober geriet nun so ganz außer sich, daß er vergebens nach Atem schnappte und die Beinchen ihm den Dienst versagten. Der herbeigerufene Kammerdiener mußte ihn auf den Arm nehmen und hinabtragen in die Kutsche.

Selbst kann ich mir aber nicht erklären, warum mir diese Geschichte einen Schimmer von Hoffnung gibt. Es ist der erste Tort, der dem kleinen verhexten Unding geschehen.

So viel ist gewiß, daß Zinnober neulich am frühen Morgen sehr verstört aus dem Garten gekommen ist. Die geflügelte Frau muß ausgeblieben sein, denn vorbei ist es mit den schönen Locken. Das Haar soll ihm struppig auf dem Rücken herabhängen und Fürst Barsanuph gesagt haben: ‚Vernachlässigen Sie nicht so sehr Ihre Toilette, bester Minister, ich werde Ihnen meinen Friseur schicken!' – worauf denn Zinnober sehr höflich geäußert, er werde den Kerl zum Fenster herausschmeißen lassen, wenn er käme. ‚Große Seele! man kommt Ihnen nicht bei', hat dann der Fürst gesprochen und dabei sehr geweint!

Lebe wohl, liebster Balthasar! gib nicht alle Hoffnung auf und verstecke Dich gut, damit sie Dich nicht greifen!" –

Ganz in Verzweiflung darüber, was ihm der Freund geschrieben, rannte Balthasar tief hinein in den Wald und brach aus in laute Klagen.

„Hoffen soll ich", rief er, „hoffen soll ich noch, da jede Hoffnung verschwunden, da alle Sterne untergegangen und düstere – düstere Nacht mich Trostlosen umfängt? – Unseliges Verhängnis! – ich unterliege der finstren Macht, die verderblich in mein Leben getreten! – Wahnsinn, daß ich auf Rettung hoffte von Prosper Alpanus, von diesem Prosper Alpanus, der mich selbst mit höllischen Künsten verlockte und mich forttrieb von

Kerepes, indem er die Prügel, die ich dem Spiegelbilde erteilen mußte, auf Zinnobers wahrhaftigen Rücken regnen ließ! – Ach Candida! – Könnt ich nur das Himmelskind vergessen! – Aber mächtiger, stärker als jemals glüht der Liebesfunke in mir! – Überall sehe ich die holde Gestalt der Geliebten, die mit süßem Lächeln sehnsüchtig die Arme nach mir ausstreckt! – Ich weiß es ja! – du liebest mich, holde süße Candida, und das ist eben mein hoffnungsloser tötender Schmerz, daß ich dich nicht zu retten vermag aus der heillosen Verzauberung, die dich befangen! – Verräterischer Prosper! was tat ich dir, daß du mich so grausam äfftest!" –

Die tiefe Dämmerung war eingebrochen, alle Farben des Waldes schwanden hin in dumpfes Grau. Da war es, als leuchte ein besonderer Glanz wie aufflammender Abendschein durch Baum und Gebüsch, und tausend Insektlein erhoben sich mit rauschendem Flügelschlage sumsend in die Lüfte. Leuchtende Goldkäfer schwangen sich hin und her, und dazwischen flatterten buntgeputzte Schmetterlinge und streuten duftenden Blumenstaub um sich her. Das Wispern und Sumsen wurde zu sanfter, süßflüsternder Musik, die sich tröstend legte an Balthasars zerrissene Brust. Über ihm funkelte stärker strahlend der Glanz. Er schaute hinauf und erblickte staunend Prosper Alpanus, der auf einem wunderbaren Insekt, das einer in den herrlichsten Farben prunkenden Libelle nicht unähnlich, daherschwebte.

Prosper Alpanus senkte sich herab zu dem Jüngling, an dessen Seite er Platz nahm, während die Libelle aufflog in ein Gebüsch und in den Gesang einstimmte, der durch den ganzen Wald tönte.

Er berührte des Jünglings Stirne mit den wundervoll glänzenden Blumen, die er in der Hand trug, und sogleich entzündete sich in Balthasars Innerm frischer Lebensmut.

„Du tust", sprach nun Prosper Alpanus mit sanfter Stimme, „du tust mir großes Unrecht, lieber Balthasar, da du mich grausam und verräterisch schiltst in dem Augenblick, als es mir gelungen ist, Herr zu werden des Zaubers, der dein Leben verstört, als ich, um nur schneller dich zu finden, dich zu trösten, mich auf mein buntes Lieblingsrößlein schwinge und herbeireite, mit allem versehen, was zu deinem Heil dienen kann. – Doch nichts ist bittrer als Liebesschmerz, nichts gleicht der Ungeduld eines in Liebe und Sehnsucht verzweifelnden Gemüts. – Ich verzeihe dir, denn mir ist es selbst nicht besser gegangen, als ich vor ungefähr zweitausend Jahren eine indische Prinzessin liebte, Balsamine geheißen, und dem Zauberer Lothos, der mein bester Freund war, in der Verzweiflung den Bart ausriß, weshalb ich, wie du siehst, selbst keinen trage, damit mir nicht Ähnliches geschehe. – Doch dir dies alles weitläuftig zu erzählen würde wohl hier an sehr unrechtem Orte sein, da jeder Liebende nur von *seiner* Liebe hören mag, die er allein der Rede wert hält, so wie jeder Dichter nur *seine* Verse gern vernimmt. Also zur Sache! – Wisse, daß Zinnober die verwahrloste Mißgeburt eines armen Bauernweibes ist und eigentlich Klein Zaches heißt. Nur aus Eitelkeit hat er den stolzen Namen Zinnober angenommen. Das Stiftsfräulein von Rosenschön oder eigentlich die berühmte Fee Rosabelverde, denn niemand anders ist jene Dame, fand das kleine Ungetüm am Wege. Sie glaubte, alles, was die Natur dem Kleinen stiefmütterlich versagt, dadurch zu ersetzen, wenn sie ihn mit der seltsamen geheimnisvollen Gabe beschenkte, vermöge der alles, was in seiner Gegenwart irgendein anderer Vortreffliches denkt, spricht oder tut, auf *seine* Rechnung kommen, ja daß er in der Gesellschaft wohlgebildeter, verständiger, geistreicher Personen auch für wohlgebildet, verständig und geistreich geachtet werden und überhaupt allemal für den vollkommensten der Gattung, mit der er im Konflikt, gelten muß.

Dieser sonderbare Zauber liegt in drei feuerfarbglänzenden Haaren, die sich über den Scheitel des Kleinen ziehen. Jede Berührung dieser Haare, sowie überhaupt des Hauptes, mußte dem Kleinen schmerzhaft, ja verderblich sein. Deshalb ließ die Fee sein von Natur dünnes, struppiges Haar in dicken anmutigen Locken hinabwallen, die, des Kleinen Haupt schützend, zugleich jenen roten Streif versteckten und den Zauber stärkten. Jeden neunten Tag frisierte die Fee selbst den Kleinen mit einem goldnen magischen Kamm, und diese Frisur vernichtete jedes auf Zerstörung des Zaubers gerichtete Unternehmen. Aber den Kamm selbst hat ein kräftiger Talisman, den ich der guten Fee, als sie mich besuchte, unterzuschieben wußte, vernichtet.

Es kommt jetzt nur darauf an, ihm jene drei feuerfarbnen Haare auszureißen, und er sinkt zurück in sein voriges Nichts! – Dir, mein lieber Balthasar, ist diese Entzauberung vorbehalten. Du hast Mut, Kraft und Geschicklichkeit, du wirst die Sache ausführen, wie es sich gehört. Nimm dieses kleine geschliffene Glas, nähere dich dem kleinen Zinnober, wo du ihn findest, richte deinen scharfen Blick durch dieses Glas auf sein Haupt, frei und offen werden die drei roten Haare sich über das Haupt des Kleinen ziehen. Packe ihn fest an, achte nicht auf das gellende Katzengeschrei, das er ausstoßen wird, reiße ihm mit einem Ruck die drei Haare aus und verbrenne sie auf der Stelle. Es ist notwendig, daß die Haare mit *einem* Ruck ausgerissen und *sogleich* verbrannt werden, denn sonst könnten sie noch allerlei verderbliche Wirkungen äußern. Richte daher dein vorzüglichstes Augenmerk darauf, daß du die Haare geschickt und fest erfassest und den Kleinen überfällst, wenn gerade ein Feuer oder ein Licht in der Nähe befindlich." –

„O Prosper Alpanus", rief Balthasar, „wie schlecht habe ich diese Güte, diesen Edelmut durch mein Mißtrauen verdient! – Wie fühle ich es so in tiefer Brust, daß nun mein Leiden endigt, daß alles Himmelsglück mir die goldnen Tore erschließt!" –

„Ich liebe", fuhr Prosper Alpanus fort, „ich liebe Jünglinge, die so wie du, mein Balthasar, Sehnsucht und Liebe im reinen Herzen tragen, in deren Innerm noch jene herrlichen Akkorde widerhallen, die dem fernen Lande voll göttlicher Wunder angehören, das meine Heimat ist. Die glücklichen, mit dieser inneren Musik begabten Menschen sind die einzigen, die man Dichter nennen kann, wiewohl viele auch so gescholten werden, die den ersten besten Brummbaß zur Hand nehmen, darauf herumstreichen und das verworrene Gerassel der unter ihrer Faust stöhnenden Saiten für herrliche Musik halten, die aus ihrem eignen Innern heraustönt. – Dir ist, ich weiß es, mein geliebter Balthasar, dir ist es zuweilen so, als verstündest du die murmelnden Quellen, die rauschenden Bäume, ja, als spräche das aufflammende Abendrot zu dir mit verständlichen Worten! – Ja, mein Balthasar! – in diesen Momenten verstehst du wirklich die wunderbaren Stimmen der Natur, denn aus deinem eignen Innern erhebt sich der göttliche Ton, den die wundervolle Harmonie des tiefsten Wesens der Natur entzündet. – Da du Klavier spielst, o Dichter, so wirst du wissen, daß dem angeschlagenen Ton die ihm verwandten Töne nachklingen. – Dieses Naturgesetz dient zu mehr als zum schalen Gleichnis! – Ja, o Dichter, du bist ein viel besserer, als es manche glauben, denen du deine Versuche, die innere Musik mit Feder und Tinte zu Papier zu bringen, vorgelesen. Mit diesen Versuchen ist es nicht weit her. Doch hast du im historischen Stil einen guten Wurf getan, als du mit pragmatischer Breite und Genauigkeit die Geschichte von der Liebe der Nachtigall zur Purpurrose aufschriebst, welche sich unter meinen Augen begeben. – Das ist eine ganz artige Arbeit." –

Prosper Alpanus hielt inne, Balthasar blickte ihn ganz verwundert an mit großen Augen, er wußte gar nicht, was er dazu sagen sollte, daß Prosper das Gedicht, welches er für das phantastischste hielt, das er jemals aufgeschrieben, für einen historischen Versuch erklärte.

„Du magst", fuhr Prosper Alpanus fort, indem ein anmutiges Lächeln sein Gesicht überstrahlte, „du magst dich wohl über meine Reden verwundern, dir mag überhaupt manches seltsam an mir vorkommen. Bedenke aber, daß ich nach dem Urteil aller vernünftigen Leute eine Person bin, die nur im Märchen auftreten darf, und du weißt, geliebter Balthasar, daß solche Personen sich wunderlich gebärden und tolles Zeug schwatzen können, wie sie nur mögen, vorzüglich, wenn hinter allem doch etwas steckt, was gerade nicht zu verwerfen. – Nun aber weiter! – Nahm sich die Fee Rosabelverde des mißgestalteten Zinnober so eifrig an, so bist du, mein Balthasar, nun ganz und gar mein lieber Schützling. Höre also, was ich für dich zu tun gesonnen! –

Der Zauberer Lothos besuchte mich gestern, er brachte mir tausend Grüße, aber auch tausend Klagen von der Prinzessin Balsamine, die aus dem Schlafe erwacht ist und in den süßen Tönen des Chartah Bhade, jenes herrlichen Gedichts, das unsere erste Liebe war, sehnende Arme nach mir ausstreckt. Auch mein alter Freund, der Minister Yuchi, winkt mir freundlich zu vom Polarstern. – Ich muß fort nach dem fernsten Indien! – Mein Landgut, das ich verlasse, wünsche ich in keines andern Besitz zu sehen als in dem deinigen. Morgen gehe ich nach Kerepes und lasse eine förmliche Schenkungsurkunde ausfertigen, in der ich als dein Oheim auftrete. Ist nun Zinnobers Zauber gelöst, trittst du vor den Professor Mosch Terpin hin als Besitzer eines vortrefflichen Landguts, eines beträchtlichen Vermögens, und wirbst du um die Hand der schönen Candida, so wird er in voller Freude dir alles gewähren. Aber noch mehr! – Ziehst du mit deiner Candida ein in mein Landhaus, so ist das Glück deiner Ehe gesichert. Hinter den schönen Bäumen wächst alles, was das Haus bedarf; außer den herrlichsten Früchten der schönste Kohl und tüchtiges schmackhaftes Gemüse überhaupt, wie man es weit und breit nicht findet. Deine Frau wird immer den ersten Salat, die ersten Spargel haben. Die Küche ist so eingerichtet, daß die Töpfe niemals überlaufen und keine Schüssel verdirbt, solltest du auch einmal eine ganze Stunde über die Essenszeit ausbleiben. Teppiche, Stuhl- und Sofabezüge sind von der Beschaffenheit, daß es bei der größten Ungeschicklichkeit der Dienstboten unmöglich bleibt, einen Fleck hineinzubringen, ebenso zerbricht kein Porzellan, kein Glas, sollte sich auch die Dienerschaft deshalb die größte Mühe geben und es auf den härtesten Boden werfen. Jedesmal endlich, wenn deine Frau waschen läßt, ist auf dem großen Wiesenplan hinter dem Hause das allerschönste, heiterste Wetter, sollte es auch rings umher regnen, donnern und blitzen. Kurz, mein Balthasar, es ist dafür gesorgt, daß du das häusliche Glück an deiner holden Candida Seite ruhig und ungestört genießest! –

Doch nun ist es wohl an der Zeit, daß ich heimkehre und in Gemeinschaft mit meinem Freunde Lothos die Anstalten zu meiner baldigen Abreise beginne. Lebe wohl, mein Balthasar!" –

Damit pfiff Prosper ein-, zweimal der Libelle, die alsbald sumsend herbeiflog. Er zäumte sie auf und schwang sich in den Sattel. Aber schon im Davonschweben hielt er plötzlich an und kehrte um zu Balthasar. –

„Beinahe", sprach er, „hätte ich deinen Freund Fabian vergessen. In einem Anfall schalkischer Laune habe ich ihn für seinen Vorwitz zu hart gestraft. In dieser Dose ist das enthalten, was ihn tröstet!" –

Prosper reichte dem Balthasar ein kleines, blank poliertes schildkrötenes Döschen hin, das er ebenso einsteckte wie die kleine Lorgnette, die er erst zur Entzauberung Zinnobers von Prosper erhalten.

Prosper Alpanus rauschte nun fort durch das Gebüsch, indem die Stimmen des Waldes stärker und anmutiger ertönten.

Balthasar kehrte zurück nach Hoch-Jakobsheim, alle Wonne, alles Entzücken der süßesten Hoffnung im Herzen.

Achtes Kapitel

Wie Fabian seiner langen Rockschöße halber für einen Sektierer und Tumultuanten gehalten wurde. – Wie Fürst Barsanuph hinter den Kaminschirm trat und den Generaldirektor der natürlichen Angelegenheiten kassierte. – Zinnobers Flucht aus Mosch Terpins Hause. – Wie Mosch Terpin auf einem Sommervogel ausreiten und Kaiser werden wollte, dann aber zu Bette ging.

In der frühesten Morgendämmerung, als Wege und Straßen noch einsam, schlich sich Balthasar hinein nach Kerepes und lief augenblicklich zu seinem Freunde Fabian. Als er an die Stubentüre pochte, rief eine kranke matte Stimme: „Herein!" –

Bleich – entstellt, hoffnungslosen Schmerz im Antlitz, lag Fabian auf dem Bette. „Um des Himmels willen", rief Balthasar, „um des Himmels willen – Freund! sprich! – was ist dir widerfahren?"

„Ach Freund", sprach Fabian mit gebrochener Stimme, indem

er sich mühsam in die Höhe richtete, „mit mir ist es aus, rein aus. Der verfluchte Hexenspuk, den, ich weiß es, der rachsüchtige Prosper Alpanus über mich gebracht, stürzt mich ins Verderben!“ –

„Wie ist das möglich?“ fragte Balthasar; „Zauberei, Hexenspuk, du glaubtest sonst an dergleichen nicht.“

„Ach“, fuhr Fabian mit weinerlicher Stimme fort, „ach, ich glaube jetzt an alles, an Zauberer und Hexen und Erdgeister und Wassergeister, an den Rattenkönig und die Alraunwurzel – an alles, was du willst. Wem das Ding so auf den Hals tritt wie mir, der gibt sich wohl! – Du erinnerst dich an den höllischen Skandal mit meinem Rocke, als wir von Prosper Alpanus kamen! – Ja! wär es nur dabei geblieben! – Sieh dich doch etwas um in meinem Zimmer, lieber Balthasar!“ –

Balthasar tat es und gewahrte an allen Wänden ringsumher eine Unzahl von Fracks, Überröcken, Kurtken von allem möglichen Zuschnitt, von allen möglichen Farben. „Wie“, rief er, „willst du einen Kleiderkram anlegen, Fabian?“

„Spotte nicht“, erwiderte Fabian, „spotte nicht, lieber Freund. Alle diese Kleider ließ ich anfertigen von den berühmtesten Schneidern, immer hoffend, endlich einmal der unseligen Verdammnis zu entgehen, die auf meinen Röcken ruht, aber umsonst. Sowie ich den schönsten Rock, der mir steht wie angegossen an den Leib, nur einige Minuten trage, rutschen die Ärmel mir an die Schultern herauf und die Schöße schwänzeln mir nach sechs Ellen lang. In der Verzweiflung ließ ich mir jenen Spenzer mit den eine Welt langen Pierrotsärmeln machen: ‚Rutscht nur, Ärmel‘, dacht ich, ‚dehnt euch nur aus, Schöße, so kommt alles ins gleiche.‘ Aber! – ganz dasselbe wie mit allen andern Röcken war es in wenigen Minuten! Alle Kunst und Kraft der mächtigsten Schneider richtete nichts aus gegen den verwünschten Zauber! Daß ich verhöhnt, verspottet wurde, wo ich mich nur blicken ließ, versteht sich von selbst, aber bald veranlaßte meine unverschuldete Hartnäckigkeit, immer wieder in einem solch verteufelten Rock zu erscheinen, ganz andere Urteile. Das Geringste war noch, daß die Frauen mich grenzenlos eitel und abgeschmackt schalten, da ich aller Sitte entgegen mich durchaus mit nackten Armen, sie wahrscheinlich für sehr schön haltend, sehen lassen wolle. Die Theologen aber schrien mich bald für einen Sektierer aus, stritten sich nur, ob ich zur Sekte der Ärmelianer oder Schößianer zu rechnen, waren aber darin einig, daß beide Sekten höchst gefährlich zu nennen, da beide vollkommene Freiheit des Willens statuierten und sich erfrechten zu denken, was sie wollten. Diplomatiker hielten mich für einen schnöden Aufwiegler. Sie behaupteten, ich wolle durch meine langen Rockschöße Unzufriedenheit im Volke erregen und es aufsässig machen gegen die Regierung, gehöre überhaupt zu einem geheimen Bunde, dessen Zeichen ein kurzer Ärmel sei. Schon seit langer Zeit fänden sich hie und da Spuren der Kurzärmler, die ebenso zu fürchten als die Jesuiten, ja noch mehr, da sie sich bemühten, überall die jedem Staate schädliche Poesie einzuführen, und an der Infallibilität der Fürsten zweifelten. Kurz! – das Ding wurde ernster und ernster, bis mich der Rektor zitieren ließ. Ich sah mein Unglück vorher, wenn ich einen Rock anzog, erschien also in der Weste. Darüber wurde der Mann zornig, er glaubte, ich wolle ihn verhöhnen, und fuhr auf mich los, ich solle binnen acht Tagen in einem vernünftigen, anständigen Rock vor ihm erscheinen, widrigenfalls er ohne alle Gnade die Relegation über mich aussprechen würde. – Heute geht der Termin zu Ende! – O ich Unglücklicher! – O verdammter Prosper Alpanus!" –

„Halt ein", rief Balthasar, „halt ein, lieber Freund Fabian, schmäle nicht auf meinen teuern lieben Oheim, der mir ein Landgut geschenkt hat. Auch mit *dir* meint er es gar nicht so böse, ungeachtet er, ich muß es gestehen, den Vorwitz, womit du ihm begegnetest, zu hart gestraft hat. – Doch ich bringe Hilfe! – er sendet dir dies Döschen, welches alle deine Leiden enden soll."

Damit zog Balthasar das kleine schildkrötene Döschen, welches er von Prosper Alpanus erhalten, aus der Tasche und überreichte es dem trostlosen Fabian.

„Was soll", sprach dieser, „was soll mir denn der dumme

Quark helfen? Wie kann ein kleines schildkrötenes Döschen Einfluß haben auf die Gestaltung meiner Röcke?"

„Das weiß ich nicht", erwiderte Balthasar, „aber mein lieber Oheim kann und wird mich nicht täuschen, ich habe das vollste Zutrauen zu ihm; darum öffne nur die Dose, lieber Fabian, wir wollen sehen, was darin enthalten."

Fabian tat es – und aus der Dose quoll ein herrlich gemachter schwarzer Frack von dem feinsten Tuche hervor. Beide, Fabian und Balthasar, konnten sich des lauten Ausrufs der höchsten Verwunderung nicht erwehren.

„Ha, ich verstehe dich", rief Balthasar begeistert, „ha, ich verstehe dich, mein Prosper, mein teurer Oheim! Dieser Rock wird passen, wird allen Zauber lösen." –

Fabian zog den Rock ohne weiteres an, und was Balthasar geahnet, traf wirklich ein. Das schöne Kleid saß dem Fabian, wie noch niemals ihm eins gesessen, und an Rutschen der Ärmel, an Verlängerung der Schöße war nicht zu denken.

Ganz außer sich vor Freude, beschloß Fabian nun sogleich in seinem neuen wohlpassenden Rock zum Rektor hinzulaufen und alles ins gleiche zu bringen.

Balthasar erzählte nun seinem Freunde ausführlich, wie sich alles begeben mit Prosper Alpanus und wie dieser ihm die Mittel in die Hand gegeben, dem heillosen Unwesen des mißgestalteten Däumlings ein Ende zu machen. Fabian, der ein ganz anderer worden, da ihn alle Zweifelsucht ganz verlassen, rühmte Prospers hohen Edelmut über alle Maßen und erbot sich, bei Zinnobers Entzauberung hilfreiche Hand zu leisten. In dem Augenblick gewahrte Balthasar aus dem Fenster seinen Freund, den Referendarius Pulcher, der ganz trübsinnig um die Ecke schleichen wollte.

Fabian steckte auf Balthasars Geheiß den Kopf zum Fenster heraus und winkte und rief dem Referendarius zu, er möge doch nur gleich heraufkommen.

Sowie Pulcher eintrat, rief er gleich: „Was hast du denn für einen herrlichen Rock an, lieber Fabian!" Dieser sagte aber, Balthasar werde ihm alles erklären, und lief fort zum Rektor.

Als nun Balthasar dem Referendarius alles ausführlich erzählt, was sich zugetragen, sprach dieser: „Gerade an der Zeit ist es nun, daß der abscheuliche Unhold totgemacht wird. Wisse, daß er heute seine feierliche Verlobung mit Candida feiert, daß der eitle Mosch Terpin ein großes Fest gibt, wozu er selbst den Fürsten geladen. Gerade bei diesem Feste wollen wir eindringen in des Professors Haus und den Kleinen überfallen. An Lichtern im Saal wird's nicht fehlen zum augenblicklichen Verbrennen der feindseligen Haare."

Noch manches hatten die Freunde gesprochen und miteinander verabredet, als Fabian eintrat mit vor Freude glänzendem Gesicht.

„Die Kraft", sprach er, „die Kraft des Rocks, der der schildkrötenen Dose entquollen, hat sich herrlich bewährt. Sowie ich eintrat bei dem Rektor, lächelte er zufrieden. ‚Ha', redete er mich an, ‚ha! – ich gewahre, mein lieber Fabian, daß Sie zurückgekommen sind von Ihrer seltsamen Verirrung! – Nun! Feuerköpfe wie Sie lassen sich leicht hinreißen zu dem Extremen! – Für religiöse Schwärmerei habe ich Ihr Beginnen niemals gehalten – mehr falsch verstandener Patriotismus – Hang zum Außerordentlichen, gestützt auf das Beispiel der Heroen des Altertums. – Ja, das lasse ich gelten, solch ein schöner, wohlpassender Rock! – Heil dem Staate, Heil der Welt, wenn hochherzige Jünglinge solche Röcke tragen, mit solchen passenden Ärmeln und Schößen. Bleiben Sie treu, Fabian, bleiben Sie treu solcher Tugend, solchem wackren Sinn, daraus entsproßt wahre Heldengröße!' – Der Rektor umarmte mich, indem helle Tränen ihm in die Augen traten. Selbst weiß ich nicht, wie ich dazu kam, die kleine schildkrötene Dose, aus der der Rock entstanden und die ich nun in dessen Tasche gesteckt, hervorzuziehen. ‚Bitte!' sprach der Rektor, indem er Daum und Zeigefinger zusammenspitzte. Ohne zu wissen, ob wohl Tabak darin enthalten, klappte ich die Dose auf. Der Rektor griff hinein, schnupfte, faßte meine Hand, drückte sie stark, Tränen liefen ihm über die Wangen; er sprach tiefgerührt: ‚Edler Jüngling! – eine schöne Prise! – Alles ist vergeben und vergessen, speisen Sie bei mir heut mittags!' – Ihr seht, Freunde, all mein Leiden hat ein Ende, und gelingt uns heute, wie es anders gar nicht zu erwarten steht, die Entzauberung Zinnobers, so seid auch *ihr* fortan glücklich!" –

In dem mit hundert Kerzen erleuchteten Saal stand der kleine Zinnober im scharlachroten gestickten Kleide, den großen Orden des grüngefleckten Tigers mit zwanzig Knöpfen umgetan, Degen an der Seite, Federhut unterm Arm. Neben ihm die holde Candida, bräutlich geschmückt, in aller Anmut und Jugend strahlend. Zinnober hatte ihre Hand gefaßt, die er zuweilen an den Mund drückte und dabei recht widrig grinste und lächelte. Und jedesmal überflog dann ein höheres Rot Candidas Wangen, und sie blickte den Kleinen an mit dem Ausdruck der innigsten Liebe. Das war denn wohl recht graulich anzusehen, und nur die Verblendung, in die Zinnobers Zauber alle versetzte, war schuld daran, daß man nicht, ergrimmt über Candidas heillose Verstrickung, den kleinen Hexenkerl packte und ins Kaminfeuer warf. Rings um das Paar im Kreise in ehrerbietiger Entfernung hatte sich die Gesellschaft gesammelt. Nur Fürst Barsanuph stand neben Candida und mühte sich, bedeutungsvolle gnädige Blicke umherzuwerfen, auf die indessen niemand sonderlich achtete. Alles hatte nur Auge für das Brautpaar und hing an Zinnobers Lippen, der hin und wieder einige unverständliche Worte schnurrte, denen jedesmal ein leises Ach! der höchsten Bewunderung, das die Gesellschaft ausstieß, folgte.

Es war an dem, daß die Verlobungsringe gewechselt werden sollten. Mosch Terpin trat in den Kreis mit einem Präsentierteller, auf dem die Ringe funkelten. Er räusperte sich – Zinnober hob sich auf den Fußspitzen so hoch als möglich, beinahe reichte er der Braut an den Ellbogen. – Alles stand in der gespanntesten Erwartung – da lassen sich plötzlich fremde Stimmen hören, die Türe des Saals springt auf, Balthasar dringt ein, mit ihm Pulcher – Fabian! – Sie brechen durch den Kreis – „Was ist das, was wollen die Fremden?" ruft alles durcheinander. –

Fürst Barsanuph schreit entsetzt: „Aufruhr – Rebellion – Wache!" und springt hinter den Kaminschirm. – Mosch Terpin erkennt den Balthasar, der dicht bis zum Zinnober vorgedrungen, und ruft: „Herr Studiosus! – Sind Sie rasend – sind Sie von Sinnen? – wie können Sie sich unterstehen, hier einzudringen in die Verlobung! – Leute – Gesellschaft – Bediente, werft den Grobian zur Türe hinaus!" –

Aber ohne sich nur im mindesten an irgend etwas zu kehren, hat Balthasar schon Prospers Lorgnette hervorgezogen und richtet durch dieselbe den festen Blick auf Zinnobers Haupt. Wie vom elektrischen Strahl getroffen, stößt Zinnober ein gellendes Katzengeschrei aus, daß der ganze Saal widerhallt. Candida fällt ohnmächtig auf einen Stuhl; der eng geschlossene Kreis der Gesellschaft stäubt auseinander. – Klar vor Balthasars Augen liegt der feuerfarbglänzende Haarstreif, er springt zu auf Zinnober – faßt ihn, *der* strampelt mit den Beinchen und sträubt sich und kratzt und beißt.

„Angepackt – angepackt!" ruft Balthasar; da fassen Fabian und Pulcher den Kleinen, daß er sich nicht zu regen und zu bewegen vermag, und Balthasar faßt sicher und behutsam die roten Haare, reißt sie mit einem Ruck vom Haupte herab, springt an den Kamin, wirft sie ins Feuer, sie prasseln auf, es geschieht ein betäubender Schlag, alle erwachen wie aus dem Traum. – Da steht der kleine Zinnober, der sich mühsam aufgerafft von der Erde, und schimpft und schmält und befiehlt, man solle die frechen Ruhestörer, die sich an der geheiligten Person des ersten Ministers im Staate vergriffen, sogleich packen und ins tiefste Gefängnis werfen! Aber einer frägt den andern: „Wo kommt denn mit einemmal der kleine purzelbäumige Kerl her? – was will das kleine Ungetüm?" – Und wie der Däumling immerfort tobt und mit den Füßchen den Boden stampft und immer dazwischenruft: „Ich bin der Minister Zinnober – ich bin der Minister Zinnober – der grüngefleckte Tiger mit zwanzig Knöpfen!", da bricht alles in ein tolles Gelächter aus. Man umringt den Kleinen, die Männer heben ihn auf und werfen sich ihn zu wie einen Fangball; ein Ordensknopf nach dem andern springt ihm vom Leibe – er verliert den Hut – den Degen, die Schuhe. – Fürst Barsanuph kommt hinter dem Kaminschirm hervor und tritt hinein mitten in den Tumult. Da kreischt der Kleine: „Fürst Barsanuph – Durchlaucht – retten Sie Ihren Minister – Ihren Liebling! – Hilfe – Hilfe – der Staat ist in Gefahr – der grüngefleckte Tiger – Weh – weh!“ – Der Fürst wirft einen grimmigen Blick auf den Kleinen und schreitet dann rasch vorwärts nach der Türe. Mosch Terpin kommt ihm in den Weg, den faßt er, zieht ihn in die Ecke und spricht mit zornfunkelnden Augen: „Sie erdreisten sich, Ihrem Fürsten, Ihrem Landesvater hier eine dumme Komödie vorspielen zu wollen? – Sie laden mich ein zur Verlobung Ihrer Tochter mit meinem würdigen Minister Zinnober, und statt meines Ministers finde ich hier eine abscheuliche Mißgeburt, die Sie in glänzende Kleider gesteckt? – Herr, wissen Sie, daß das ein landesverräterischer Spaß ist, den ich strenge ahnden würde, wenn Sie nicht ein ganz alberner Mensch wären, der ins Tollhaus gehört. – Ich entsetze Sie des Amts als Generaldirektor der natürlichen Angelegenheiten und verbitte mir alles weitere Studieren in meinem Keller! – Adieu!“

Damit stürmte er fort.

Aber Mosch Terpin stürzte zitternd vor Wut los auf den Kleinen, faßte ihn bei den langen struppigen Haaren und rannte mit ihm hin nach dem Fenster: „Hinunter mit dir“, schrie er, „hinunter mit dir, schändliche heillose Mißgeburt, die mich so schmachvoll hintergangen, mich um alles Glück des Lebens gebracht hat!“

Er wollte den Kleinen hinabstürzen durch das geöffnete Fenster, doch der Aufseher des zoologischen Kabinetts, der auch zugegen, sprang mit Blitzesschnelle hinzu, faßte den Kleinen und entriß ihn Mosch Terpins Fäusten. „Halten Sie ein“, sprach der Aufseher, „halten Sie ein, Herr Professor, vergreifen Sie sich nicht an fürstlichem Eigentum. Es ist keine Mißgeburt, es ist der Mycetes Beelzebub, Simia Beelzebub, der dem Museo entlaufen.“ – „Simia Beelzebub – Simia Beelzebub!“ ertönte es von allen Seiten unter schallendem Gelächter. Doch kaum hatte der Aufseher den Kleinen auf den Arm genommen und ihn recht angesehen, als er unmutig ausrief: „Was sehe ich! – das ist ja nicht Simia Beelzebub, das ist ja ein schnöder häßlicher Wurzelmann! Pfui! – pfui!" –

Und damit warf er den Kleinen in die Mitte des Saals. Unter dem lauten Hohngelächter der Gesellschaft rannte der Kleine quiekend und knurrend durch die Türe fort – die Treppe herab – fort, fort nach seinem Hause, ohne daß ihn ein einziger von seinen Dienern bemerkt.

Währenddessen, daß sich dies alles im Saale begab, hatte sich Balthasar in das Kabinett entfernt, wo man, wie er wahrgenommen, die ohnmächtige Candida hingebracht. Er warf sich ihr zu Füßen, drückte ihre Hände an seine Lippen, nannte sie mit den süßesten Namen. Sie erwachte endlich mit einem tiefen Seufzer, und als sie den Balthasar erblickte, da rief sie voll Entzücken: „Bist du endlich – endlich da, mein geliebter Balthasar! Ach, ich bin ja beinahe vergangen vor Sehnsucht und Liebesschmerz! – und immer erklangen mir die Töne der Nachtigall, von denen berührt der Purpurrose das Herzblut entquillt!" –

Nun erzählte sie, alles, alles um sich her vergessend, wie ein böser abscheulicher Traum sie verstrickt, wie es ihr vorgekommen, als habe sich ein häßlicher Unhold an ihr Herz gelegt, dem sie ihre Liebe schenken müssen, weil sie nicht anders gekonnt. Der Unhold habe sich zu verstellen gewußt, daß er ausgesehen wie Balthasar; und wenn sie recht lebhaft an Balthasar gedacht, habe sie zwar gewußt, daß der Unhold nicht Balthasar, aber dann sei es ihr wieder auf unbegreifliche Weise gewesen, als müsse sie den Unhold lieben, eben um Balthasars willen.

Balthasar klärte ihr so viel auf, als es geschehen konnte, ohne ihre ohnehin aufgeregten Sinne ganz und gar zu verwirren. Dann folgten, wie es unter Liebesleuten nicht anders zu geschehen pflegt, tausend Versicherungen, tausend Schwüre ewiger Liebe und Treue. Und dabei umfingen sie sich und drückten sich mit der Inbrunst der innigsten Zärtlichkeit an die Brust und waren ganz und gar umflossen von aller Wonne, von allem Entzücken des höchsten Himmels.

Mosch Terpin trat ein, händeringend und lamentierend, mit

ihm kamen Pulcher und Fabian, die immerfort, jedoch vergebens trösteten.

„Nein“, rief Mosch Terpin, „nein, ich bin ein total geschlagener Mann! – nicht mehr Generaldirektor der natürlichen Angelegenheiten im Staate. – Kein Studium mehr im fürstlichen Keller – die Ungnade des Fürsten – ich gedachte Ritter zu werden des grüngefleckten Tigers, wenigstens mit fünf Knöpfen. – Alles aus! – Was wird nur Se. Exzellenz der würdige Minister Zinnober dazu sagen, wenn er hört, daß ich eine schnöde Mißgeburt, den Simia Beelzebub cauda prehensili, oder was weiß ich sonst, für ihn gehalten! – O Gott, auch sein Haß wird auf mich lasten! – Alikante! – Alikante!“ –

„Aber, bester Professor“, trösteten die Freunde – „verehrter Generaldirektor, bedenken Sie doch nur, daß es gar keinen Minister Zinnober mehr gibt! – Sie haben sich ganz und gar nicht vergriffen, der ungestaltete Knirps hat vermöge der Zaubergabe, die er von der Fee Rosabelverde erhalten, Sie ebensogut getäuscht wie uns alle!“ –

Nun erzählte Balthasar, wie sich alles begeben von Anfang an. Der Professor horchte und horchte, bis Balthasar geendet, da rief er: „Wach ich! – träum ich – Hexen – Zauberer – Feen – magische Spiegel – Sympathien – soll ich an den Unsinn glauben?“

„Ach, liebster Herr Professor“, fiel Fabian ein, „hätten Sie nur eine Zeitlang einen Rock getragen mit kurzen Ärmeln und langer Schleppe so wie ich, Sie würden schon an alles glauben, daß es eine Lust wäre!“ –

„Ja“, rief Mosch Terpin, „ja, es ist alles so – ja! – ein verhextes Untier hat mich getäuscht – ich stehe nicht mehr auf den Füßen – ich schwebe auf zur Decke – Prosper Alpanus holt mich ab – ich reite aus auf einem Sommervogel – ich lasse mich frisieren von der Fee Rosabelverde – von dem Stiftsfräulein Rosenschön, und werde Minister! – König – Kaiser!“ –

Und damit sprang er im Zimmer umher und schrie und juchzte, daß alle für seinen Verstand fürchteten, bis er ganz erschöpft in einen Lehnsessel sank. Da nahten sich ihm Candida und Balthasar. Sie sprachen davon, wie sie sich so innig, so über alles liebten, wie sie gar nicht ohneeinander leben könnten, und das war recht wehmütig anzuhören, weshalb Mosch Terpin auch wirklich etwas weinte. „Alles“, sprach er schluchzend, „alles, was Ihr wollt, Kinder! – heiratet euch, liebt euch – hungert zusammen, denn ich gebe der Candida keinen Groschen mit.“ –

Was das Hungern beträfe, sprach Balthasar lächelnd, so hoffe er morgen den Herrn Professor zu überzeugen, daß davon wohl niemals die Rede sein könne, da sein Oheim Prosper Alpanus hinlänglich für ihn gesorgt.

„Tue das“, sprach der Professor matt, „tue das, mein lieber Sohn, wenn du kannst, und zwar morgen; denn soll ich nicht in Wahnsinn verfallen, soll mir der Kopf nicht zerspringen, so muß ich sofort zu Bette gehen!“ –

Er tat das wirklich auf der Stelle.

Neuntes Kapitel

Verlegenheit eines treuen Kammerdieners. – Wie die alte Liese eine Rebellion anzettelte und der Minister Zinnober auf der Flucht ausglitschte. – Auf welche merkwürdige Weise der Leibarzt des Fürsten Zinnobers jähen Tod erklärte. – Wie Fürst Barsanuph sich betrübte, Zwiebeln aß, und wie Zinnobers Verlust unersetzlich blieb.

Der Wagen des Ministers Zinnober hatte beinahe die ganze Nacht vergeblich vor Mosch Terpins Hause gehalten. Einmal über das andere versicherte man dem Jäger, Se. Exzellenz müßten schon lange die Gesellschaft verlassen haben; der meinte aber dagegen, das sei ganz unmöglich, da Se. Exzellenz doch wohl nicht im Regen und Sturm zu Fuß nach Hause gerannt sein würden. Als nun endlich alle Lichter ausgelöscht und die Türen verschlossen wurden, mußte der Jäger zwar fortfahren mit dem leeren Wagen, im Hause des Ministers weckte er aber sogleich den Kammerdiener und fragte, ob denn ums Himmels willen und auf welche Art der Minister nach Hause gekommen. „Se. Exzellenz“, erwiderte der Kammerdiener leise dem Jäger ins Ohr,

„Se. Exzellenz sind gestern eingetroffen in später Dämmerung, das ist ganz gewiß – liegen im Bette und schlafen. – Aber! – o mein guter Jäger! – wie – auf welche Weise! – ich will Ihnen alles erzählen – doch Siegel auf den Mund – ich bin ein verlorner Mann, wenn Se. Exzellenz erfahren, daß ich es war auf dem finstern Korridor! – ich komme um meinen Dienst, denn Se. Exzellenz sind zwar von kleiner Statur, besitzen aber außerordentlich viel Wildheit, alterieren sich leicht, kennen sich selbst nicht im Zorn, haben noch gestern eine schnöde Maus, die durch Sr. Exzellenz Schlafzimmer zu hüpfen sich unterfangen, mit dem blankgezogenen Degen durch und durch gerannt. – Nun gut! – Also in der Dämmerung nehme ich mein Mäntelchen um und will ganz sachte hinüberschleichen ins Weinstübchen zu einer Partie Trick-Track, da schurrt und schlurrt mir etwas auf der Treppe entgegen und kommt mir auf dem finstern Korridor zwischen die Beine und schlägt hin auf den Boden und erhebt ein gellendes Katzengeschrei und grunzt dann wie – o Gott – Jäger! – halten Sie das Maul, edler Mann, sonst bin ich hin! – kommen Sie ein wenig näher –– und grunzt dann, wie unsere gnädige Exzellenz zu grunzen pflegt, wenn der Koch die Kälberkeule verbraten oder ihm sonst im Staate was nicht recht ist."

Die letzten Worte hatte der Kammerdiener dem Jäger mit vorgehaltener Hand ins Ohr gesprochen. Der Jäger fuhr zurück, schnitt ein bedenkliches Gesicht und rief: „Ist es möglich!" –

„Ja", fuhr der Kammerdiener fort, „es war unbezweifelt unsere gnädige Exzellenz, was mir auf dem Korridor durch die Beine fuhr. Ich vernahm nun deutlich, wie der Gnädige in den Zimmern die Stühle heranrückte und sich die Türe eines Zimmers nach dem andern öffnete, bis er in sein Schlafkabinett angekommen. Ich wagt es nicht nachzugehen, aber ein paar Stündchen nachher schlich ich mich an die Türe des Schlafkabinetts und horchte. Da schnarchten die liebe Exzellenz ganz auf die Weise, wie es zu geschehen pflegt, wenn Großes im Werke. – Jäger! ‚es gibt mehr Dinge im Himmel und auf Erden, als unsere Weisheit sich träumt', das hört ich einmal auf dem Theater einen melancholischen Prinzen sagen, der ganz schwarz ging und sich vor einem ganz in grauen Pappendeckel gekleideten Mann sehr fürchtete. – Jäger! – es ist gestern irgend etwas Erstaunliches geschehen, das die Exzellenz nach Hause trieb. Der Fürst ist bei dem Professor gewesen, vielleicht äußerte er das und das – irgendein hübsches Reformchen – und da ist nun der Minister gleich drüber her, läuft aus der Verlobung heraus und fängt an zu arbeiten für das Wohl der Regierung. – Ich hört's gleich am Schnarchen; ja Großes, Entscheidendes wird geschehen! – O Jäger – vielleicht lassen wir alle über kurz oder lang uns wieder die Zöpfe wachsen! – Doch, teurer Freund, lassen Sie uns hinabgehen und als treue Diener an der Türe des Schlafzimmers lauschen, ob Se. Exzellenz auch noch ruhig im Bette liegen und die inneren Gedanken ausarbeiten."

Beide, der Kammerdiener und der Jäger, schlichen sich hin an die Türe und horchten. Zinnober schnurrte und orgelte und pfiff durch die wundersamsten Tonarten. Beide Diener standen in stummer Ehrfurcht, und der Kammerdiener sprach tiefgerührt: „Ein großer Mann ist doch unser gnädiger Herr Minister!" –

Schon am frühsten Morgen entstand unten im Hause des Ministers ein gewaltiger Lärm. Ein altes, erbärmlich in längst verblichenen Sonntagsstaat gekleidetes Bauernweib hatte sich ins Haus gedrängt und dem Portier angelegen, sie sogleich zu ihrem Söhnlein, zu Klein Zaches, zu führen. Der Portier hatte sie bedeutet, daß Se. Exzellenz der Herr Minister von Zinnober, Ritter des grüngefleckten Tigers mit zwanzig Knöpfen, im Hause wohne und niemand von der Dienerschaft Klein Zaches heiße oder so genannt werde. Da hatte das Weib aber ganz toll jubelnd geschrien, der Herr Minister Zinnober mit zwanzig Knöpfen, das sei eben ihr liebes Söhnlein, der Klein Zaches. Auf das Geschrei des Weibes, auf die donnernden Flüche des Portiers war alles aus dem ganzen Hause zusammengelaufen, und das Getöse wurde ärger und ärger. Als der Kammerdiener hinabkam, um die Leute auseinanderzujagen, die Se. Exzellenz so unverschämt in der Morgenruhe störten, warf man ebendas Weib, die alle für wahnsinnig hielten, zum Hause heraus.

Auf die steinernen Stufen des gegenüberstehenden Hauses

setzte sich nun das Weib hin und schluchzte und lamentierte, daß das grobe Volk da drinnen sie nicht zu ihrem Herzenssöhnlein, zu dem Klein Zaches, der Minister geworden, lassen wolle. Viele Leute versammelten sich nach und nach um sie her, denen sie immer und immer wiederholte, daß der Minister Zinnober niemand anders sei als ihr Sohn, den sie in der Jugend Klein Zaches geheißen; so daß die Leute zuletzt nicht wußten, ob sie die Frau für toll halten oder gar ahnen sollten, daß wirklich was an der Sache.

Die Frau wandte nicht die Augen weg von Zinnobers Fenster. Da schlug sie mit einemmal eine helle Lache auf, klopfte die Hände zusammen und rief jubelnd überlaut: „Da ist er – da ist er, mein Herzensmännlein – mein kleines Koboldchen – Guten Morgen, Klein Zaches! – Guten Morgen, Klein Zaches!“ – Alle Leute guckten hin, und als sie den kleinen Zinnober gewahrten, der in seinem gestickten Scharlachkleide, das Ordensband des grüngefleckten Tigers umgehängt, vor dem Fenster stand, das hinabging bis an den Fußboden, so daß seine ganze Figur durch die großen Scheiben deutlich zu sehen, lachten sie ganz übermäßig und lärmten und schrien: „Klein Zaches – Klein Zaches! Ha, seht doch den kleinen geputzten Pavian – die tolle Mißgeburt – das Wurzelmännlein – Klein Zaches! Klein Zaches!“ – Der Portier, alle Diener Zinnobers rannten heraus, um zu erschauen, worüber das Volk denn so unmäßig lache und jubiliere. Aber kaum erblickten sie ihren Herrn, als sie noch ärger als das Volk im tollsten Gelächter schrien: „Klein Zaches – Klein Zaches – Wurzelmann – Däumling – Alraun!“ –

Der Minister schien erst jetzt zu gewahren, daß der tolle Spuk auf der Straße niemand anderm gelte als ihm selbst. Er riß das Fenster auf, schaute mit zornfunkelnden Augen hinab, schrie, raste, machte seltsame Sprünge vor Wut – drohte mit Wache – Polizei – Stockhaus und Festung.

Aber je mehr die Exzellenz tobte im Zorn, desto ärger wurde Tumult und Gelächter, man fing an, mit Steinen – Obst – Gemüse oder was man eben zur Hand bekam, nach dem unglücklichen Minister zu werfen – er mußte hinein! –

„Gott im Himmel", rief der Kammerdiener entsetzt, „aus dem Fenster der gnädigen Exzellenz guckte ja das kleine abscheuliche Ungetüm heraus – Was ist das? – wie ist der kleine Hexenkerl in die Zimmer gekommen?" – Damit rannte er hinauf, aber so wie vorher fand er das Schlafkabinett des Ministers fest verschlossen. Er wagte leise zu pochen! – Keine Antwort! –

Indessen war, der Himmel weiß, auf welche Weise, ein dumpfes Gemurmel im Volke entstanden, das kleine lächerliche Ungetüm dort oben sei wirklich Klein Zaches, der den stolzen Namen Zinnober angenommen und sich durch allerlei schändlichen Lug und Trug aufgeschwungen. Immer lauter und lauter erhoben sich die Stimmen. „Hinunter mit der kleinen Bestie – hinunter – klopft dem Klein Zaches die Ministerjacke aus – sperrt ihn in den Käficht – laßt ihn für Geld sehen auf dem Jahrmarkt! – Beklebt ihn mit Goldschaum und beschert ihn den Kindern zum Spielzeug! – Hinauf – hinauf!" – Und damit stürmte das Volk an gegen das Haus.

Der Kammerdiener rang verzweiflungsvoll die Hände. „Rebellion – Tumult – Exzellenz – machen Sie auf – retten Sie sich!" – so schrie er; aber keine Antwort, nur ein leises Stöhnen ließ sich vernehmen.

Die Haustüre wurde eingeschlagen, das Volk polterte unter wildem Gelächter die Treppe herauf.

„Nun gilt's", sprach der Kammerdiener und rannte mit aller Macht an gegen die Türe des Kabinetts, daß sie klirrend und rasselnd aus den Angeln sprang. – Keine Exzellenz – kein Zinnober zu finden! –

„Exzellenz – gnädigste Exzellenz – vernehmen Sie denn nicht die Rebellion? – Exzellenz – gnädigste Exzellenz, wo hat Sie denn der – Gott verzeih mir die Sünde, wo geruhen Sie sich denn zu befinden!"

So schrie der Kammerdiener, in heller Verzweiflung durch die Zimmer rennend. Aber keine Antwort, kein Laut, nur der spottende Widerhall tönte von den Marmorwänden. Zinnober schien spurlos, tonlos verschwunden. – Draußen war es ruhiger geworden, der Kammerdiener vernahm die tiefe klangvolle

Stimme eines Frauenzimmers, die zum Volke sprach, und gewahrte, durchs Fenster blickend, wie die Menschen nach und nach, leise miteinander murmelnd, das Haus verließen, bedenkliche Blicke hinaufwerfend nach den Fenstern.

„Die Rebellion scheint vorüber“, sprach der Kammerdiener, „nun wird die gnädige Exzellenz wohl hervorkommen aus ihrem Schlupfwinkel.“

Er ging nach dem Schlafkabinett zurück, vermutend, dort werde der Minister sich doch wohl am Ende befinden.

Er warf spähende Blicke ringsumher, da wurde er gewahr, wie aus einem schönen silbernen Henkelgefäß, das immer dicht neben der Toilette zu stehen pflegte, weil es der Minister als ein teures Geschenk des Fürsten sehr wert hielt, ganz kleine dünne Beinchen hervorstarrten.

„Gott – Gott“, schrie der Kammerdiener entsetzt, „Gott! – Gott! – täuscht mich nicht alles, so gehören die Beinchen dort Sr. Exzellenz dem Herrn Minister Zinnober, meinem gnädigen Herrn!“ – Er trat heran, er rief, durchbebt von allen Schauern des Schrecks, indem er herabschaute: „Exzellenz – Exzellenz – um Gott, was machen Sie – was treiben Sie da unten in der Tiefe!“

Da aber Zinnober stillblieb, sah der Kammerdiener wohl die Gefahr ein, in der die Exzellenz schwebte, und daß es an der Zeit sei, allen Respekt beiseite zu setzen. Er packte den Zinnober bei den Beinchen – zog ihn heraus! – Ach tot – tot war die kleine Exzellenz! Der Kammerdiener brach aus in lautes Jammern; der Jäger, die Dienerschaft eilte herbei, man rannte nach dem Leibarzt des Fürsten. Indessen trocknete der Kammerdiener seinen armen unglücklichen Herrn ab mit saubern Handtüchern, legte ihn ins Bette, bedeckte ihn mit seidenen Kissen, so daß nur das kleine verschrumpfte Gesichtchen sichtbar blieb.

Hinein trat nun das Fräulein von Rosenschön. Sie hatte erst, der Himmel weiß, auf welche Art, das Volk beruhigt. Nun schritt sie zu auf den entseelten Zinnober, ihr folgte die alte Liese, des kleinen Zaches leibliche Mutter. – Zinnober sah in der Tat hübscher aus im Tode, als er jemals in seinem ganzen Leben ausgesehen. Die kleinen Äugelein waren geschlossen, das Näschen sehr weiß, der Mund zum sanften Lächeln ein wenig verzogen, aber vor allen Dingen wallte das dunkelbraune Haar in den schönsten Locken herab. Über das Haupt hin strich das Fräulein den Kleinen, und in dem Augenblick blitzte in mattem Schimmer ein roter Streif hervor.

„Ha", rief das Fräulein, indem ihr die Augen vor Freude glänzten, „ha, Prosper Alpanus! – hoher Meister, du hältst Wort! – Verbüßt ist sein Verhängnis und mit ihm alle Schmach!"

„Ach", sprach die alte Liese, „ach du lieber Gott, das ist ja doch wohl nicht mein kleiner Zaches, so hübsch hat *der* niemals ausgesehen. Da bin ich doch nun ganz umsonst nach der Stadt gegangen, und Ihr habt mir gar nicht gut geraten, mein gnädiges Fräulein!" –

„Murrt nur nicht, Alte", erwiderte das Fräulein, „hättet Ihr nur meinen Rat ordentlich befolgt und wäret Ihr nicht früher, als ich hier war, in dies Haus gedrungen, alles stünde für Euch besser. – Ich wiederhole es, der Kleine, der dort tot im Bette liegt, ist gewiß und wahrhaftig Euer Sohn, Klein Zaches!"

„Nun", rief die Frau mit leuchtenden Augen, „nun, wenn die kleine Exzellenz dort wirklich mein Kind ist, so erb ich ja wohl all die schönen Sachen, die hier rings umherstehen, das ganze Haus mit allem, was drinnen ist?"

„Nein", sprach das Fräulein, „das ist nun ganz und gar vorbei, Ihr habt den rechten Augenblick verfehlt, Geld und Gut zu gewinnen. – Euch ist, ich habe es gleich gesagt, Euch ist nun einmal Reichtum nicht beschieden." –

„So darf ich", fuhr die Frau fort, indem ihr die Tränen in die Augen traten, „so darf ich denn nicht wenigstens mein armes kleines Männlein in die Schürze nehmen und nach Hause tragen? – Unser Herr Pfarrer hat so viel hübsche ausgestopfte Vögelein und Eichkätzchen, der soll mir meinen Klein Zaches ausstopfen lassen, und ich will ihn auf meinen Schrank stellen, wie er da ist im roten Rock mit dem breiten Bande und dem großen Stern auf der Brust, zum ewigen Andenken!" –

„Das ist", rief das Fräulein beinahe unwillig, „das ist ein ganz einfältiger Gedanke, das geht ganz und gar nicht an!" –

Da fing das Weib an zu schluchzen, zu klagen, zu lamentieren. „Was hab ich", sprach sie, „nun davon, daß mein Klein Zaches zu hohen Würden, zu großem Reichtum gelangt ist! – Wär er nur bei mir geblieben, hätt ich ihn nur aufgezogen in meiner Armut, niemals wär er in jenes verdammte silberne Ding gefallen, er lebte noch, und ich hätt vielleicht Freude und Segen von ihm gehabt. Trug ich ihn so herum in meinem Holzkorb, Mitleiden hätten die Leute gefühlt und mir manches schöne Stücklein Geld zugeworfen, aber nun." –

Es ließen sich Tritte im Vorsaal vernehmen, das Fräulein trieb die Alte heraus, mit der Weisung, sie solle unten vor der Türe warten, im Wegfahren wolle sie ihr ein untrügliches Mittel vertrauen, wie sie all ihre Not, all ihr Elend mit einemmal enden könne.

Nun trat Rosabelverde noch einmal dicht an den Kleinen heran und sprach mit der weichen bebenden Stimme des tiefen Mitleids:

„Armer Zaches! – Stiefkind der Natur! – ich hatt es gut mit dir gemeint! – Wohl mocht es Torheit sein, daß ich glaubte, die äußere schöne Gabe, womit ich dich beschenkt, würde hineinstrahlen in dein Inneres und eine Stimme erwecken, die dir sagen müßte: ‚Du bist nicht der, für den man dich hält, aber strebe doch nur an, es dem gleichzutun, auf dessen Fittichen du Lahmer, Unbefiederter dich aufschwingst!' – Doch keine innere Stimme erwachte. Dein träger, toter Geist vermochte sich nicht emporzurichten, du ließest nicht nach in deiner Dummheit, Grobheit, Ungebärdigkeit – Ach! – wärst du nur ein geringes Etwas weniger ein kleiner ungeschlachter Rüpel geblieben, du entgingst dem schmachvollen Tode! – Prosper Alpanus hat dafür gesorgt, daß man dich jetzt im Tode wieder dafür hält, was du im Leben durch meine Macht zu sein schienst. Sollt ich dich vielleicht gar noch wiederschauen als kleiner Käfer – flinke Maus oder behende Eichkatze, so soll es mich freuen! – Schlafe wohl, Klein Zaches!" –

Indem Rosabelverde das Zimmer verließ, trat der Leibarzt des Fürsten mit dem Kammerdiener hinein.

„Um Gott", rief der Arzt, als er den toten Zinnober erblickte und sich überzeugte, daß alle Mittel, ihn ins Leben zu rufen, vergeblich bleiben würden, „um Gott, wie ist das zugegangen, Herr Kämmerer?"

„Ach", erwiderte dieser, „ach, lieber Herr Doktor, die Rebellion oder die Revolution, es ist all eins, wie Sie es nennen wollen, tobte und hantierte draußen auf dem Vorsaale ganz fürchterlich. Se. Exzellenz, besorgt um ihr teures Leben, wollten gewiß in die Toilette hineinflüchten, glitschten aus und" –

„So ist", sprach der Doktor feierlich und bewegt, „so ist er aus Furcht zu sterben gar gestorben!"

Die Türe sprang auf, und hinein stürzte Fürst Barsanuph mit verbleichtem Antlitz, hinter ihm her sieben noch bleichere Kammerherrn.

„Ist es wahr, ist es wahr?" rief der Fürst; aber sowie er des Kleinen Leichnam erblickte, prallte er zurück und sprach, die Augen gen Himmel gerichtet, mit dem Ausdruck des tiefsten Schmerzes: „O Zinnober!" – Und die sieben Kammerherrn riefen dem Fürsten nach: „O Zinnober!" und holten, wie es der Fürst tat, die Schnupftücher aus der Tasche und hielten sie sich vor die Augen.

„Welch ein Verlust", begann nach einer Weile des lautlosen Jammers der Fürst, „welch ein unersetzlicher Verlust für den Staat! – Wo einen Mann finden, der den Orden des grüngefleckten Tigers mit zwanzig Knöpfen mit *der* Würde trägt als mein Zinnober! – Leibarzt, und Sie konnten mir *den* Mann sterben lassen! – Sagen Sie – wie ging das zu, wie mochte das geschehen – was war die Ursache – woran starb der Vortreffliche?" –

Der Leibarzt beschaute den Kleinen sehr sorgsam, befühlte manche Stellen ehemaliger Pulse, strich das Haupt entlang, räusperte sich und begann: „Mein gnädigster Herr! Sollte ich mich begnügen, auf der Oberfläche zu schwimmen, ich könnte sagen, der Minister sei an dem gänzlichen Ausbleiben des Atems gestorben, dies Ausbleiben des Atems sei bewirkt durch die

Unmöglichkeit, Atem zu schöpfen, und diese Unmöglichkeit wieder nur herbeigeführt durch das Element, durch den Humor, in den der Minister stürzte. Ich könnte sagen, der Minister sei auf diese Weise einen humoristischen Tod gestorben, aber fern von mir sei diese Seichtigkeit, fern von mir die Sucht, alles aus schnöden physischen Prinzipien erklären zu wollen, was nur im Gebiet des rein Psychischen seinen natürlichen unumstößlichen Grund findet. – Mein gnädigster Fürst, frei sei des Mannes Wort! – Den ersten Keim des Todes fand der Minister im Orden des grüngefleckten Tigers mit zwanzig Knöpfen!" –

„Wie", rief der Fürst, indem er den Leibarzt mit zornglühenden Augen anfunkelte, „wie! – was sprechen Sie? – der Orden des grüngefleckten Tigers mit zwanzig Knöpfen, den der Selige zum Wohl des Staats mit so vieler Anmut, mit so vieler Würde trug? – *der* Ursache seines Todes? – Beweisen Sie mir das, oder – Kammerherrn, was sagt ihr dazu?"

„Er muß beweisen, er muß beweisen, oder" – riefen die sieben blassen Kammerherrn, und der Leibarzt fuhr fort:

„Mein bester gnädigster Fürst, ich werd es beweisen, also kein *oder!* – Die Sache hängt folgendermaßen zusammen: Das schwere Ordenszeichen am Bande, vorzüglich aber die Knöpfe auf dem Rücken wirkten nachteilig auf die Ganglien des Rückgrats. Zu gleicher Zeit verursachte der Ordensstern einen Druck auf jenes knotige fadichte Ding zwischen dem Dreifuß und der obern Gekröspulsader, das wir das Sonnengeflecht nennen und das in dem labyrinthischen Gewebe der Nervengeflechte prädominiert. Dies dominierende Organ steht in der mannigfaltigsten Beziehung mit dem Zerebralsystem, und natürlich war der Angriff auf die Ganglien auch diesem feindlich. Ist aber nicht die freie Leitung des Zerebralsystems die Bedingung des Bewußtseins, der Persönlichkeit, als Ausdruck der vollkommensten Vereinigung des Ganzen in einem Brennpunkt? Ist nicht der Lebensprozeß die Tätigkeit in beiden Sphären, in dem Ganglien- und Zerebralsystem? – Nun! genug, jener Angriff störte die Funktionen des psychischen Organism. Erst kamen finstre Ideen von unerkannten Aufopferungen für den Staat durch das schmerzhafte Tragen jenes Ordens usw., immer verfänglicher wurde der Zustand, bis gänzliche Disharmonie des Ganglien- und Zerebralsystems endlich gänzliches Aufhören des Bewußtseins, gänzliches Aufgeben der Persönlichkeit herbeiführte. Diesen Zustand bezeichnen wir aber mit dem Worte *Tod!* – Ja, gnädigster Herr! – der Minister hatte bereits seine Persönlichkeit aufgegeben, war also schon mausetot, als er hineinstürzte in jenes verhängnisvolle Gefäß. – So hatte sein Tod keine physische, wohl aber eine unermeßlich tiefe psychische Ursache." –

„Leibarzt", sprach der Fürst unmutig, „Leibarzt, Sie schwatzen nun schon eine halbe Stunde, und ich will verdammt sein, wenn ich eine Silbe davon verstehe. Was wollen Sie mit Ihrem Physischen und Psychischen?"

„Das physische Prinzip", nahm der Arzt wieder das Wort, „ist die Bedingung des rein vegetativen Lebens, das psychische bedingt dagegen den menschlichen Organism, der nur in dem Geiste, in der Denkkraft das Triebrad der Existenz findet."

„Noch immer", rief der Fürst im höchsten Unmut, „noch immer verstehe ich Sie nicht, Unverständlicher!"

„Ich meine", sprach der Doktor, „ich meine, Durchlauchtiger, daß das Physische sich bloß auf das rein vegetative Leben ohne Denkkraft, wie es in Pflanzen stattfindet, das Psychische aber auf die Denkkraft bezieht. Da diese nun im menschlichen Organism vorwaltet, so muß der Arzt immer bei der Denkkraft, bei dem Geist anfangen und den Leib nur als Vasallen des Geistes betrachten, der sich fügen muß, sobald der Gebieter es will." –

„Hoho!" rief der Fürst „hoho, Leibarzt, lassen Sie das gut sein! – Kurieren Sie meinen Leib, und lassen Sie meinen Geist ungeschoren, von dem habe ich noch niemals Inkommoditäten verspürt. Überhaupt, Leibarzt, Sie sind ein konfuser Mann, und stünde ich hier nicht an der Leiche meines Ministers und wäre gerührt, ich wüßte, was ich täte! – Nun, Kammerherrn! vergießen wir noch einige Zähren hier am Katafalk des Verewigten und gehen wir dann zur Tafel."

Der Fürst hielt das Schnupftuch vor die Augen und schluchzte, die Kammerherrn taten desgleichen, dann schritten sie alle von dannen.

Vor der Türe stand die alte Liese, welche einige Reihen der allerschönsten goldgelben Zwiebeln über den Arm gehängt hatte, die man nur sehen konnte. Des Fürsten Blick fiel zufällig auf diese Früchte. Er blieb stehen, der Schmerz verschwand aus seinem Antlitz, er lächelte mild und gnädig, er sprach: „Hab ich doch in meinem Leben keine solche schöne Zwiebeln gesehen, die müssen von dem herrlichsten Geschmack sein. Verkauft Sie die Ware, liebe Frau?"

„O ja", erwiderte Liese mit einem tiefen Knicks, „o ja, gnädigste Durchlaucht, von dem Verkauf der Zwiebeln nähre ich mich dürftig, so gut es gehn will! – Sie sind süß wie purer Honig, belieben Sie, gnädigster Herr?"

Damit reichte sie eine Reihe der stärksten, glänzendsten Zwiebeln dem Fürsten hin. Der nahm sie, lächelte, schmatzte ein wenig und rief dann: „Kammerherrn! geb mir einer einmal sein Taschenmesser her." Ein Messer erhalten, schälte der Fürst nett und sauber eine Zwiebel ab und kostete etwas von dem Mark.

„Welch ein Geschmack, welche Süße, welche Kraft, welches Feuer!" rief er, indem ihm die Augen glänzten vor Entzücken, „und dabei ist es mir, als säh ich den verewigten Zinnober vor mir stehen, der mir zuwinkte und zulispelte: ‚Kaufen Sie – essen Sie diese Zwiebeln, mein Fürst – das Wohl des Staats erfordert es!'" – Der Fürst drückte der alten Liese ein paar Goldstücke in die Hand, und die Kammerherrn mußten sämtliche Reihen Zwiebeln in die Taschen schieben. Noch mehr! – er verordnete, daß niemand anders die Zwiebellieferung für die fürstlichen Dejeuners haben sollte als Liese. So kam die Mutter des Klein Zaches, ohne gerade reich zu werden, aus aller Not, aus allem Elend, und gewiß war es wohl, daß ihr ein geheimer Zauber der guten Fee Rosabelverde dazu verhalf.

Das Leichenbegängnis des Ministers Zinnober war eins der prächtigsten, das man jemals in Kerepes gesehen; der Fürst, alle Ritter des grüngefleckten Tigers folgten der Leiche in tiefer

Trauer. Alle Glocken wurden gezogen, ja sogar die beiden Böller, die der Fürst behufs der Feuerwerke mit schweren Kosten angeschafft, mehrmals gelöst. Bürger – Volk – alles weinte und lamentierte, daß der Staat seine beste Stütze verloren und wohl niemals mehr ein Mann von dem tiefen Verstande, von der Seelengröße, von der Milde, von dem unermüdlichen Eifer für das allgemeine Wohl wie Zinnober an das Ruder der Regierung kommen werde.

In der Tat blieb auch der Verlust unersetzlich; denn niemals fand sich wieder ein Minister, dem der Orden des grüngefleckten Tigers mit zwanzig Knöpfen so an den Leib gepaßt haben sollte wie dem verewigten, unvergeßlichen Zinnober.

Letztes Kapitel

Wehmütige Bitten des Autors. – Wie der Professor Mosch Terpin sich beruhigte und Candida niemals verdrießlich werden konnte. – Wie ein Goldkäfer dem Doktor Prosper Alpanus etwas ins Ohr summte, dieser Abschied nahm und Balthasar eine glückliche Ehe führte.

Es ist nun an dem, daß der, der für dich, geliebter Leser, diese Blätter aufschreibt, von dir scheiden will, und dabei überfällt ihn Wehmut und Bangen. – Noch vieles, vieles wüßte er von den merkwürdigen Taten des kleinen Zinnober, und er hätte, wie er denn nun überhaupt zu der Geschichte aus dem Innern heraus unwiderstehlich angeregt wurde, wahre Lust daran gehabt, dir, o mein Leser, noch das alles zu erzählen. Doch! – rückblickend auf alle Ereignisse, wie sie in den neun Kapiteln vorgekommen, fühlt er wohl, daß darin schon so viel Wunderliches, Tolles, der nüchternen Vernunft Widerstrebendes enthalten, daß er, noch mehr dergleichen anhäufend, Gefahr laufen müßte, es mit dir, geliebter Leser, deine Nachsicht mißbrauchend, ganz und gar zu verderben. Er bittet dich in jener Wehmut, in jenem Bangen, das plötzlich seine Brust beengte, als er die Worte „Letztes Kapitel“ schrieb, du mögest mit recht heitrem, unbefangenem Gemüt es dir gefallen lassen, die seltsamen Gestaltungen zu betrachten, ja dich mit ihnen zu befreunden, die der Dichter der Eingebung des spukhaften Geistes, Phantasus geheißen, verdankt, und dessen bizarrem, launischem Wesen er sich vielleicht zu sehr überließ. – Schmolle deshalb nicht mit beiden, mit dem Dichter und mit dem launischen Geiste! – Hast du, geliebter Leser, hin und wieder über manches recht im Innern gelächelt, so warst du in *der* Stimmung, wie sie der Schreiber dieser Blätter wünschte, und dann, so glaubt er, wirst du ihm wohl vieles zugute halten! –

Eigentlich hätte die Geschichte mit dem tragischen Tode des kleinen Zinnober schließen können. Doch ist es nicht anmutiger, wenn statt eines traurigen Leichenbegängnisses eine fröhliche Hochzeit am Ende steht?

So werde denn noch kürzlich der holden Candida und des glücklichen Balthasars gedacht. –

Der Professor Mosch Terpin war sonst ein aufgeklärter, welterfahrner Mann, der dem weisen Spruch „Nil admirari" gemäß sich seit vielen, vielen Jahren über nichts in der Welt zu verwundern pflegte. Aber jetzt geschah es, daß er, all seine Weisheit aufgebend, sich immer fort und fort verwundern mußte, so daß er zuletzt klagte, wie er nicht mehr wisse, ob er wirklich der Professor Mosch Terpin sei, der ehemals die natürlichen Angelegenheiten im Staate dirigiert, und ob er noch wirklich, Kopf in die Höhe, auf seinen lieben Füßen einherspaziere.

Zuerst verwunderte er sich, als Balthasar ihm den Doktor Prosper Alpanus als seinen Oheim vorstellte und dieser ihm die Schenkungsurkunde vorwies, vermöge der Balthasar Besitzer des eine Stunde von Kerepes entfernten Landhauses nebst Waldung, Äcker und Wiesen wurde; als er in dem Inventario, kaum seinen Augen trauend, köstliche Gerätschaften, ja Gold- und Silberbarren erwähnt gewahrte, deren Wert den Reichtum der fürstlichen Schatzkammer bei weitem überstieg. Dann verwunderte er sich, als er den prächtigen Sarg, in dem Zinnober lag, durch Balthasars Lorgnette anschaute und es ihm auf einmal war, als habe es nie einen Minister Zinnober, sondern nur einen kleinen ungeschlachten, ungebärdigen Knirps gegeben, den man fälschlicherweise für einen verständigen, weisen Minister Zinnober gehalten.

Bis auf den höchsten Grad stieg aber Mosch Terpins Verwunderung, als Prosper Alpanus ihn im Landhause umherführte, ihm seine Bibliothek und andere sehr wunderbare Dinge zeigte, ja selbst einige sehr anmutige Experimente machte mit seltsamen Pflanzen und Tieren.

Dem Professor ging der Gedanke auf, es sei wohl mit seinem Naturforschen ganz und gar nichts und er säße in einer herrlichen bunten Zauberwelt wie in einem Ei eingeschlossen. Dieser Gedanke beunruhigte ihn so sehr, daß er zuletzt klagte und weinte wie ein Kind. Balthasar führte ihn sofort in den geräumigen Weinkeller, in dem er glänzende Fässer und blinkende Flaschen erblickte. Besser als in dem fürstlichen Weinkeller, meinte Balthasar, könne er hier studieren und in dem schönen Park die Natur hinlänglich erforschen.

Hierauf beruhigte sich der Professor.

Balthasars Hochzeit wurde auf dem Landhause gefeiert. Er – die Freunde Fabian – Pulcher – alle erstaunten über Candidas hohe Schönheit, über den zauberischen Reiz, der in ihrem Anzuge, in ihrem ganzen Wesen lag. – Es war auch wirklich ein Zauber, der sie umfloß, denn die Fee Rosabelverde, die, allen Groll vergessend, der Hochzeit als Stiftsfräulein von Rosenschön beiwohnte, hatte sie selbst gekleidet und mit den schönsten, herrlichsten Rosen geschmückt. Nun weiß man aber wohl, daß der Anzug gut stehen muß, wenn eine Fee dabei Hand anlegt. Außerdem hatte Rosabelverde der holden Braut einen prächtig funkelnden Halsschmuck verehrt, der eine magische Wirkung dahin äußerte, daß sie, hatte sie ihn umgetan, niemals über Kleinigkeiten, über ein schlecht genesteltes Band, über einen mißratenen Haarschmuck, über einen Fleck in der Wäsche oder sonst verdrießlich werden konnte. Diese Eigenschaft, die ihr der Halsschmuck gab, verbreitete eine besondere Anmut und Heiterkeit auf ihrem ganzen Antlitz.

Das Brautpaar stand im höchsten Himmel der Wonne und – so herrlich wirkte der geheime weise Zauber Alpans – hatte doch noch Blick und Wort für die Herzensfreunde, welche versammelt. Prosper Alpanus und Rosabelverde, beide sorgten dafür, daß die schönsten Wunder den Hochzeitstag verherrlichten. Überall tönten aus Büschen und Bäumen süße Liebeslaute, während sich schimmernde Tafeln erhoben mit den herrlichsten Speisen, mit Kristallflaschen belastet, aus denen der edelste Wein strömte, welcher Lebensglut durch alle Adern der Gäste goß.

Die Nacht war eingebrochen, da spannen sich feuerflammende Regenbogen über den ganzen Park, und man sah schimmernde Vögel und Insekten, die sich auf und ab schwangen, und wenn sie die Flügel schüttelten, stäubten Millionen Funken hervor, die in ewigem Wechsel allerlei holde Gestalten bildeten, welche in der Luft tanzten und gaukelten und im Gebüsch verschwanden. Und dabei tönte stärker die Musik des Waldes, und der Nachtwind strich daher, geheimnisvoll säuselnd und süße Düfte aushauchend.

Balthasar, Candida, die Freunde erkannten den mächtigen Zauber Alpans, aber Mosch Terpin, halb berauscht, lachte laut und meinte, hinter allem stecke niemand anders als der Teufelskerl, der Operndekorateur und Feuerwerker des Fürsten.

Schneidende Glockentöne erhallten. Ein glänzender Goldkäfer schwang sich herab, setzte sich auf Prosper Alpanus' Schulter und schien ihm leise etwas ins Ohr zu sumsen.

Prosper Alpanus erhob sich von seinem Sitz und sprach ernst und feierlich: „Geliebter Balthasar – holde Candida – meine Freunde! – Es ist nun an der Zeit – Lothos ruft – ich muß scheiden." –

Darauf nahte er sich dem Brautpaar und sprach leise mit ihnen. Beide, Balthasar und Candida, waren sehr gerührt, Prosper schien ihnen allerlei gute Lehren zu geben, er umarmte beide mit Inbrunst.

Dann wandte er sich an das Fräulein von Rosenschön und sprach ebenfalls leise mit ihr – wahrscheinlich gab sie ihm Aufträge in Zauber- und Feenangelegenheiten, die er willig übernahm.

Indessen hatte sich ein kleiner kristallner Wagen, mit zwei

schimmernden Libellen bespannt, die der Silberfasan führte, aus den Lüften hinabgesenkt.

„Lebt wohl – lebt wohl!" rief Prosper Alpanus, stieg in den Wagen und schwebte empor über die flammenden Regenbogen hinweg, bis sein Fuhrwerk zuletzt in den höchsten Lüften erschien wie ein kleiner funkelnder Stern, der sich endlich hinter den Wolken verbarg.

„Schöne Montgolfiere", schnarchte Mosch Terpin und versank, von der Kraft des Weines übermannt, in tiefen Schlaf.

– Balthasar, der Lehren des Prosper Alpanus eingedenk, den Besitz des wunderbaren Landhauses wohl nutzend, wurde in der Tat ein guter Dichter, und da die übrigen Eigenschaften, die Prosper rücksichts der holden Candida an dem Besitztum gerühmt, sich ganz und gar bewährten, Candida auch niemals den Halsschmuck, den ihr das Stiftsfräulein von Rosenschön als Hochzeitsgabe beschert, ablegte, so konnt es nicht fehlen, daß Balthasar die glücklichste Ehe in aller Wonne und Herrlichkeit führte, wie sie nur jemals ein Dichter mit einer hübschen jungen Frau geführt haben mag. –

So hat aber das Märchen von Klein Zaches, genannt Zinnober, nun wirklich ganz und gar ein fröhliches

Ende.

ANMERKUNGEN

Zur Textgestaltung

Die historisch-kritische Ausgabe von Hoffmanns „Sämtlichen Werken“, die Carl Georg von Maassen 1908 eröffnete, ist Fragment geblieben und kam daher nicht als Textgrundlage für die vorliegende Auswahl in Betracht. Die Auswahl folgt dem Text der sechsbändigen Ausgabe von Hoffmanns „Poetischen Werken“, die 1958 im Aufbau-Verlag Berlin erschien. Zum Vergleich wurde die von Georg Ellinger besorgte 15teilige Ausgabe von Hoffmanns Werken herangezogen, die in zweiter Auflage 1927 im Verlagshaus Bong & Co. erschien und auf der auch die Ausgabe des Aufbau-Verlags basiert. Die Brief- und Tagebuchzitate in der Einleitung und im Anmerkungsteil stammen aus der von Walther Harich, Weimar 1924, herausgegebenen 15bändigen Edition von Hoffmanns Dichtungen und Schriften.

Die neun Bände der Maassenschen Ausgabe und die Ausgabe Georg Ellingers enthalten die wesentlichsten der zum sachlichen Verständnis von Hoffmanns Werk nötigen Erläuterungen. Der Bearbeiter der vorliegenden Auswahl ist im Anmerkungsteil den beiden Hoffmann-Forschern tief verpflichtet. In Einzelfällen leisteten auch die mit G. S. signierten Anmerkungen in der Ausgabe des Aufbau-Verlags gute Dienste.

Die Veröffentlichung des E.-T.-A.-Hoffmann-Porträts erfolgt mit freundlicher Genehmigung der Deutschen Staatsbibliothek Berlin.

Ritter Gluck

Die Erzählung „Ritter Gluck" entstand entweder in Glogau, wo sich Hoffmann vom Juni bis August 1808 bei seinem Freund Hampe aufhielt, oder in Bamberg, wo Hoffmann am 1. September 1808 eintraf. Am 12. Januar 1809 übersandte er die Erzählung an Johann Friedrich Rochlitz, den Herausgeber der Leipziger „Allgemeinen Musikalischen Zeitung". Rochlitz veröffentlichte die Erzählung am 15. Februar 1809. Mit geringfügigen Änderungen wurde sie dann in den ersten Band der 1814/15 im Neuen Leseinstitut von C. F. Kunz erscheinenden „Fantasiestücke in Callots Manier" übernommen. – Alle aus den „Fantasiestücken" ausgewählten Werke folgen dem Text der 1819 veröffentlichten zweiten Auflage.

Hoffmann verarbeitete im „Ritter Gluck" Erinnerungen an seinen zweiten Berliner Aufenthalt, der vom 18. Juni 1807 bis zum 9. Juni 1808 dauerte.

3 *Klaus und Weber* – Nach ihren Wirten benannte Vergnügungslokale (Zelte) im Berliner Tiergarten.
Mohrrübenkaffee – Durch die von Napoleon Ende 1806 gegen England verhängte Kontinentalsperre kam kein Bohnenkaffee ins Land.
Mad. Bethmann – Friederike Auguste Karoline Bethmann (1760 bis 1815), gefeierte Berliner Schauspielerin, tonangebend in der Mode.
den geschlossenen Handelsstaat – Der Philosoph Johann Gottlieb Fichte veröffentlichte 1800 eine sozialutopische Schrift „Der geschlossene Handelsstaat", die großes Aufsehen erregte; Rochlitz hatte die Anspielung auf Fichtes Schrift in dem Text eingefügt, und Hoffmann behielt sie bei.
böse Groschen – Münzen mit herabgesetztem Silbergehalt.
Fanchon – „Fanchon oder das Leiermädchen" (1800), Oper von Friedrich Heinrich Himmel (1765–1814), Text von August von Kotzebue (1761–1819).

5 *Iphigenia in Aulis* – 1774 in Paris uraufgeführte Oper von Christoph Willibald Ritter von Gluck (1714–1787) mit französischem Text von Bailli von Rollet.

7 *Chor der Priesterinnen aus der „Iphigenia in Tauris“* – Gemeint ist wahrscheinlich der Chor Nr. 26 der 1779 in Paris uraufgeführten Oper Glucks.
8 *vor Alzinens Burg...* – Anspielung auf das Heldengedicht „Der rasende Roland“ (1516) des italienischen Dichters Lodovico Ariosto (1474–1533); in Gesang 6, Strophe 61–67 wird Rüdiger der Weg durch mißgestaltete Ungeheuer verlegt, die er jedoch besiegt.
9 *Euphon* – Gemeint ist die schöpferische Kraft des Musikers.
10 *Don Juan* – Mozarts 1787 in Prag uraufgeführte Oper „Don Giovanni“ wurde 1807 in Berlin gegeben.
11 *ich wollte einmal „Iphigenia in Tauris“ hören* – Tatsächlich wurde an der Berliner Oper Glucks „Iphigenia in Tauris“ mit der Ouvertüre der „Iphigenia in Aulis“ eröffnet.
nach meiner Wohnung in der Friedrichstraße – Hoffmann wohnte während seines zweiten Berliner Aufenthalts in der Friedrichstraße 179.
Armida – Glucks 1777 in Paris uraufgeführte Oper wurde am 19. Februar 1808 in Berlin gegeben.

Am 22. September 1812 las Hoffmann Auszüge aus dem „Don Juan“ seinem späteren Verleger Kunz vor; am 24. September 1812 war die Erzählung laut Tagebuch abgeschlossen. Sie erschien am 31. März 1813 in der „Allgemeinen Musikalischen Zeitung“ und wurde in den ersten Band der „Fantasiestücke in Callots Manier“ übernommen.

Der „Don Juan“ ist tief in Hoffmanns Bamberger Erleben verankert. Zunächst einmal war Mozarts gleichnamige Oper, die bereits der Königsberger Student „allumfassend“ genannt hatte, in Bamberg mit Holbein in der Titelrolle aufgeführt worden. Ob dieser Aufführung Hoffmanns eigenwillige Konzeption zugrunde lag, läßt sich nicht ermitteln (ein Jahrhundert später wurde die Oper in Wien von Gustav Mahler in Hoffmanns Sinn inszeniert). Die Szenerie knüpft an Bamberger Örtlichkeiten an: das Kaffeehaus „Zur Rose“, in dem Hoffmann verkehrte, war durch einen Gang mit dem Theater verbunden. – Geschrieben wurde die Erzählung zu einem Zeitpunkt, als Hoffmanns Musikschülerin Julia Mark mit dem Kaufmann Gröpel verlobt worden war. Während eines am 6. September 1812 unternommenen Ausflugs nach dem in Bambergs Umgebung gelegenen Pommersfelden hatte Hoffmann, vom Alkohol enthemmt, dem Bräutigam und der Brautmutter in einer wüsten Szene seine Verachtung und seinen Abscheu entgegengeschleudert und war daraufhin des Markschen Hauses verwiesen worden. Im „Don Juan“ setzte Hoffmann den realen Verhältnissen seine Idee der Künstlerliebe, und zwar in doppelter Ausformung, entgegen. Den Traum einer durch die Musik vermittelten, aller Konvention enthobenen Seelenharmonie zwischen Julia und ihm ließ er in der Begegnung zwischen der Sängerin und dem reisenden Enthusiasten Gestalt werden. Bei der Musik, die diese Seelenharmonie herstellt, ist an Hoffmanns Oper „Undine“ zu denken, an der er im August 1812 zu arbeiten begonnen hatte.

17 *regno all pianto* – (ital.) das der Klage (zugehörige) Reich.
„Notte e giorno faticar“ – (ital.) „Keine Ruh bei Tag und Nacht“; die Zitate aus Mozarts „Don Giovanni“ werden in der Übersetzung von Rochlitz, dem Herausgeber der „Allgemeinen Musikalischen Zeitung“, gegeben.
Ah che piacere! – (ital.) O welche Freude!
griechisches Feuer – Ein im frühen Mittelalter gebräuchlicher Explosivstoff.
„Non sperar se non m'uccidi“ – (ital.) „Ja, ich wage selbst mein Leben“.
18 *„Ma qual mai s'offre...“* – (ital.) „Welch ein schreckliches Bild erscheint vor meinen Augen! Gerechter Himmel!“
19 *„Tu nido d'inganni“* – (ital.) „Größter der Frevler“.
„Parla come un libro stampato“ – (ital.) „Sie spricht wie ein gedrucktes Buch“.
„Fin ch'han dal vino“ – (ital.) „Treibt der Champagner das Blut erst in Kreisen“.
20 *Cymork* – Cymosco, Gestalt im „Rasenden Roland“ von Ariosto, Gesang 9, Strophe 66.
21 *mein Theodor* – Ansprache des Erzählers an den Freund Hippel.
Roulade – Perlender Lauf (im Gesang).
22 *„Gia la mensa è preparatal!“* – (ital.) „Fröhlich sei mein Abendessen!“
28 *„Lascia, o caro, un anno ancora...“* – (ital.) „Ist, o Teuerer, ein Jahr vergangen, sei geweiht das heilige Band“.
„Crudele“ – (ital.) „Ich grausam?“
„forse un giorno...“ – (ital.) „Laß mich nur, bis meinem Herzen nach der Nacht ein Morgen scheint“.
29 *„Non mi dir bell' idol mio!“* – (ital.) „Über alles bleibst du teuer!“
Dschinnistan – Feenland.

Johannes Kreislers, des Kapellmeisters, musikalische Leiden

Unter dem Titel „Kreisleriana" vereinigte Hoffmann in den ersten beiden Bänden der „Fantasiestücke" dreizehn Aufsätze und Skizzen, die er als Hinterlassenschaft des verschollenen Kapellmeisters Johannes Kreisler ausgibt. Kreisler darf auf weite Strecken hin als Hoffmanns zweites Ich angesprochen werden: Ihn läßt er sowohl seine großenteils an Bamberg geknüpften Erlebnisse wie seine künstlerischen Bekenntnisse vortragen. Literarische Anregung für die poetisch hochbedeutsame Gestalt des Kapellmeisters konnte Hoffmann von Wilhelm Heinrich Wackenroders (1773–1798) Erzählung „Das merkwürdige musikalische Leben des Tonkünstlers Joseph Berglinger" (1797) erhalten.

Das erste Kreislerianum, im Sommer 1810 entstanden und am 26. September 1810 in der „Allgemeinen Musikalischen Zeitung" erstveröffentlicht, ist die Skizze „Johannes Kreislers, des Kapellmeisters, musikalische Leiden". Als ein Vorspiel zu dieser Skizze darf ein am 14. Mai 1804 an Hippel geschriebener Brief gelten, in dem Hoffmann eine humoristische Schilderung des „geräuschvollen", „tollen", „wilden" Warschauer Lebens gibt und sich in der Lage des „Musicien enragé" erklärt, des von dem englischen Graphiker William Hogarth (1697 bis 1764) gezeichneten tollen Musikers, der verzweifelt gegen den chaotischen Lärm seiner Umgebung anzumusizieren versucht. Die Erfahrungen, die Hoffmann als Musiklehrer und maître de plaisir in den besseren Häusern Bambergs gesammelt hatte, trugen der Skizze die satirischen Elemente zu. In Amalia, der Nichte des Geheimes Rats Röderlein, wird Julia Mark, Hoffmanns Musikschülerin und ideale Geliebte, zum ersten Male angedeutet.

30 *Exemplar der Johann Sebastian Bachschen Variationen* – Gemeint sind die sogenannten Goldbergschen Variationen: „Klavierübung, vierter Teil: Aria mit 30 Veränderungen"; die im Text erwähnte Ausgabe erschien bei dem Musikverleger Nägeli in Zürich unter dem Titel „Variationen für das Klavier" (o. J.).
Verte – (lat.) Bitte wenden.

31 *Diné* – dîner (franz.): Abendessen.
„Chantez donc, mes enfants!" – (franz.) „Singt also, meine Kinder!"

32 *„Dolce dell' anima etc."* – (ital.) „Du Süße meiner Seele".
„Der Hölle Rache etc." – „Der Hölle Rache kocht in meinem Herzen", Arie der Königin der Nacht im 2. Akt von Mozarts „Zauberflöte".
„Hebe, sieh etc." – „Hebe, sieh, in sanfter Feier ruht die schlummernde Natur!", beliebtes Lied von Friedrich Heinrich Himmel,

erstmals veröffentlicht in dessen „Deutschen Liedern am Klavier", Zerbst 1798.

32 *„Ach ich liebte etc."* – „Ach ich liebte, war so glücklich, kannte nicht der Liebe Schmerz", Arie der Konstanze im 2. Akt von Mozarts Oper „Die Entführung aus dem Serail".
„Ein Veilchen auf der Wiese etc." – „Ein Veilchen auf der Wiese stand", Goethes Gedicht „Das Veilchen" in der Vertonung von Mozart.
es bleibt bei der Konstanze – Gemeint ist die obengenannte Arie „Ach ich liebte...".

33 *Tituskopf* – Nach dem römischen Kaiser Titus benannte und zur Zeit der Französischen Revolution aufgekommene Mode, das Haar kurz gelockt zu tragen.
Chor aus dem „Titus" – Chor Nr. 5, „Schützet Titus, o ihr Götter", aus Mozarts Oper „Titus".

34 *nel cor mi non più sento* – (ital.) In meinem Herzen fühl ich nimmer, Duettino Nr. 6 aus der Oper „La Molinara" von Giovanni Paisiello (1741–1816), häufig variiert, u. a. von Beethoven und Joseph Jellinek (1758–1825); Hoffmann denkt wahrscheinlich an Jellineks flache Version „Mich fliehen alle Freuden".
Ah vous dirai-je, maman – (franz.) Kleines französisches Lied, vielfach variiert, u. a. von Mozart und Ludwig Berger (1777–1839).
von einem spiritu familiari: – (lat.) von einem Hausgeist.

35 *„Wenn mir dein Auge strahlet"* – Arie aus der Oper „Das unterbrochene Opferfest" (1796) von Peter Winter (1754–1825).
Lungen wie Rameaus Neffe – Denis Diderot (1713–1784) hebt in seinem 1805 von Goethe übersetzten Roman „Rameaus Neffe" die „ungewöhnliche Lungenstärke" des Titelhelden hervor.
die große Szene der Donna Anna – Gemeint ist wahrscheinlich die Arie „Non mi dir bell' idol mio!" (Über alles bleibst du teuer) in Mozarts „Don Giovanni".

36 *Rode* – Pierre Rode (1774–1830), gefeierter Violinvirtuose; Hoffmann hörte ihn in Bamberg 1811.
Solitär – Großer, einzeln gefaßter Diamant.
Corelli – Arcangelo Corelli (1653–1713), italienischer Violinvirtuose und Komponist von europäischer Wirkung.
Oesterleinscher Flügel – Oesterlein, Klavierbauer in Berlin.

Gedanken über den hohen Wert der Musik

Der am 20. Juni 1812 geschriebene ironisch-kritische Aufsatz „Gedanken über den hohen Wert der Musik" erschien als drittes Kreislerianum im 1814 veröffentlichten ersten Band der „Fantasiestücke".

Zuvor war er unter dem wahrscheinlich von Rochlitz formulierten Titel „Des Kapellmeisters, Johannes Kreislers, Dissertatiuncula über den hohen Wert der Musik" am 29. Juli 1812 anonym in der „Allgemeinen Musikalischen Zeitung" erschienen. – Hoffmann verarbeitet in diesem Aufsatz seine Begegnungen mit dem Kunstbetrieb in den Bürgerhäusern Bambergs und schließt in seiner Darstellung an die Manier des von ihm vielzitierten Georg Christoph Lichtenberg (1742–1799) an, „eine Sache, die gar nicht verteidigt werden kann, zu verteidigen mit Gründen, die voll satirischer Bitterkeit sind".

38 *nach jenem Ausspruch* – Im Matthäus-Evangelium 5, 37 heißt es: „Eure Rede aber sei: Ja, ja: nein, nein. Was drüber ist, das ist vom Übel".

39 *Murki* – Murky: im 18. Jahrhundert beliebtes Musikstück.
„Blühe liebes Veilchen" – Lied nach einem Text von Christian Adolf Overbeck (1755–1821); es gehörte wie der zuvor genannte Dessauer Marsch zu den Lieblingsstücken des bürgerlichen Salons.

40 *miscere utili dulce* – (lat.) Das Angenehme mit dem Nützlichen verbinden; nach Horaz „De arte poetica" (Die Dichtkunst), Vers 343.
Schoßstube – Steuer- und Abgabenkasse.

41 *Isistempel* – Anspielung auf die „Lehrlinge zu Sais" von Novalis (1772–1801).
Sanskritta – Sanskrit: Sprache der klassischen altindischen Literatur; hier in der Bedeutung: heilige Sprache.

42 *Remedium* – (lat.) Heilmittel.

43 *Tubalkain* – Thubalkain: im Alten Testament „Meister in allerlei Erz- und Eisenwerk"; von Hoffmann scherzhaft als Erfinder des hier charakterisierten seelenlosen Geklimpers bezeichnet.

Der Musikfeind

„Der Musikfeind", im Frühjahr 1814 geschrieben und am 1. Juni 1814 in der „Allgemeinen Musikalischen Zeitung" erstmals veröffentlicht, erschien als fünftes Kreislerianum des zweiten Bandes der „Fantasiestücke". Hoffmann verarbeitete im „Musikfeind" Erinnerungen an seine Kindheit und gedenkt besonders der frühverstorbenen Tante Charlotte Wilhelmine Doerffer (Tante „Füßchen").

44 *Emanuel Bach* – Philipp Emanuel Bach (1714–1788), zweiter Sohn Johann Sebastian Bachs, Komponist und Kammermusiker Friedrichs II.

44 *Wolf* – Ernst Wilhelm Wolf (1735–1792), Instrumentalkomponist.
Benda – Georg Benda (1721–1795), Komponist.
„Ad opus“ – (lat.) „Ans Werk!“
45 *Hasse* – Johann Adolf Hasse (1699–1783), Komponist, von Hoffmann wegen seiner Kirchenmusik sehr geschätzt.
Traetta – Tommasso Traëtta (1727–1799), italienischer Kirchen- und Opernkomponist.
47 *Tangente* – Beim Klavichord die an den Tastenenden sitzenden Metallplättchen, die die Saiten anschlagen.

Die Vision auf dem Schlachtfelde bei Dresden

Am 29. August 1813 besuchte Hoffmann das Schlachtfeld von Dresden und notierte in seinem Tagebuch die „unvergeßlichen Eindrücke“, die der Anblick verwüsteten Lebens in ihm hervorrief: „Was ich so oft im Traume gesehn, ist mir erfüllt worden – auf furchtbare Weise – Verstümmelte zerrissene Menschen!!“ Ein Vierteljahr später, am 16. und 17. Dezember 1813, verarbeitete er diese Eindrücke in der „Vision auf dem Schlachtfelde bei Dresden“, die Anfang 1814 als Flugschrift bei Kunz in Bamberg erschien.

55 *Nero* – Lucius Domitius Nero (37–68), ab 54 römischer Kaiser, wegen seiner Grausamkeit berüchtigt.
Dschingiskhan – Dschingis-Chan, Titel des Gründers des Mongolischen Weltreichs; Temudschin (1155–1227) eroberte als Herrscher der vereinigten mongolischen Stämme Nordchina und drang bis zum Asowschen Meer vor.
Tilly – Johann Tserclaes Graf Tilly (1559–1632), Heerführer der katholischen Liga im Dreißigjährigen Krieg, verheerte 1631 Magdeburg.
Alba – Fernando Alvarez de Toledo, Herzog von Alba (1507 bis 1582), spanischer Feldherr, Statthalter der spanischen Niederlande, versuchte durch grausame Maßnahmen den Befreiungskampf der Niederländer zu unterdrücken.
56 *Alexander* – Alexander I. (1777–1825) Kaiser von Rußland seit 1801.
Friedrich Wilhelm – Friedrich Wilhelm III. (1770–1840), König von Preußen seit 1797.

Der goldne Topf

Am 19. August 1813 machte Hoffmann seinen Verleger Kunz mit dem Plan bekannt, den „Fantasiestücken" ein Märchen beizusteuern: „Mich beschäftigt die Fortsetzung der ‚Fantasiestücke in Callots Manier' ungemein, vorzüglich ein Märchen, das beinahe einen Band einnehmen wird. – Denken Sie dabei nicht, Bester! an Scheherezaden und Tausendundeine Nacht – Turban und türkische Hosen sind ganz verbannt – feenhaft und wunderbar, aber keck ins gewöhnliche alltägliche Leben tretend und seine Gestalten ergreifend soll das Ganze werden. So zum Beispiel ist der geheime Archivarius Lindhorst ein ungemeiner arger Zauberer, dessen drei Töchter, in grünem Gold glänzende Schlänglein, in Kristallen aufbewahrt werden; aber am heiligen Dreifaltigkeitstage dürfen sie sich drei Stunden lang im Holunderbusch an Ampels Garten sonnen, wo alle Kaffee- und Biergäste vorübergehen – aber der Jüngling, der im Festtagsrock seine Buttersemmel im Schatten des Busches verzehren wollte, ans morgende Kollegium denkend, wird in unendliche wahnsinnige Liebe verstrickt für eine der Grünen; – er wird aufgeboten – getraut – bekommt zur Mitgift einen goldenen Nachttopf mit Juwelen besetzt; – als er das erstemal hinein..., verwandelt er sich in einen Meerkater usw. – Sie bemerken, Freund! daß Gozzi (ital. Lustspieldichter, 1720–1806, schrieb satirische Märchendramen; d. Hg.) und Faffner (Fafner, in der nordischen Mythologie Riese in Drachengestalt; d. Hg.) spuken! auch werden Sie bei Lesung des Ganzen wahrnehmen, daß eine frühere in Bamberg gefaßte Idee, die durch Ihre sehr richtigen Bemerkungen und Einwürfe nur nicht zur gänzlichen Ausführung kam, die Grundlage des Märchens bildet."

Bei der „in Bamberg gefaßten Idee" handelt es sich nach den – freilich anfechtbaren – Mitteilungen von Kunz um die durch James Beresfords (1764–1840) Buch „Menschliches Elend" (deutsch von Adolf Wagner, 1810) und durch einen Bamberger Sonderling angeregte Beschreibung eines Menschen, der unaufhörlich vom Pech verfolgt ist. Diese Idee wurde im „Goldnen Topf" um eine „tiefere Deutung" bereichert: Der Ungeschicklichkeit des Märchenhelden Anselmus entspricht ein lebendiger Sinn für die höhere, überwirkliche Welt; ja es ist geradzu diese romantische Veranlagung, die ihn für das banale Alltagsleben untauglich macht. Im gleichen Sinn wurde im Laufe der Arbeit der goldene Topf ausgedeutet: die mit fabelhaften, aber geistig wesenlosen Eigenschaften ausgestattete kostbare Mitgift, die der arme Student erhält, verwandelt sich in ein magisches Symbol, dessen Dinglichkeit zwar den Mitgiftcharakter bewahrt, dessen geistiges Wesen jedoch weit über diese Dinglichkeit hinausstrebt (vgl. S. 116 des Märchens).

Bereits bei der Konzipierung des Märchens war sich Hoffmann offenbar darüber im klaren, daß er mit ihm alles bisher Geschriebene überbieten würde. Am 8. September 1813 schrieb er, wiederum an Kunz: „Gott lasse mich nur das Märchen enden, wie es angefangen – ich habe nichts Besseres gemacht, das andere ist tot und starr dagegen, und ich meine, daß das *Sichheraufschreiben* zu etwas Ordentlichem bei mir vielleicht eintreffen könnte.“ Er hatte zum Zeitpunkt dieser Erklärung noch keine Zeile geschrieben. Erst am 26. November verzeichnet das Tagebuch: „... das Märchen ‚Der goldne Topf‘ mit Glück angefangen.“ Am 15. Februar 1814 war die Arbeit abgeschlossen, am 4. März wurde die Reinschrift des letzten Teils an Kunz abgeschickt.

Das Märchen erschien im Ende 1814 ausgelieferten dritten Band der „Fantasiestücke“ unter dem Titel „Der goldne Topf“. In der zweiten Auflage der „Fantasiestücke“ von 1819 war es überschrieben „Der goldne Topf. Ein Märchen aus der neuen Zeit“.

57 *Vigilie* – Nachtwache; römische Bezeichnung für den vierten Teil der Nacht; diese Kapitelbezeichnung ist eine von Jean Paul entlehnte Eigentümlichkeit, der seine Bücher in Stationen, Sektoren, Belustigungen, Zykel u. a. gliederte.
Schwarzes Tor – 1812 abgetragenes Tor im Nordwesten der Dresdner Neustadt, führte zu dem damals noch außerhalb der Stadt befindlichen Linkischen Bade, einem beliebten Ausflugsort.

59 *Bohnenkönig* – Das aus Frankreich stammende und von da aus weitverbreitete Bohnenfest fand am Dreikönigstage (5. oder 6. Januar) statt; in den für diesen Tag bestimmten „Königskuchen“ wurde eine Bohne eingebacken; wer sie fand, war Bohnenkönig, empfing Huldigungen, erteilte Befehle usw.
Kümmeltürke – Student, dessen Eltern im Universitätsort oder in dessen Nähe wohnten und dessen studentische Freiheit daher begrenzt war.
Laminge – Lemminge, norwegische Wühlmäuse, die große Wanderungen unternehmen und sich dabei durch kein Hindernis aufhalten lassen.

60 *Markör* – Eigentlich Aufseher beim Billardspiel; Kellner.
Donauweibchen – „Das Donauweibchen“ (1799), komische Oper von Ferdinand Kauer (1751–1831).

65 *Candidatus theologiae* – (lat.) Kandidat der Theologie.
bei dem Koselschen Garten – Garten an der Elbe in der Dresdner Neustadt; ihm gegenüber lag Antons Garten.

67 *zu den Poeticis* – (lat.) zu der Dichtkunst.

68 *salva venia* – (lat.) mit Verlaub.
wie ein berühmter... Gelehrter bewiesen – Der Berliner Aufklärer Friedrich Nicolai (1733–1811) hatte in seiner Schrift „Beispiel einer Erscheinung mehrerer Phantasmen“ (1799) dargelegt, daß er Wahnvorstellungen erfolgreich bekämpft habe, indem er

Blutegel am After ansetzte; in der Walpurgisnachtszene von Faust I (1808) verspottete Goethe den platten Aufklärer als Proktophantasmisten (Steißgeisterseher).

68 *Kapellmeister Graun* – Karl Heinrich Graun (1701–1759), Komponist, Kapellmeister Friedrichs II.

70 *Conradis Laden* – Konditorei in der Schloßgasse von Dresden.

75 *Nekromant* – Im Altertum Totenbeschwörer; Zauberer.

76 *ein gewisses bekanntes Kaffeehaus* – Gemeint ist wahrscheinlich das Café Eichelkraut auf dem Altmarkt, in dem Hoffmann verkehrte.

85 *Cicero de officiis* – Marcus Tullius Cicero (106–43 v. u. Z.), römischer Staatsmann und Schriftsteller, Verfasser der Schrift „De officiis" (Die Pflichten).

sich ... applizieren – Hier soviel wie sich (ein)fügen, anpassen.

88 *Alräunchen* – Alraune, Galgenmännlein, im Volksaberglauben die unter einem Gehenkten wachsende menschenähnliche Mandragorawurzel, der eine besondere Zauberkraft zugesprochen wurde.

90 *Seetor* – 1821 abgetragenes Tor am Ausgang der Seegasse.

92 *Auripigment* – Ein aus Schwefel und Arsen gewonnenes Ätzmittel.

96 *in der gläsernen Perücke* – Perücke aus gesponnenem Glas (die es wirklich gab).

den postpapiernen Stülpstiefeln – Postpapier war eine besondere Papiersorte.

102 *Höllenbreughel* – Pieter Breughel (um 1564–1637), niederländischer Maler, wegen der von ihm gemalten Spuk- und Räuberszenen „Höllenbreughel" genannt.

104 *im „Goldnen Engel" ...* – Dresdner Gasthäuser in der Wilsdruffer Gasse.

110 *Bhogovotgitas Meister* – Die altindischen Dichter und Weisen; Bhagavad-Gita ist ein Lehrgedicht aus dem indischen Nationalepos Mahabharata, über das Friedrich Schlegel in seiner Schrift „Über die Sprache und Weisheit der Inder" (1808) berichtet hatte; Hoffmann übernahm Schlegels Schreibweise Bhogovotgita.

119 *Pirnaer Tor* – 1820 abgetragenes Tor am Pirnaischen Platz.

Amice! – (lat.) Freund!

123 *Cousin germain* – (franz.) leiblicher Vetter.

pereat – (lat.) Nieder mit ihm (ihr)!

124 *ein Gerstenkorn zu sein* – Reil berichtet in seinem von Hoffmann gelesenen Buch „Über die Erkenntnis und Kur der Fieber" (1802): „Ein Mensch glaubte, ... daß er ein Gerstenkorn sei und ihn die Vögel fressen würden, wenn er aus der Stube ginge."

127 *Praktikanten* – Hier soviel wie Referendare.

128 *gaudeamus igitur* – „Gaudeamus igitur, iuvenes dum sumus/ post iucundam iuventutem/ post molestam senectutem/ nos habebit humus“: (lat.) Laßt uns fröhlich sein, solange wir jung sind! Nach einer angenehmen Jugend, nach einem beschwerlichen Alter wird uns die Erde haben; Studentenlied; eine ältere Fassung hatte statt humus – Erde, tumulus – Erdhügel, Grabhügel.

130 *Wechselbalg* – Im keltischen und germanischen Aberglauben von bösen Geistern anstelle des neugeborenen Menschenkindes untergeschobenes mißgestaltetes Wesen.

132 *Douceur* – (franz. douceur: Süßigkeit, Freundlichkeit) Hier: Geschenk, Trinkgeld.

133 *zu allerlei Allotriis* – zu allerlei Dummheiten.

134 *mente captus* – (lat.) des Verstandes beraubt, unzurechnungsfähig.

135 *apage Satanas!* – (lat.) Weiche, Satan!
‚Sonntagskind‘ – *‚Schwestern von Prag‘* – „Das Sonntagskind“ und „Die zwei Schwestern von Prag“, Singspiele von Wenzel Müller (1767–1835).

136 *cum nomine et sigillo principis* – (lat.) Mit Namen und Siegel des Fürsten.

139 *Malum* – (lat.) Übel.

140 *Gabalis* – Der Abbé Villars de Montfaucon veröffentlichte 1670 eine Schrift „La comte de Gabalis ou Entretiens des sciences secrètes“, die sich mit den Elementargeistern und ihrem Verhältnis zu den Menschen beschäftigte; sie erschien 1782 unter dem Titel „Graf von Gabalis oder Gespräche über die verborgenen Wissenschaften“ in deutscher Sprache.
Swedenborg – Emanuel Swedenborg (1688–1772), schwedischer Naturforscher und Philosoph; gegen ihn ist Kants Schrift „Träume eines Geistersehers“ (1766) gerichtet.

141 *p. t.* – Abkürzung für pro tempore (lat.): für jetzt.

Klein Zaches genannt Zinnober

Die Nachrichten über die Entstehungsgeschichte des im Januar 1819 bei Ferdinand Dümmler in Berlin erschienenen „Klein Zaches“ fließen nur spärlich. Nach einem Bericht von Hitzig kam Hoffmann die Idee zu dem Märchen im Frühjahr 1818, als er an einer schweren Unterleibserkrankung litt. Hitzig berichtet weiterhin, daß Hoffmann nach seiner Genesung das Märchen innerhalb von höchstens vierzehn Tagen niedergeschrieben habe. Diese Mitteilungen sind wenig vertrauenswürdig; denn noch am 6. 11. 1818 richtete Hoffmann an den von einer mehrjährigen Schiffsexpedition zurückgekehrten Adelbert von Chamisso eine offenkundig auf den „Klein Zaches“ bezügliche Anfrage:

„Verehrtester Weltumsegler und berühmter Naturforscher! Bitte mir gefälligst folgende Auskunft zu geben! Gehören die sogenannten Wickelschwänze zum Geschlecht der Affen oder nicht vielmehr der Meerkatzen? Wie heißt wohl unter diesem Geschlecht der Wickelschwänze eine besondere Art (die sich etwa durch besondere Häßlichkeit auszeichnet und sehr häßlich ist) mit dem Linneischen Namen oder sonst? Ich brauche eben einen solchen Kerl! – Wollten Sie, verehrtester Freund, nur gefälligst das Erforderliche hierunter bemerken? Guten Morgen! Hoffmann". Der von Hoffmann erfragte „Mycetes Beelzebub" taucht dann im „Klein Zaches" auf.

Neben den in den Anmerkungen identifizierten Anspielungen lassen sich mit mehr oder minder großer Wahrscheinlichkeit eine ganze Reihe von Realbezügen in Hoffmanns Märchen ermitteln. So stand möglicherweise der junge Jurist v. Heydebreck, der seit seinem zehnten oder zwölften Lebensjahr nicht mehr gewachsen war und den Hoffmann hoch zu Roß im Tiergarten gesehen haben soll, für den Klein Zaches Modell; die in Heidelberger Universitätskreisen ausgetragenen Streitigkeiten zwischen den „Physikanten" – den Vertretern einer rationalistischen Natur- und Geisteswissenschaft – und den „Mystikern" – den Anhängern der romantischen Naturphilosophie – regten möglicherweise Hoffmanns Schilderung des Universitätslebens an usw. Grundsätzlich bedurfte es jedoch für die im „Klein Zaches" vorgetragene Satire gegen die mit mathematisch-physikalischen Methoden arbeitende, von Hoffmann ins Vulgärmaterialistische verzerrte Naturwissenschaft ebensowenig einer ausdrücklichen Anregung wie für die das Märchen beherrschende Satire gegen den aufgeklärten Absolutismus eines Duodezregenten. In beiden Fällen kommt die an allgemeine gesellschaftliche Erfahrungen geknüpfte geistige Haltung Hoffmanns zum Ausdruck.

Daß sich Hoffmann bewußt war, mit dem „Klein Zaches" den Anschluß an den „Goldnen Topf" wiederhergestellt zu haben, klingt in einem am 27. Januar 1819 geschriebenen Brief an Hippel durch, in dem es heißt: „Lies doch den Zinnober, das tolle Märchen wird Dir gewiß, ich darf es glauben, manches Lächeln abzwingen. Wenigstens ist es bis jetzt das Humoristischste, was ich geschrieben, und von meinen hiesigen Freunden als solches anerkannt."

Die vorliegende Ausgabe folgt dem Text des Erstdrucks von 1819, der zugleich der letzte zu Hoffmanns Lebzeiten veranstaltete war.

145 *Paphnutius* – Hoffmann bezog die meisten Personennamen aus Johann Georg Zimmermanns (1728–1795) Buch „Über die Einsamkeit" (1784); so Paphnutius, Prosper Alpanus, Barsanuph, Ptolomäus Philadelphus, Rufinus.

146 *St.-Laurenz-Tag* – Tag des heiligen Laurentius, der 10. August.

146 *Alräunchen* – Hier in der Bedeutung: kleiner, gespenstischer Unhold.

152 *Rixners Turnierbuch* – Das 1530 erstmals erschienene „Thurnierbuch“ von Georg Rüxner gibt die Wappen der wichtigsten Adelsfamilien an.

153 *Weichselzöpfe* – Eigentlich Wichtelzopf: die durch den Zauber eines bösen Geists, z. B. eines Wichtels, bewirkte Verfilzung und Verknotung des Haares.

die gewöhnliche Hexenprobe – Die der Hexerei Verdächtigte wurde ins Wasser geworfen; sank sie nicht unter, so galt ihr Bündnis mit dem Bösen als erwiesen.

155 *Sire! – führen Sie die Aufklärung ein!* – Parodie auf das berühmte Wort des Marquis von Posa: „Sire! – Geben Sie Gedankenfreiheit!“ in Schillers „Don Carlos“, 3. Akt, 10. Auftritt.

156 *Akzisetarif* – Akzise: indirekte Verbrauchersteuer, vom Staat auf bestimmte Waren erhoben.

157 *Journaliere* – Regelmäßige Verkehrsverbindung mit Postwagen.

160 *Diese Leute ...* – Die geschilderte Kleidung ist die damals übliche altdeutsche Tracht der Studenten.

161 *mittels eines Eselkinnbackens* – Im alttestamentarischen Buch der Richter (15,15) erschlägt Simson mit einem Eselkinnbacken tausend der dem Volk Israel feindlichen Philister.

164 *wie jener Hofschranz den würdigen Prinzen Hamlet* – Gespräch zwischen Hamlet und Güldenstern in Shakespeares „Hamlet“, 3. Aufzug, 2. Szene.

168 *Gratias* – (lat.-span.) Dank.

Tusch – In der Studentensprache: Beleidigung.

Hasenfuß – Hier: Narr.

169 *Komment* – In der Studentensprache: Brauch, Sitte.

171 *mon cher* – (franz.) Mein Lieber.

Bonsoir – (franz.) Guten Abend.

au revoir – (franz.) Auf Wiedersehen.

175 *Fouqués „Zauberring“* – „Der Zauberring“, 1813 erschienener Roman von dem mit Hoffmann befreundeten Baron de la Motte-Fouqué (1777–1843).

zur Zeit erblinde als höchste Stufe der weiblichsten Weiblichkeit – Satirische Anspielung auf die Liane in Jean Pauls Roman „Titan“ (1800/1803), die bei heftigen Gemütsbewegungen vorübergehend erblindet.

176 *Aszetiker* – Asket.

Sie gleichen beinahe dem heiligen Hieronymus – Bericht bei Zimmermann, „Über die Einsamkeit“, a. a. O. Teil 1, S. 311.

Liebe der Nachtigall zur Purpurrose – Beliebtes Motiv in der persischen Lyrik; Bericht bei Schubert, „Ansichten von der Nachtseite der Naturwissenschaft" (1808): „Die schöne Sympathie der Nachtigall und Rose ist von den Persern in unzähligen Liedern besungen, wie in dem blühenden Hain der kleine Sänger, von der Liebe zur schönen Blume ergriffen, die ferne Kluft, welche die Natur zwischen der Blüte und dem Tiere befestiget, beklagt" (S. 237).

177 *Lucas Cranach* – Lucas Cranach der Ältere (1472–1553), dessen Malerei sich von italienischen Vorbildern befreite, steht hier als kerndeutscher Mann.

183 *Cartesianisches Teufelchen* – Eine nach dem französischen Philosophen René Descartes (latinisiert Renatus Cartesius, 1596–1650) benannte hohle Glaspuppe, meist eine Teufelsfigur, die im Wasser aufrecht schwimmt.

186 *Konzert von Viotti* – Giovanni Battista Viotti (1753–1824), italienischer Violinvirtuose und Komponist; gemeint ist wahrscheinlich sein Konzert in a-Moll.

187 *Applikatur* – Der Fingersatz beim Spiel der Violine; hier in übertragener Bedeutung: Griffbrett der Violine; „die ganze Applikatur greifend" demnach: den ganzen Kerl packend.

190 *Maut-Offizianten* – Zollbeamte.

191 *Glocken einer Harmonika* – Gemeint ist die Glasharmonika, ein heute nicht mehr gebräuchliches Instrument, dessen Töne durch Streichen abgestimmter Glasglocken oder Glasstäbe hervorgerufen wurden. Hoffmann äußerte sich über dieses Instrument in seinem Aufsatz „Ein Brief des Kapellmeisters Johannes Kreisler" (1819).

192 *Kasimirhose* – Kasimir, Kaschmir: ein Gewebe.

193 *Geld-Negoz* – Geldgeschäft.

196 *Cagliostro* – Alexander Graf Cagliostro, eigentlich Guiseppe Balsamo (1743–1795), italienischer Abenteurer und Hochstapler; Modell für Schillers „Geisterseher" (1789) und Goethes „Großkophta" (1791).

198 *Äolsharfen* – Harfen, deren gestimmte Saiten der Wind zum Klingen bringt; nach Äolos, dem griechischen Gott des Windes.

200 *Entrechats* – (franz.) Kreuzsprünge.

202 *Brahmin* – Brahmane, indischer Priester.

204 *Wieglebs ‚Magie'* – Johann Christian Wieglebs „Unterricht in der natürlichen Magie" (1782) lernte Hoffmann in seinen Jugendjahren kennen.

206 *bossu* – (franz.) bucklig, verwachsen.

211 *ein Naturforscher, der eben, vom Nordpol kommend* – Scherzhafte Anspielung auf den 1818 von einer Weltreise zurückgekehrten Freund Adelbert von Chamisso.

acht Tage vorher nicht zu denken – Scherzhafte Anspielung auf Hoffmanns Vorgesetzten, den Präsidenten des Kammergerichts

Woldermann, der überarbeiteten Beamten den Rat zu geben pflegte, „an gar nichts zu denken, das heitere ungemein auf, er wisse das aus eigner Erfahrung“, vgl. Brief Hoffmanns an Fouqué vom 15. Juli 1819.

219 *Oxhoft* – Altes Weinmaß, entspricht etwa drei Eimern.

Alikante – Dessertwein aus der spanischen Provinz Alicante.

220 *Neulich ist der Minister…* – Die im folgenden erzählte Geschichte von der Verwechslung Zinnobers mit einem Affen geht auf eine am 10. Januar 1818 im „Freimütigen“ veröffentlichte Anekdote zurück, die gegen den „berühmten Hüpf-, Spring- und Schwungmeister“, den Turnvater Jahn, gerichtet war.

Mycetes Beelzebub… – Der von dem schwedischen Naturforscher Linné geprägte Name für den schwarzen Brüllaffen; das Folgende wörtlich: Linnés Affe Beelzebub, schwarz, bärtig an den Untergestellen und am Schwanz oben braunrot; Hoffmann gibt die von Chamisso vermittelte Bezeichnung in scherzhaft entstellter Form wieder.

221 *Lampertsnüsse* – Lambertsnüsse, in Südeuropa (der Lombardei) wachsende Haselnußart.

226 *Chartah Bhade* – Schastra Bhade, ein in Schuberts „Ansichten“ erwähntes indisches Gedicht, das von Hoffmann lediglich zur Bezeichnung der indischen Herkunft von Prosper Alpanus angeführt wird.

Minister Yuchi – In Schuberts „Ansichten“ wird von einem im 5. Jahrtausend v. u. Z. regierenden chinesischen König berichtet, dessen Minister Yuchi den Polarstern bestimmt habe.

228 *Kurtken* – Kurtka: (von russischen und polnischen Truppen getragener Waffen-) Rock mit kurzen Schößen.

Spenzer – Oberrock.

Pierrotsärmel – Der Pierrot, Hauptfigur der französischen Pantomime, trug eine Jacke mit sehr weiten Ärmeln.

234 *Simia Beelzebub* – Simia caudata barbata cauda prehensili (lat.): geschwänzter, bärtiger Affe mit einem Wickelschwanz, eine andere wissenschaftliche Bezeichnung für den Brüllaffen.

238 *Trick-Track* – Ein Brettspiel mit Würfeln.

es gibt mehr Dinge – Zitat aus Shakespeares „Hamlet“, 1. Aufzug, 5. Szene: „Es gibt mehr Ding' im Himmel und auf Erden als Eure Schulweisheit sich träumt, Horatio!“

245 *so ist er aus Furcht zu sterben gar gestorben* – Satirische Anspielung auf den Vers „Aus Furcht zu sterben ist er gar gestorben“ in Friedrich Schlegels Tragödie „Alarcos“ (1802); während einer Aufführung des Stücks in Weimar brach bei diesen Worten ein von Goethe nur mühsam beschwichtigter Theaterskandal aus.

246 *Humor* – Flüssigkeit; der griechische Arzt Hippokrates (460 bis um 377 v. u. Z.) nahm als Grundbestandteile aller Dinge vier humores an.
247 *Inkommoditäten* – Unannehmlichkeiten, Unbequemlichkeiten.
250 *Nil admirari* – (lat.) Nichts bewundern, angebliche Antwort des Pythagoras auf die Frage, was er durch sein Nachdenken erreiche; nach den „Episteln“ des Horaz, Buch 1, VI, 1.
265 *Montgolfiere* – Nach ihren Erfindern, den Brüdern Montgolfier, benannter Luftballon.

INHALTSVERZEICHNIS